Серия «Сердце медицины»

Али Хан
Уильям Патрик

СЛЕДУЮЩАЯ ПАНДЕМИЯ

Инсайдерский рассказ о борьбе
с самой страшной угрозой
человечеству

Перевод с английского
Василия Горохова

Москва
«МАНН, ИВАНОВ И ФЕРБЕР»
2021

УДК 82-32:578
ББК 51.9
Х19

Научный редактор Армен Шакарян
Издано с разрешения Perseus Books, LLC,
a subsidiary of Hachette Book Group, Inc.
и Projex International LLC acting jointly
with Alexander Korzhenevski Agency

На русском языке публикуется впервые

Хан, Али
Х19   Следующая пандемия. Инсайдерский рассказ о борьбе с самой страшной угрозой человечеству / Али Хан, Уильям Патрик ; пер. с англ. В. Горохова ; науч. ред. А. Шакарян. — М. : Манн, Иванов и Фербер, 2021. — 320 с. — (Сердце медицины).

ISBN 978-5-00169-203-4

Инсайдерский рассказ врача о борьбе с инфекционными болезнями — самыми массовыми убийцами на планете — и о панике, которая настигает нас и усугубляет проблему. Али Хан рассказывает, откуда приходят эпидемии и как они распространяются, раскрывает способы борьбы и обсуждает эффективность вакцинации. Захватывающее повествование, полное научных фактов, предостережений и размышлений, в том числе и о текущей пандемии COVID-19.

УДК 82-32:578
ББК 51.9

ISBN 978-5-00169-203-4

СОДЕРЖАНИЕ

*Посвящается всем, кто борется
с инфекционными заболеваниями,
а также специалистам по расследованию болезней,
помогающим защищать этих людей*

ПРЕДИСЛОВИЕ
К НОВОМУ ИЗДАНИЮ

В основе этой книги лежит мой тридцатилетний опыт борьбы с эпидемиями в разных уголках мира. Важнейший вывод, который следует из этой работы, — я надеюсь, его передает название, — заключается в том, что мы постоянно находимся на грани вспышки очередного заболевания.

В последние несколько месяцев эта мысль стала очевидной. С того самого момента, когда в середине февраля COVID-19 появился в США, я, вдобавок к своим обычным управленческим обязанностям в одном из колледжей здравоохранения, каждый день участвую в реагировании на пандемию. Меня приглашают в качестве консультанта по стратегическим вопросам предотвращения передачи инфекции на местном, национальном и международном уровнях. Я помогаю различным организациям разобраться, как возобновить деятельность в условиях, когда у нас нет информации о распространении заболевания в следующие несколько лет. Несмотря на различные карантинные меры, у меня есть возможность заниматься и полевой эпидемиологией, в том числе разработкой учебных программ по отслеживанию контактов и подготовкой мест изоляции для вернувшихся из-за рубежа американцев. Я даже проверял стратегии профилактики на мясокомбинате. Проблема сейчас у всех на виду и привлекает повышенное внимание общества.

Изучая проделанную нами работу, а также то, что не было сделано, можно извлечь не один урок. Прежде всего, пандемия застала нас врасплох, причем не только страны с низким или средним уровнем доходов, которым часто просто не хватает ресурсов на подготовку к катастрофам, но и весь мир в целом. А ведь в последнее время мы уже имели дело с коронавирусами — и атипичная пневмония (SARS), и ближневосточный респираторный синдром (MERS) были вызваны именно ими. Мне довелось поработать в Сингапуре — об этом рассказывается в книге — и участвовать там в борьбе с атипичной пневмонией. Я воочию убедился, насколько большую роль играют сверхраспространители — заболевшие, которые заражают необыкновенно много людей и способствуют широкому распространению вируса. Мы, специалисты по инфекционным заболеваниям, уже давно говорим о том, что в век авиаперелетов и высокой плотности городского населения угроза пандемий значительно возросла, и явление сверхраспространения будет этому способствовать. Однако во время пандемии COVID-19 во всем мире было сделано слишком мало для предотвращения подобных ситуаций. Мы предупреждали и о том, что социально-экономические и политические последствия глобальной вспышки легко могут превзойти по тяжести ущерб, нанесенный заболеваемостью и смертностью как таковыми. Прямые экономические потери от COVID-19 уже исчисляются триллионами долларов, а снижение экономического роста в мировом масштабе по некоторым оценкам составляет два процента в месяц. Сотни миллионов, может быть, миллиарды долларов, которых стоила бы подготовка к этой ситуации, кажутся теперь мелочью.

Еще один урок, который я извлек из своей погони за эпидемиями по всему миру, заключается в том, что магическое мышление — враг науки. Когда в Сьерра-Леоне бушевала лихорадка Эбола, там кружили слухи, будто бы болезнь вызывают «ведьмины ружья» — некие злые силы, с помощью которых можно заразить человека тяжелой болезнью. Теперь схожие слухи появились по всему миру: говорят, что новый коронавирус — это микробиологическое оружие, что его создали в рамках векового заговора, призванного заставить людей прививаться, а один из африканских президентов даже рекламирует травяное зелье от COVID-19. Такие россказни процветают в обществах, где активно отрицают науку и отсутствует качественная информация. Правительства Китая, России, США, Ирана и многих других стран не сумели быстро и честно поделиться данными с собственным населением, а в случае с Китаем — и с мировым сообществом в критически важные первые дни вспышки. Затем, когда нам так нужно было лидерство на уровне стран и в более широком глобальном контексте, слишком многие руководители государств обратились к племенной психологии и принялись винить во вспышке других вместо того, чтобы искать способы борьбы с ней.

Посреди всего этого хаоса и неразберихи превалируют две стратегии реагирования. Первая сосредоточена на жестком сдерживании и искоренении вируса на национальном уровне: путем чрезвычайно активного вмешательства государства можно максимально снизить заболеваемость и смертность. К такому подходу призывала Всемирная организация здравоохранения, и его выбрали в большинстве азиатских стран — прежде всего в Китае, где через несколько месяцев работы удалось добиться снижения числа случаев до уровня менее 20 новых заражений ежедневно. Аналогичная ситуация наблюдается в Южной Корее, Исландии, Австралии и Новой Зеландии. Вторая стратегия сводится к замедлению и смягчению пандемии в условиях, когда система здравоохранения не справляется со вспышкой, — эту модель применили в Италии, Испании, Великобритании, США и России. Заболеваемость и (или) смертность там оказались высокими. В странах с низким или средним уровнем доходов, где нет возможности собрать качественные эпидемиологические данные, а система здравоохранения не слишком устойчива и может рухнуть, наблюдаются смешанные стратегии. К счастью, в большинстве этих государств не так велика доля пожилых людей, для которых болезнь наиболее опасна.

Один из особенно тяжелых уроков заключается в том, что текущая глобальная катастрофа лишь генеральная репетиция перед, возможно, куда более смертоносной пандемией. Вспышка гриппа 1918 года по некоторым оценкам охватила треть населения планеты и унесла жизни свыше 50 миллионов человек. По количеству случаев инфицирования и летальных исходов первая волна COVID-19 даже не приближается к таким показателям. Однако это в несколько раз хуже сезонного гриппа. Вспышка новой коронавирусной инфекции вызвала такие проблемы не из-за летальности самой болезни, а из-за того, что всплеск заражений быстро исчерпал возможности местного здравоохранения: не хватает диагностических тестов, индивидуальных средств защиты, медицинского персонала, больничных коек и систем искусственной вентиляции легких.

Микробы дружат и враждуют с нами с тех самых пор, когда человечество перешло к оседлому образу жизни и занялось сельским хозяйством. Они крайне важны для метаболизма в кишечнике, снабжают нас хлебом, сырами, винами. Однако появление крупных человеческих популяций предоставило инфекциям возможность поддерживать себя исключительно путем передачи от человека к человеку — так произошло с вирусом кори, предком которого, вероятно, был один из вирусов крупного рогатого скота. Многочисленные пандемии веками омрачали нашу жизнь и до COVID-19, а вирусы птичьего гриппа и другие зоонозные инфекции, передающиеся человеку от животных, уже готовы устроить новую катастрофу.

Тяжело смотреть на печальные последствия новой коронавирусной инфекции — на данный момент это более 300 тысяч умерших по всему миру* и неисчислимые экономические

---

* Эти данные актуальны на момент написания автором текста предисловия (май 2020 года). В то время проводилось меньше исследований на SARS-Cov-2, а смертность была высокой из-за недостаточной диагностики легких форм. На конец августа 2020 года общее число погибших достигло более 800 тысяч человек. *Прим. науч. ред.*

убытки. Больно думать, что все это может повториться вновь. Но пандемии неизбежны. И если мы не будем серьезно относиться к нашей обязанности сотрудничать друг с другом, если не сумеем быстро отреагировать и кардинально изменить наши приоритеты при первых признаках следующей вспышки, мы станем жертвами еще раз. Принципы просты: сильное лидерство, прозрачность информации и готовность тратить время и деньги на укрепление систем здравоохранения. Страны, которые следуют этим правилам, отделались сравнительно легко. Страны, которые предпочли полагаться на надежды и магическое мышление, пострадали. Теперь наша общая, коллективная задача — усвоить нелегкие уроки.

Как это очень часто бывает, микробы опасны, но еще более серьезную и постоянную опасность представляем для себя мы сами.

Али Хан
14 мая 2020 года
Омаха, Небраска, США

ПРЕДИСЛОВИЕ К ИЗДАНИЮ 2016 ГОДА

Я пишу эти строки, когда все новости посвящены вирусу Зика, который недавно появился в Северной и Южной Америке. Вирус переносят комары. У большинства пациснтов отмечается лишь незначительное повышение температуры, но иногда этот вирус вызывает микроцефалию — тяжелую врожденную патологию, при которой голова становится необычно маленькой и возникает поражение головного мозга. Власти многих южноамериканских стран призвали население повременить с рождением детей. В Соединенных Штатах беременных женщин просят воздержаться от поездок в охваченный эпидемией регион. Жители США тоже находятся под угрозой, так как существует риск заражения от местных комаров. В Сьерра-Леоне после перерыва в 42 дня вернулся вирус Эбола — по-видимому, в результате передачи половым путем. Таким образом, вспышка в Западной Африке продолжается уже более двух лет. И, как обычно, есть масса историй о вспышках птичьего гриппа, заболеваниях пищевого происхождения и резистентных к антибиотикам бактериях.

Все упомянутые события лишь усилили мое желание написать эту книгу. Я хочу поделиться своими взглядами, которые сформировались за 25 лет работы в сфере здравоохранения, создать контекст для новостных заголовков, помочь людям разобраться, где правда, а где ложь, и объяснить, какие заболевания наиболее опасны и почему вышедшие из-под контроля микробы всегда будут угрожать нам. Но главная моя цель — доказать, что не все эпидемии и пандемии неизбежны. Большинство из них можно предотвратить, если действовать решительно и выделять для этого необходимые ресурсы.

Я всегда интересовался инфекционными заболеваниями, однако выбрать именно эту стезю меня подтолкнуло расследование вспышки болезни, вызванной вирусом Эбола, в деревне в Конго. Этот случай изменил всю мою жизнь. Я увидел, что бывает, когда у врачей нет почти никаких средств защиты, и понял, что люди во всем мире одинаково стремятся быть здоровыми, хотя и сталкиваются с самыми разными трудностями.

Я хочу поблагодарить моих наставников, которые помогали мне на этом пути. Их так много, что здесь я могу упомянуть лишь некоторых: это Джеффри Ленглендс, Роберт Фёрчготт, Боб Гейнс, Нэнси Кокс, Ларри Шонбергер, Луиза Чепмен, Томас Ксёнжек, Марк Эберхард, Лонни Кинг и Хоуи Фрумкин. Я хочу поблагодарить и мою жену Крис, художницу и специалиста по английской филологии. Она поддерживала огонь в нашем семейном очаге, в то время как меня направляли в разные уголки мира, а еще просматривала и редактировала мою рукопись с той заботой, на какую способна только любящая жена.

Я выражаю свою признательность Уильяму Патрику, моему удивительному соавтору, который превратил мой поток сознания — истории, произошедшие со мной за четверть века медицинской работы, — в научно-приключенческий роман. Я искренне благодарен моей помощнице Кэтрин Или, а также моему издателю Бену Адамсу, поверившему в меня. И конечно же, не обошлось без доброго волшебства.

Работая над книгой, я пришел к выводу, что лучше не сковывать себя рамками какого-то заболевания и сухого языка журнальной статьи или пресс-релиза. Личные истории помогали мне раскрыть закулисье работы специалистов по расследованию заболеваний — рассказать о том, как они выявляют эпидемии, реагируют на них и останавливают их. Мои истории не только о микробах и заболеваниях, которые они вызывают, но и о реальных людях и сообществах, пострадавших от этих болезней. Прежде всего эти истории о них.

Али Хан
1 февраля 2016 года

1

ПЕРВЫЙ РУМЯНЕЦ

Страшно подумать, что жизнь находится во власти множества крохотных телец (микробов). Утешает надежда, что наука не всегда будет оставаться бессильной перед лицом такого врага.

ЛУИ ПАСТЕР

Мы пробыли в джунглях уже почти две недели, когда приехавший на мотоцикле паренек сообщил, что повстанцы взяли верх над силами правительственной армии. Теперь война приближалась к нам: партизаны Лорана Кабилы шли по пятам за солдатами Мобуту Сесе Секо.

Дело было в Восточном Касаи — это провинция в центре Заира*, государства, расположенного в самом сердце Африки. Мы действовали от имени Всемирной организации здравоохранения и Центров по контролю и профилактике заболеваний США**: мы должны были расследовать вспышку оспы обезьян — менее смертоносного, но все же очень неприятного

---

* Заир — название Демократической Республики Конго в период с 1971 по 1997 год. *Здесь и далее, если не указано иное, примечания редактора.*

** Центры по контролю и профилактике заболеваний США (Centers for Disease Control and Prevention, или CDC) — федеральное агентство Министерства здравоохранения США, включает 11 центров, институтов и отделений. Миссия центров — контроль и предотвращение инфекционных и хронических заболеваний (как в США, так и за пределами страны).

родича натуральной оспы. Если оспа обезьян начнет свободно передаваться от человека к человеку, может возникнуть глобальная пандемия. Таким образом, центральным вопросом для нас было определение степени устойчивой передачи вируса — ровно до тех пор, пока внезапно не возникла более острая проблема. Как, черт возьми, нам отсюда выбраться?

Мы позвонили в американское посольство. Сотрудники посольства посоветовали нам сворачивать работу и немедленно эвакуироваться. «Скорее всего, у вас заберут транспортные средства и снаряжение, — сообщили они. — Но убивать, наверное, не станут».

Не самый обнадеживающий прогноз. Мы были совсем недалеко от Руанды, где совершался один из самых страшных геноцидов в новейшей истории. Войска Мобуту и в хорошие времена славились грабежами, убийствами и мародерством, а теперь ходили слухи, что солдатам месяцами не платят. «Зачем вам деньги, если у вас есть оружие?» — якобы как-то раз возмутился их вождь.

Ближайшая взлетно-посадочная полоса — клочок красной земли, который постоянно очищали от подступавших зарослей, — находилась в Лодже*, в 120 километрах от нас. Но это был единственный способ вернуться в столицу.

Наша команда специалистов по расследованию заболеваний работала в разных точках: мы опрашивали местных жителей, а также собирали мышей, обезьян, белок и крыс, чтобы взять образцы крови. Несмотря на название, оспу обезьян в основном находят у грызунов, а люди заражаются главным образом в результате контакта с физиологическими жидкостями этих животных, которых нередко ловят для еды.

Я отправил нескольких крестьян за нашими сотрудниками. Когда все были на месте, мы начали спешно снимать наш лагерь — нужно было собрать оборудование. Я выливал жидкий

---

* Лоджа — город в центральной части Демократической Республики Конго.

азот, наполняя джунгли клубами белого дыма, а потом, обжигая пальцы, доставал ледяные контейнеры, чтобы сложить образцы в одну емкость. Все тревожно оглядывались, а один наш коллега, бывший военный, тем временем связался по спутниковому телефону со своими знакомыми в Министерстве обороны США.

«Если потребуется, мы через несколько часов вас вытащим», — сообщили ему. «Интересно, как? — удивился он. — У вас же нет в этой части мира никаких ресурсов!» — «Это не ваше дело», — последовал ответ.

Однако у нас не было уверенности, что можно задержаться даже на два часа: лучше выдвинуться прямо сейчас и за пару дней найти самолет. Мы оставили грузовики, вдесятером втиснулись в три внедорожника и рванули через буш* к ближайшему городку. До него был день езды.

Два или три часа мы тряслись в напряженной тишине — нас тревожило то, что пришлось резко сворачивать работу, мы волновались по поводу снаряжения и беспокоились о крестьянах, которые нам помогали, но теперь могут за это поплатиться.

Когда мы наконец добрались до реки, наши сердца замерли: моста не было. Мы с ужасом подумали, что придется бросить все на этом берегу и спасаться вплавь, но местные жители соорудили для нас простейший паром из платформы на огромном понтоне. Они тянули тросы руками. Так мы переправились на другой берег.

Потом мы восемь часов ехали по грязи через покрытую зарослями, кишевшую москитами местность, пока не добрались до католической миссии в Лодже. В этом приземистом здании из шлакоблоков были все удобства бюджетного мотеля, а нам оно показалось просто парижским «Ритцем»: горячая еда без риска заразиться дизентерией и горячий душ, где с нас

---

* Буш — обширные, не освоенные человеком пространства, обычно поросшие кустарником или низкорослыми деревьями.

мутными реками стекала накопившаяся грязь. Священник и послушники оказались чудесными людьми — словно в напоминание о том, ради чего стоит помогать человечеству.

Но прежде всего я созвонился по спутниковому телефону с нашими контактными лицами в Киншасе*. Мне сообщили, что наутро в Лоджу должна прилететь французская съемочная группа — они будут снимать документальный фильм.

Когда утром следующего дня тридцатиместный двухмоторный самолет коснулся земли, мы были готовы. К несчастью, у самолета собрались десятки местных жителей, стремившихся попасть на борт и сбежать от повстанцев и военных. Началась ужасная паника и давка — охранникам пришлось разгонять толпу выстрелами в воздух.

Спустя несколько минут наша группа — ученые, проводники и наш единственный эксцентричный териолог** — втиснулась в салон и приготовилась к взлету. Но как только мы оказались в воздухе, небеса разверзлись и началась сильнейшая гроза с ливнем и ужасной турбулентностью. Нас швыряло во все стороны — как пассажиров в фильме «Аэроплан!». В какой-то момент у нас из рук вырвало контейнер с жидким азотом, и он начал врезаться в другие предметы.

Парень слева от меня молился. Я повернулся и увидел, что врач-француз, сидевший рядом со мной, пишет прощальную записку семье. Это навело меня на мысль: готов ли я к смерти, если сегодня мой последний день?

* * *

Поступая на медицинский факультет, я совсем не планировал становиться чудаковатой версией Индианы Джонса. Изучать медицину меня вдохновил отец. Он родился в крестьянской семье и получил только начальное образование. Когда началась Вторая мировая война, отцу было четырнадцать,

---

* Киншаса — столица Демократической Республики Конго.
** Специалист по млекопитающим.

и из далекой кашмирской деревни он пешком отправился в Бомбей. Путешествие заняло много недель. Добравшись до своей цели, он соврал, что ему девятнадцать, и нанялся уборщиком в машинное отделение на скандинавский сухогруз.

Мой интерес к иммунологии и инфекционным заболеваниям возник под влиянием прочитанных в детстве книг о Луи Пастере — ученом, опровергнувшем теорию самозарождения жизни. После резидентуры* в области педиатрии и терапевтической медицины мне предложили двухлетнюю практику в Атланте — в качестве специалиста по расследованию заболеваний в Центрах по контролю и профилактике заболеваний (я с любовью называю нашу организацию «CSI: Атланта»**). Я проработал там почти 25 лет и ушел лишь в 2014 году, чтобы стать деканом колледжа здравоохранения Медицинского центра Университета Небраски.

За эти годы мне пришлось побывать в затерянных среди джунглей хижинах, в чилийских деревнях, добраться до которых можно только верхом, в многолюдных городах Азии, закрытых на карантин, на скотобойнях султанатов Персидского залива, где гастарбайтеры в ужасающих условиях режут коз и овец. Мы с коллегами боролись с распространением Эболы и атипичной пневмонии (тяжелого острого респираторного синдрома), ближневосточного респираторного синдрома и многих других страшных заболеваний. После биотеррористической атаки 2001 года в Вашингтоне я непосредственно участвовал в работе по сдерживанию распространения сибирской язвы, а после разрушительного урагана «Катрина» — в восстановлении медицинской инфраструктуры Нового Орлеана.

---

* Врачебная резидентура — стандартная форма подготовки врачей после медицинского института, принятая в большинстве стран с высоким уровнем здравоохранения, аналог ординатуры в российской практике.
** Crime Scene Investigation, или CSI, — американский телесериал о команде экспертов-криминалистов, расследующих сложные и загадочные преступления.

Надеюсь, мои рассказы обо всех этих приключениях будут интересны сами по себе. Однако я делюсь ими для того, чтобы наглядно показать, насколько глубока пропасть между всплесками истерии после громких заголовков, которые будут забыты через пару недель, и вполне реальными, постоянными угрозами, которые действительно должны всерьез, до смерти нас пугать и, что самое главное, вести к долгосрочным структурным изменениям в нашем подходе к глобальному здравоохранению.

Мы знаем о больших проблемах с материальной инфраструктурой (хотя очень мало делаем, чтобы их решить): о разваливающихся железных дорогах, общесплавной канализации, мостах, которые требуют срочного ремонта. И столь же безответственно и непоследовательно мы относимся к новым инфекциям и потенциальным пандемиям — в какой-то момент они вызывают всеобщий интерес, а потом о них быстро забывают. Я начал писать эту книгу, когда в заголовках только появились первые сообщения о вспышке Эболы в Западной Африке. Сейчас книга идет в печать, а об Эболе все практически забыли, потому что мир переключил свое внимание на вирус Зика. Неспособность глубже понять серьезные вопросы и последовательно ими заниматься заставляет нас просто ждать очередной катастрофы — как землетрясения в сейсмоопасной зоне.

* * *

Центры по контролю и профилактике заболеваний возникли на базе одного из федеральных агентств времен Второй мировой войны. Оно называлось Агентство по борьбе с малярией в зонах военных действий и было создано в 1942 году для защиты тренировочных баз на территории США от малярии: многие базы располагались на юге страны, где, как известно, довольно много комаров. Сразу после войны, в 1946 году, агентство преобразовали в Центр по борьбе с инфекционными заболеваниями, хотя оно по-прежнему занималось малярией и тифом. Там работало около 400 сотрудников, в основном инженеры и энтомологи. На следующий год центр за символические 10 долларов выкупил у Университета Эмори 15 акров земли на Клифтон-роуд в Атланте. С тех пор организация разрослась, но штаб-квартира и сейчас находится в этом месте.

Я начал свою деятельность в Службе расследования эпидемий США*. Она была создана в 1951 году доктором Александром Ленгмюром для противодействия угрозе применения биологического оружия, возникшей во время конфликта в Корее. Задачей новой службы стала подготовка эпидемиологов по текущим проблемам здравоохранения, а также мониторинг инфекционных заболеваний за рубежом. Сейчас это двухлетняя последипломная программа подготовки в области эпидемиологии, сосредоточенная на полевой работе. Программа во многом схожа с классической медицинской резидентурой, поскольку обучение в основном предусматривает практические занятия и наставничество.

Вместо того чтобы делать обходы в больницах, сотрудники Службы расследования эпидемий оценивают системы надзора, разрабатывают процедуры эпидемиологического анализа и проводят их, интерпретируют результаты, ведут полевые расследования потенциально опасных случаев в США и по всему миру. Они занимались такими вопросами, как полиомиелит, отравление свинцом, раковые кластеры**, оспа, легионеллёз, синдром токсического шока, врожденные дефекты, ВИЧ/

---

* Служба расследования эпидемий США (Epidemic Intelligence Service, или EIS) — учреждение, ведающее программой подготовки специалистов-эпидемиологов, которые расследуют вспышки различных заболеваний, определяют их причины, принимают оперативные меры по противодействию распространения заболевания и собирают данные для предотвращения подобных случаев.

** Кластер в эпидемиологии — близость относительно нечастых событий или заболеваний в пространстве или времени; их группировка в количестве, которое ощущается необычным, бо́льшим, чем можно ожидать при случайном совпадении.

СПИД, табакокурение, вирус Западного Нила, заражение воды кишечной палочкой, природные катаклизмы и грибковый менингит. Однако мое первое задание было совсем не таким впечатляющим.

Свое первое «дело» — Epi-Aid, оказание эпидемиологической помощи, — я провел двадцатишестилетним «новобранцем» (выглядел я тогда лет на двадцать, хотя и отрастил усы в надежде выглядеть старше). Оно было посвящено пациентам с синдромом хронической усталости и впоследствии позволило доказать, что весьма спорное исследование, выявившее связь этой болезни с заражением ретровирусом (подобно ВИЧ, который служит причиной СПИДа), основывалось на небрежной лабораторной работе.

Такое дело могло привести в восторг только истинного фаната, но сразу после него меня направили на первое настоящее полевое задание. Я выехал на Гавайи, чтобы разобраться со вспышкой диареи на круизном лайнере.

Конечно, Нобелевскую премию за такие дела вряд ли дадут (ни премию мира, ни премию в области медицины и физиологии), однако я, по крайней мере, получил возможность выбраться из кабинета.

Надо сказать, что в США зарегистрировано очень мало круизных судов, но этот лайнер ходил исключительно в территориальных водах Гавайских островов, под американским флагом. Благодаря этому его владелец совместно с департаментом здравоохранения штата имел право позвонить в Центры по контролю и профилактике заболеваний и попросить нас провести расследование. Единственная проблема заключалась в том, что у группы, занимавшейся вирусной диареей, почему-то не оказалось свободного сотрудника, и они обратились ко мне с просьбой поехать туда и разобраться. Я ничего не знал о вирусной диарее, но мне напомнили о «чемоданном знании»: чем дальше ехать до вспышки, тем бо́льшим экспертом кажешься.

Почти 10 часов я летел на запад. Практически все это время я проговорил по телефону с куратором, пытаясь войти в курс дела по вирусу Норуолк (он вызывает гастроэнтерит, или катар желудка). Судя по описанию, вспышку вызвал именно он; следовательно, мне необходимо было ознакомиться с вопросами рвоты фонтаном и тонкостями оценки качества стула при диарее.

В начале 1990-х годов позвонить из самолета можно было только по таксофону в хвосте салона. Я обычно говорю громко и оживленно, и меня наверняка слышали даже в кабине пилотов.

Когда мы приземлились в Гонолулу, капитан объявил: «Прошу всех оставаться на своих местах и пропустить доктора Али Хана».

Я огляделся: все пассажиры смотрели на меня. Тогда я подумал: «Господи, откуда они узнали, что я врач и лечу по неотложному делу?»

Только потом до меня дошло, что я был для всех тем неприятным типом, который над Тихим океаном портил мысли пассажиров об отпуске разговорами о поносе.

Толпа страдающих от диареи туристов может показаться сюжетом комедии Джадда Апатоу*, но заболевшим было не до смеха — равно как и владельцу круизной линии, которому грозила потеря бизнеса.

Вспышка произошла в море. Когда судно вернулось в порт, команда выбросила все без исключения продукты и отдраила лайнер до блеска. После этого местный департамент здравоохранения дал им добро, и на борт поднялись новые пассажиры. Но спустя два дня (таков инкубационный период вируса Норуолк) заболели и они. Именно тогда команда и департамент здравоохранения решили обратиться

---

* Джадд Апатоу (р. 1967) — американский режиссер, сценарист и продюсер.

за помощью. Лайнер вернулся в порт и встал на якорь в ожидании эпидемиолога-консультанта, которого предполагалось доставить на борт на небольшом катере.

Несмотря на полнейшее незнание вопроса, я решил приступить к делу немедленно — я намеревался по 14 часов в день проверять судно и разработать вопросник.

А потом мне стало очень плохо.

Я страдаю от морской болезни, и даже легкая качка стоявшего на якоре судна резко ухудшила мое самочувствие. Но я находился там по поручению федерального правительства и должен был помочь. Первые несколько часов мне пришлось отдавать распоряжения, лежа на кушетке. Я бормотал, зеленел и бегал в туалет, а потом корабельная медсестра стянула с меня штаны и при всех сделала мне укол нейролептика.

После того как мое достоинство пострадало, а здоровье улучшилось, я собрал анкеты и свел данные в таблицу, чтобы составить подробную картину ежедневного поведения на судне. Я глубоко вторгался в чужую частную жизнь: кто, сколько и как часто ел, кто с кем общался, в какой туалет ходил, сколько жидкости употреблял каждый пассажир и так далее и тому подобное.

К счастью, даже небольшой статистический анализ выявил очень интересную корреляцию: прослеживалась связь между числом потребленных напитков со льдом и вероятностью заболеть.

В точку.

Лед на камбузе хранили в большом открытом контейнере, а по мере надобности зачерпывали его и отправляли в обеденный зал. Вероятнее всего, нулевым пациентом — первым, кто заболел желудочно-кишечным расстройством, — был кто-то из кухонных работников, и именно этот человек ходил за льдом. Поскольку грязными руками он касался не только черпака, но и самого льда, вирус передавался и сохранялся.

После первой вспышки на судне провели тщательную уборку, пассажиры сменились, однако члены экипажа оставались на борту и заразили лед еще раз.

Как часто бывает в здравоохранении, когда проблема определена, решение сводится к мытью рук и довольно простым мерам. Я распорядился установить машину для подачи льда в ведро из диспенсера, и ситуация пришла в норму. А я смог вернуться на сушу — континентальную часть США, где никакой качки не было.

Забавно, насколько наше восприятие болезни зависит от контекста. Здоровые, хорошо питающиеся жители западных стран, которые могут позволить себе отпуск, считают диарею неудобством и весьма деликатной темой, но в целом ничего страшного в ней нет. При этом в странах третьего мира диарея ежегодно убивает примерно 800 тысяч маленьких детей — больше, чем СПИД, малярия и корь, вместе взятые.

А еще удивительно, как часто вся проблема бывает в каких-то банальных вещах вроде черпака для льда.

В 1854 году лондонскому врачу по имени Джон Сноу (нет-нет, это не персонаж «Игры престолов») поручили расследовать вспышку холеры в Сохо. В те времена инфекционные заболевания обычно объясняли теорией миазмов — источником болезни считался «дурной воздух».

Однако Сноу изучил распространение заболевания и отметил случаи на карте города. Это позволило доктору определить источник заражения: им оказалась водоразборная колонка на улице, называвшейся тогда Брод-стрит. Химическое и микроскопическое исследование воды не могло подтвердить версию доктора, однако ему удалось убедить местные власти снять с насоса ручку и тем самым прекратить пользование этой колонкой.

Сноу и другие ученые заложили фундамент одного из столпов современной медицины — «микробной теории». И пусть

Сноу при жизни не получил заслуженного признания, его исследование стало важнейшим событием в зарождении современной эпидемиологии.

НЕ СЕЗОН

Может показаться, что мое следующее задание было таким же незначительным, как вспышка диареи на Гавайях. В июне 1992 года в Фэрбенксе на Аляске возник кластер гриппа B, и штат запросил помощь в Центрах по контролю и профилактике заболеваний.

Грипп редко попадает в список болезней, которые не дают нам покоя по ночам: для среднестатистического гражданина это скорее какая-то бытовая мелочь вроде простуды. Например, эпидемия Эболы 2014—2015 годов привела к смерти 11 тысяч человек и стала событием мирового масштаба, тогда как грипп ежегодно убивает по 250—500 тысяч человек. Печально известная пандемия гриппа 1918 года охватила от 20 до 40 процентов населения планеты и унесла от 50 до 100 миллионов жизней — только в Соединенных Штатах умерло 675 тысяч человек. К сожалению, предотвратить повторение такой масштабной и такой смертельной пандемии невозможно, поэтому грипп воспринимают очень серьезно и специалисты вроде меня пристально за ним следят.

В 1918 году жертвами болезни часто становились молодые, здоровые люди в расцвете сил, поэтому даже те, кто мало интересуется историей, наверняка слышали о гриппе, который пронесся по континентам, когда начала утихать кровавая резня Первой мировой войны. Это отличный сюжетный ход, позволяющий убрать романтического соперника в драмах, повествующих о том периоде, — таких, например, как «Аббатство Даунтон». Если какое-нибудь прелестное молодое создание мешает истинной любви героя или героини, будьте уверены:

это кандидат в покойники, и можно биться об заклад, что испанка прекрасно справится со своей задачей.

В 1918 году население США составляло 103 миллиона человек. Сегодня численность населения страны увеличилась в три раза, поэтому, если пандемия такого же масштаба произойдет сейчас, только в США умерших будет почти два миллиона. Вот почему эпидемиологи так беспокоятся по поводу гриппа и очень внимательно относятся к каждому появлению вируса с новыми характеристиками.

В Фэрбенксе забили тревогу потому, что кластер возник летом, хотя в странах с умеренным климатом грипп — это, как правило, зимнее явление. Разумеется, возбудитель существует круглый год, просто зимой люди скучены в тесных пространствах и легко заражают друг друга. Летом мы больше времени проводим вне дома; случаи бывают, но болезнь не так заметна.

На Аляске в 1992 году лаборатория штата изолировала вирус в мазках из зева, взятых у девяти пациентов в период с 5 июня по 5 июля. Такие антигенные и молекулярные характеристики ранее не встречались, поэтому мы решили разузнать, что происходит.

Эпидемиологи часто говорят об «эпидемиях», «кластерах» и «вспышках». Выбор термина — это скорее искусство: какой-то жестко заданной границы между ними нет, к тому же надо учитывать и внимание, которое мы хотим привлечь. Формально пандемия — это эпидемия, которая распространяется по всему миру или охватывает обширную территорию, пересекает границы и чаще всего поражает многих людей. Пандемии гриппа обычно вызывает вирус типа А. Летние случаи на Аляске были связаны с вирусом типа В, скажем так дальним родственником типа А, поэтому самый плохой сценарий мы практически исключили — но нам все же было любопытно, с чем мы имеем дело. Тем более этот тип вируса нередко выкашивает дома престарелых; а когда в игру вступает эволюция, всегда следует ждать неприятных сюрпризов.

В отличие от Эболы вирус гриппа очень хорошо умеет путешествовать по воздуху посредством крупных капель, которые распространяются во время чихания, кашля и разговора инфицированных. Если вы когда-нибудь захотите снять фильм ужасов про кошмарный патоген, не нужно выбирать иностранную звезду вроде Эболы. Чтобы заразиться этим вирусом, обычно требуется прямой контакт с кровью, слюной, спермой и другими физиологическими жидкостями. Более того, человек становится заразен в основном к концу болезни, когда у него вряд ли будет желание разгуливать по окрестностям и общаться. С гриппом можно начать заражать других еще до того, как появятся какие-либо признаки заболевания.

Так что главным злодеем в триллере о пандемии, из-за которой падет мир, был бы банальный грипп. Он уже доказал, что способен убивать миллионы людей и может передаваться при чихании или через рукопожатие.

Конечно, Эбола ужасна, но ее жуткая репутация несравнима с фактическим риском. Отчасти дело в том, что из нее любят делать сенсацию в средствах массовой информации, — все началось с книги Ричарда Престона «Эпидемия»*, породившей массу страшных историй об этой болезни. Нет сомнений, что это очень неприятная лихорадка, но и грипп тоже далеко не сахар.

Причиной смертей в 1918 году, вероятно, стал «цитокиновый шторм» в кровотоке и легких. Цитокины — это маленькие белки, участвующие в работе сигнальных путей (например, при иммунной реакции). Поражая легкие, вирус очень сильно стимулирует иммунную систему и вызывает приток Т-лимфоцитов и макрофагов — клеток, которые должны отразить атаку. Однако присутствие этих клеток еще больше усиливает иммунную реакцию и стимулирует дальнейшую выработку цитокинов. Когда хорошего быстро становится

---

* *Престон Р.* Эпидемия. Настоящая и страшная история распространения вируса Эбола. М. : Бомбора, 2020.

слишком много, может включиться смертельная петля обратной связи: накопление и концентрация иммунных клеток, свободных радикалов, факторов свертывания крови, фактора некроза опухоли — альфа, интерлейкина-1, интерлейкина-6, интерлейкина-10 и антагонистов рецептора интерлейкина-1 могут повредить ткани. В легких накопление иммунных клеток может приводить к блокировке дыхательных путей и нарушению оттока продуктов воспаления. Другими словами, человек тонет в собственных жидкостях.

Вирус гриппа опасен тем, что может совершать резкий генетический сдвиг, из-за чего в популяции не оказывается иммунитета к его новой структуре. Дрейф генов, то есть мутации, происходит непрерывно, поэтому каждый год приходится обновлять вакцины, которые планируется производить и применять. Чтобы подготовиться к осеннему наступлению гриппа, принимать окончательное решение о составе вакцины нужно примерно за полгода перед приближающимся сезоном. Поскольку производство вакцин основано, в сущности, на технологиях 1940-х годов (вирусы выращивают в яйцах, под скорлупой), процесс этот несовершенен и всегда занимает много времени. При возникновении ранней вспышки гриппа необходимо обязательно проверить, насколько новый штамм соответствует вакцине, которая уже на подходе. Таким образом, даже не самая очевидная и не самая важная на первый взгляд информация может оказаться полезной.

Я уехал из Атланты 12 июля в 9:30 и прибыл в Фэрбенкс в 16:30 по местному времени. Я никогда еще не был на Аляске. Стояло лето, ярко светило солнце, люди катались на роликовых коньках и играли в парке, — в общем, довольно милая атмосфера. Однако в разгар туристического сезона там было плохо с жильем. Единственным, что я смог найти, оказалась какая-то ночлежка прямо из романов Рэймонда Чандлера*,

---

* Рэймонд Чандлер (1888–1959) — американский писатель и критик, основатель жанра крутого детектива.

но, поскольку наступил период белых ночей, выспаться не было никакой надежды.

Я арендовал машину, приехал в захудалый район, который выглядел как Детройт в пасмурный день, и припарковался у трехэтажного здания, где мне предстояло остановиться. За стойкой администратора меня встретил парень, тело которого покрывали многочисленные татуировки. Телефон и телевизор были только в вестибюле. Моя комната располагалась на первом этаже, и, несмотря на открытое окно и вентилятор, там отчетливо пахло рвотой. В открытое окно мог забраться кто угодно, в том числе и полчища комаров.

Мне необходимо было как можно больше узнать о штамме гриппа, поразившем Фэрбенкс, понять, распространяется ли инфекция, а также отправить в Атланту образцы вируса, чтобы ученые сравнили его с уже известными штаммами и, возможно, скорректировали новую вакцину, над которой шла работа. Кроме того, Центры по контролю и профилактике заболеваний уже пять лет внедряли систему вирусного надзора, которая заключалась в привлечении врачей общей практики по всей стране: они должны были выявлять случаи гриппа и направлять взятые у пациентов образцы в центральный офис. Меня попросили проверить, как эта система работает на Аляске.

Ах да, еще я должен был сфотографировать лося. Кому-то из наших сотрудников — уже не помню, кому именно, — захотелось рассмотреть этого зверя вблизи.

На следующее утро в 9:15 я встретился с Доном Риттером, главой вирусологической лаборатории штата. Уроженец Чикаго, он приехал на Аляску в качестве командира экипажа военного вертолета для проведения топографической съемки штата. Он заинтересовался дикой природой, а в дальнейшем и патогенами.

Сидя в кабинете Дона, я выслушал целую лекцию о программе надзора за вирусами: откуда берутся образцы, как они потом проходят через систему. Он отметил, что на Аляске действительно встречаются необычные вирусы — отчасти причина в том, что, как сказала бы Сара Пэйлин*, у них под боком Россия.

Если бы я писал шпионский роман, этой броской фразой я закрыл бы сцену, а потом герой отправился бы искать смертельные патогены, которые струятся через Берингов пролив, и разоблачать изощренный заговор, спасая мир от биологического оружия. Не буду отбирать хлеб у Джона ле Карре**, хотя на заметку себе возьму. При расследовании заболеваний надо учитывать все варианты, особенно если благодаря этому начинаешь чувствовать себя Джеймсом Бондом.

Моей следующей остановкой стал кабинет доктора Алана Макфарлина, крайне въедливого педиатра. Он был настолько педантичен, что стал первым и единственным человеком во всей моей чиновничьей карьере, который попросил меня предъявить документы. Кто-то скажет, наверное, что доктор был слишком дотошный: он брал мазок у всех, кто к нему обращался — даже с насморком, — и отправлял образцы на культуральное исследование. Именно благодаря своей невероятной внимательности он выявил первые случаи текущей вспышки. Все больные были детьми до девяти лет, большинство — его пациенты. К каждому случаю он не забывал приобщить полное описание, которое выглядело примерно так:

Случай номер один. Ребенок семи с половиной лет, температура тела повышена до 40 °C. Боль в животе в течение двух дней, периодически сухой кашель, головная боль, миалгия, горло не болит, глаза покрасневшие и опухшие, в анамнезе рецидивирующий средний отит и синусит. Принимал небольшие дозы парацетамола. Не помнит, контактировал ли

* Сара Пэйлин (р. 1964) — американский политик, губернатор штата Аляска с 2006 по 2009 год.
** Джон ле Карре (р. 1931) — английский писатель, один из основоположников и величайших мастеров жанра шпионского романа.

с кем-либо больным гриппом. Диагностированы фарингит и лихорадка.

Убедившись, что я действительно тот, за кого себя выдаю, — эпидемиолог из Центров по контролю и профилактике заболеваний и сотрудник Службы здравоохранения США*, — доктор Макфарлин дал мне адреса пациентов и разрешил провести опрос. Как Джон Сноу, я отметил все адреса на карте и начал думать о логистике.

Прежде всего необходимо было больше узнать о каждом ребенке и о том, как могли пересечься их пути. Ходит ли кто-то в один детский сад? Посещают ли одну и ту же школу? Сколько у них братьев и сестер и был ли кто-то из них у врача?

У детей вирус гриппа В может привести к развитию синдрома Рея, который вызывает увеличение печени и отек головного мозга, так что это была еще и хорошая возможность напомнить родным, что детям нельзя давать аспирин, поскольку он является триггером синдрома.

Расследование первопричины вспышки — это вопрос не только медицины и вирусологии. Все дело в людях и сообществах, в социальных взаимодействиях между ними.

Так что я перешел в режим сыщика и занялся невероятно скучной работой — хождением из дома в дом. Для специалиста по расследованию это хлеб насущный, будь то болезни или убийства. Я связывался с детскими садами, больницами, кабинетами неотложной помощи, организациями медицинского обеспечения и домами престарелых и спрашивал, не замечали ли они учащения признаков гриппоподобных заболеваний. Я проверил туристические группы, гостиничных врачей и даже тюрьмы. По сути, мне надо было найти всех докторов в этом районе Аляски и попытаться выяснить, что

---

* Служба здравоохранения США (The United States Public Health Service) — подразделение Министерства здравоохранения и социальных служб США, занимающееся вопросами медицины и общественного здравоохранения.

им известно. Сколько пациентов с бронхитом, пневмонией, фарингитом, отитом и так далее к ним поступило? Откуда взялась эта болезнь?

Однако в основе всех этих маленьких вопросов лежал один главный: вижу ли я что-то новое? И вытекающий из него: стоит ли переживать по этому поводу?

Если говорить о причинах для беспокойства, то проблема с гриппом следующая.

Вирусы существуют на границе живого и неживого — до сих пор не утихают споры о том, по какую сторону этой границы они находятся. (Лично я твердо уверен, что вирусы живые и даже обладают коллективным разумом.) Как и живые существа, вирус способен к репликации, но на этом сходства почти заканчиваются. В отличие от классических форм жизни вирус не вырабатывает всех необходимых белков, чтобы делать копии самого себя, поэтому ему приходится вторгаться в клетки — часто наши с вами — и взламывать их, заставляя производить больше вирусных белков, а не тех материалов, которые синтезировались бы в обычной ситуации.

Естественным резервуаром для вируса гриппа А считаются перелетные водоплавающие птицы, но кроме них этот вирус встречается у лошадей, собак, свиней, домашней птицы и у человека. Геном вируса гриппа (независимо от того, к какому типу он относится) состоит из восьми фрагментов, которые весьма неразборчивы в связях и постоянно смешиваются и перетасовываются. Второй вариант вируса гриппа, поражающий человека, — тип В — встречается только у людей и тюленей, что ограничивает его пандемические свойства. Так или иначе, болезнетворный штамм вируса типа А может включать в себя разные фрагменты генома из множества источников. Вирусу все равно, откуда он получил восемь генетических кирпичиков: от птиц, людей, свиней или от всех понемногу. Он похож на ленивого рабочего на складе Amazon или Zappos, который сует в коробку все, что попадет под руку; в результате там может оказаться четыре пары носков (наверное, для осьминога), причем совсем не обязательно одинаковых. Главное, чтобы геном состоял из восьми единиц: в таком случае система будет работать и порождать еще больше вирусов. А если подборка окажется подходящей, может получиться смертельная смесь для очередной пандемии.

Вирус гриппа окружен оболочкой, состоящей из двух разных белков: гемагглютинина и нейраминидазы. Эту особенность используют для классификации: в названиях штаммов буквы N (нейраминидаза) и H (гемагглютинин) соединяют с числами, обозначающими порядок, в котором были открыты эти белки. Получается что-то вроде H1N1 или H5N1. Гемагглютинин позволяет вирусу закрепиться на поверхности клетки и проникнуть внутрь. Нейраминидаза проделывает отверстие в поверхности клетки, когда приходит время выбираться наружу. Каждый год оболочка немного меняется — этот процесс называют антигенным дрейфом.

Все эти перемешивания и перестановки приводят к той стандартной новизне, которую мы наблюдаем из года в год. Поскольку поверхностный гемагглютинин, а также сами эти компоненты вызывают у хозяина (то есть у нас с вами — объектов атаки вируса гриппа) специфическую иммунную реакцию, для нас лучше, если они опять появятся и в новом году. В организме уже будут антитела для борьбы со старыми элементами — это называется «перекрестная защита». Однако даже мелкие изменения накапливаются, поэтому вирус уходит от иммунной защиты, мы вновь заражаемся тем же штаммом и должны каждый год прививаться. Ежегодно только в США от гриппа умирает до 49 тысяч человек (минимум три тысячи), так что вакцинация — разумное решение.

Но эпидемиологов беспокоит не столько антигенный дрейф, сколько так называемый антигенный сдвиг — полная смена оболочки вируса гриппа А на новое сочетание гемагглютинина (НА) или гемагглютинина и нейраминидазы (НА/N). Из-за такой «тотальной» трансформации существует риск, что у целевой популяции (у нас с вами) не окажется вообще никакого иммунитета, ведь нас будет атаковать совершенно новый враг. Такое преображение происходит примерно раз в два десятка лет. Именно это случилось в 1918 году, и именно это главным образом привело к гибели от 50 до 100 миллионов человек. Новые вирусы неизменно переходят к человеку от птиц, но бывали случаи передачи и от свиней, как это произошло в случае вспышки H1N1p в 2009 году (латинская буква «p» означает «пандемия»).

Различные системы мониторинга гриппа сосредоточены прежде всего на выявлении таких совершенно новых вирусов, которые могут заражать человека или вызывать эпизоотии — эпидемии животных. Необходимо оценить вероятность возникновения пандемии, чтобы как можно раньше начать разработку вакцины. Пандемические вирусы зарождаются в животных и склонны обмениваться генетическим материалом (особенно если в организме какой-нибудь свиньи окажется сразу несколько разных типов вируса), поэтому ученые пристально следят за вспышками птичьего и свиного гриппа и стремятся уберечь людей от заражения ими.

Человек — естественный хозяин для вируса гриппа, вот почему болезнь с наступлением весны не исчезает полностью и снова появляется осенью и зимой. Грипп передается от человека к человеку всегда, круглый год, год за годом.

Я пробыл в Фэрбенксе целых две недели. Свою унылую ночлежку я покинул уже через пару дней, но, к сожалению, следующее место оказалось еще хуже. Это был по-настоящему жутковатый мини-отель, который держала парочка выживальщиков. Их дети учились на дому и никуда не ходили. Насколько я помню, эти люди были совсем не в восторге от того, что на Аляске — не говоря уже об их собственной кухне — завелся федеральный агент. Вдобавок я был американцем пакистанского происхождения. В начале 1990-х люди еще не были склонны сразу подозревать в человеке моей внешности террориста (это начнется позже), но, я полагаю, мои хозяева были абсолютно уверены, что я не христианин, и приглядывали, чтобы я не задумал что-нибудь сомнительное.

Результаты расследования на Аляске в итоге оказались оптимистичными. Волноваться не стоило. Эпидемии не было: никаких новостных заголовков, никакого радикального сдвига в строении вируса. Скорее всего, более тонкий фильтр — доктор Макфарлин — просто выявил больше случаев. Вакцину в тот год разрабатывали для панамского штамма гриппа B, и случаи на Аляске как раз к нему подходили. Как только я получил передышку, Дон Риттер повез меня в лес, и я сфотографировал лося. Если вам интересно, зверь просто огромный.

Однако печальная правда состоит в том, что вакцины от гриппа, которые мы каждый год разрабатываем, всегда получаются несовершенными и могут не сработать. Особенно это касается пожилых людей, у которых риск осложнений и смерти выше всего. Для этой группы населения даже есть специальный вариант вакцины с повышенной дозировкой. Конечно, и такая вакцина лучше, чем ничего, но из-за ограниченной эффективности сотрудникам системы здравоохранения приходится в значительной мере полагаться на прогнозирование, и всегда существует риск катастрофического провала. Чтобы снизить ставки, нужна универсальная вакцина от гриппа, которая будет защищать от всех штаммов благодаря какому-то другому механизму действия или путем влияния на консервативные элементы вируса.

Если не брать во внимание цитокиновые штормы, грипп обычно смертелен потому, что вызывает пневмонию. Лишь через 20 лет после пандемии гриппа 1918 года люди научились лечить бактериальные последствия гриппозной пневмонии антибиотиками — когда-то эти препараты так высоко ценились, что мочу людей, принимавших пенициллин, собирали и выделяли из нее лекарство. Тем не менее гораздо лучше в принципе избежать заболевания — именно поэтому и разрабатывают вакцины.

Как я уже упоминал, меры профилактики по-прежнему примитивны. Они полагаются на весьма несовершенный процесс отбора целевого штамма для репликации и выращивание его в десятках тысяч яиц или с недавних пор в клеточных культурах.

Чтобы предвидеть будущее, вирусы надо отслеживать. Поэтому мы пытаемся собрать максимум информации и проводим даже не самые перспективные расследования, как в вышеописанном случае на Аляске. Чем больше у нас данных, тем меньше нам приходится полагаться на догадки. Однако риски все равно остаются высокими: нет, мы не кладем все яйца в одну корзину, но кладем туда 90 процентов. Последствия неудачных попыток заранее угадать, какой штамм гриппа будет преобладать в этом сезоне, можно увидеть в те годы, когда вакцинный и циркулировавший штамм не совпали. Ту же ошибку можно совершить и предсказывая следующий пандемический вирус.

В 1976 году на базе Форт-Дикс в штате Нью-Джерси был обнаружен новый вирус свиного гриппа — заболело 13 военнослужащих, один человек умер. Штамм оказался близок ужасному вирусу 1918 года, и были опасения, что это предвестник следующей глобальной пандемии. Опасения оказались напрасными, а вот последовавшая общенациональная кампания вакцинации привела примерно к пяти сотням случаев тяжелого парализующего неврологического заболевания и 25 смертям от синдрома Гийена — Барре[*] (кстати, эту болезнь связывают и с вирусом Зика). Инцидент запомнился как фиаско свиного гриппа, а директор Центров по контролю и профилактике заболеваний был уволен за излишнюю предусмотрительность. Но у других противогриппозных вакцин таких побочных эффектов не отмечалось, так что, если бы пандемия гриппа по образцу 1918 года все же

---

[*] В дальнейшем исследования показали, что часть случаев синдрома Гийена — Барре была связана непосредственно с перенесенным гриппом. *Прим. науч. ред.*

произошла, даже такой результат был бы лучше по сравнению с числом смертей, которые она могла вызвать. Это яркое напоминание о том, что действия системы здравоохранения имеют крайне серьезные последствия, и о том, как важно правильно определить среди множества циркулирующих в природе зоонозных вирусов гриппа именно те, которые способны вызвать глобальную пандемию.

* * *

Грипп, в 1918 году погубивший от 50 до 100 миллионов человек, был вызван штаммом, который сначала назвали H1N1. В мире эта болезнь стала известна под разными именами: la gripe, la gripe española, la pesadilla* — но чаще всего ее называют испанкой (испанским гриппом). Испания не участвовала в Первой мировой войне, поэтому была единственной европейской страной, где пресса открыто писала о болезни, убивавшей на фронте тысячи солдат. В странах, вступивших в боевые действия, цензура не допускала новостей, которые могли подорвать моральный дух нации.

Вирус H1N1 в какой-то момент совершил скачок с животного-хозяина на человека, хотя в любой момент времени целое множество вирусов может вторгаться в наши клетки и соревноваться друг с другом за сборку восьми белковых элементов, необходимых вирусам для создания новой модели самих себя. Какой-то из них будет лучше реплицировать, более ловко попадет внутрь клетки или, например, вызовет меньшую иммунную реакцию. Вирус, который лучше всего справится со своей задачей, превзойдет конкурентов и попадет в поле зрения Центров по контролю и профилактике заболеваний и Всемирной организации здравоохранения.

Штамм 1918 года продержался в этом соревновании 40 лет, размножаясь в организме человека и иногда в организмах свиней. Однако каждый раз, когда люди им заражались, у них

---

* В переводе с испанского «грипп», «испанский грипп», «кошмар».

вырабатывался частичный иммунитет к этому штамму, и он с каждым разом становился все менее опасен — пока не стал восприниматься нами как рядовая простуда.

В 1957 году произошел антигенный сдвиг к вирусу H2N2, который вызвал пандемию, названную впоследствии азиатской. Хотя заболевание поражало в основном маленьких детей и беременных женщин, пандемия унесла жизни от одного до двух миллионов человек, в том числе 69 тысяч в США.

Вирус H2N2 доминировал в мире гриппа вплоть до 1968 года, когда ему на смену пришел H3N2, известный как «гонконгский грипп», — от одного до четырех миллионов смертей, главным образом среди пожилых людей. Если не брать полную смену оболочки, вирус гриппа действовал по той же схеме: убивал детей и пожилых людей с ослабленным здоровьем, страдавших от астмы и хронических заболеваний сердца.

В 1977 году вирус H1N1, наш старый знакомый, вновь показался на горизонте и начал заражать людей. Видимо, причиной стало какое-то медицинское происшествие: что-то случилось в лаборатории или вышла из-под контроля непродуманная кампания прививок живой вакциной. К счастью, за 60 лет совместного существования у человека выработался довольно сильный иммунитет к этому вирусу, и крупной пандемии на этот раз не произошло.

* * *

В 1918 году, когда началась современная история распространения гриппа, все наши знания о вирусах основывались на умозаключениях. Было известно только то, что некоторые инфекционные заболевания вызывают не бактерии, а что-то еще. В 1892 году русский ученый Дмитрий Иосифович Ивановский* процедил экстракт листьев инфицированного табака через фарфоровый фильтр, достаточно мелкий,

---

* Дмитрий Иосифович Ивановский (1864–1920) — российский физиолог растений и микробиолог, один из основоположников вирусологии.

чтобы удалить бактерии. Оказалось, что экстракт по-прежнему заразный. Ивановский предположил, что возбудителем может быть некий вырабатываемый бактериями «токсин». В последовавших работах других ученых о ящуре и желтой лихорадке этот загадочный фактор обозначали понятием «растворимые живые микробы» и подобными терминами. Лишь развитие оптики, позволившее в 1930-х годах создать более совершенные микроскопы, привело к возникновению настоящей вирусологии. В 1931 году в оплодотворенных куриных яйцах были выращены первые вакцины.

На Западе применявшиеся в медицинских целях вакцины производили из убитых вирусов — от возбудителя заболевания оставались только фрагменты белков, которые и вызывали иммунную реакцию. В Советском Союзе вирусологи пошли по совершенно другому, во многом обособленному пути: в целях вакцинации там вводили живые, но ослабленные, или аттенуированные, вирусы. Эта методика, вероятно, сильнее стимулировала иммунную систему и казалась предпочтительнее в том отношении, что можно было обойтись без инъекций — человеку оказывалось достаточно просто вдохнуть немного вакцины. Это не только безопаснее с точки зрения потенциальных кожных реакций, но и несравнимо дешевле для организации массовой иммунизации населения, особенно в развивающихся странах.

На Западе вирусологи и чиновники системы здравоохранения довольно долго размышляли о целесообразности применения советского подхода. В начале 1990-х годов после развала СССР у нас, наконец, появилась возможность сверить результаты. Я стал одним из тех, кому довелось провести это сравнение.

Центры по контролю и профилактике заболеваний и Медицинский колледж Бейлора тогда начали сотрудничать с НИИ гриппа в Санкт-Петербурге и московским ГНИИ стандартизации и контроля медицинских биологических препаратов имени Л. А. Тарасевича. Мы хотели провести слепое плацебо-контролируемое исследование и сравнить эффективность принятой в США инактивированной сплит-вакцины и российских живых, аттенуированных холодоадаптированных вакцин. Участниками эксперимента стали 555 вологодских школьников.

В 1992 году я полетел в Санкт-Петербург на встречу с нашими российскими коллегами и был поражен тем, насколько бедной и запутавшейся оказалась эта страна, все еще переживавшая потрясение после очередного культурного и политического виража. Проведя 70 лет в относительной изоляции, Россия была для науки чем-то вроде Кубы для американских автомобилей 1950-х годов — своего рода живым музеем. И тем не менее в этих обшарпанных, продувавшихся сквозняками лабораториях в дореволюционных зданиях люди занимались качественными исследованиями. Мне посоветовали захватить с собой колготки, шариковые ручки и калькуляторы — в подарок и на тот случай, если придется, так сказать, «подмазать». Еще меня предупредили, что найти хоть какую-то еду иногда бывает проблематично.

Вологда расположена чуть южнее Санкт-Петербурга и немного восточнее Москвы. Мы двенадцать часов ехали на ночном поезде через леса и болота, как герои «Доктора Живаго», и подъедали припасы, которые взяли с собой.

Добравшись до места назначения, мы посетили школы, в которых проводились исследования. Когда работа была завершена, оказалось, что у 27 процентов ребят, привитых по нашей методике (убитыми вирусами), отмечается местная реакция (главным образом покраснение в месте укола). У детей в группе с аттенуированной вакциной в 12 процентах случаев наблюдался острый ринит (воспаление слизистой оболочки носа) и только в восьми процентах случаев боль в горле. Таким образом, с точки зрения профилактики осложнений первое очко получили россияне.

Спустя четыре недели после вакцинации у детей, получивших нашу убитую вакцину, обнаружилось примерно на 20 процентов больше антител. Лакмусовой бумажкой для нас являлось количество пропусков школы из-за острого респираторного вирусного заболевания в сезон гриппа, и результаты оказались следующими: 56 процентов для убитой вакцины и 47 процентов для аттенуированной. Два подхода оказались в целом эквивалентны.

Через 10 лет, в январе 2003 года, живую вакцину от гриппа начали применять в Соединенных Штатах. Тогда я работал заместителем генерального директора по инфекционным заболеваниям и направлял эпидемиологов расследовать массовое распространение гриппа А (H5N1) среди птиц в Евразии и Африке, которое уже привело к тяжелым случаям заболевания у людей. Этот штамм вируса птичьего гриппа впервые себя проявил в момент смертельной вспышки, поразившей домашнюю птицу в Гонконге в 1997 году. Он был очень патогенный и быстро мутировал. Этот штамм до сих пор обнаруживают у самых разных видов, в том числе и у человека. Впоследствии из 638 зараженных он убьет 60 процентов. Есть четкие свидетельства, что он передается от человека к человеку, пусть и ограниченно. Если он станет распространяться как вирус — в прямом и переносном смысле, — может начаться ужасная пандемия. Страшная перспектива, если учесть, что при пандемии гриппа 1918–1919 годов умерло 2,5 процента заразившихся.

Пути миграции птиц в Африку и обратно пролегают так, что Европа оказалась прямо в перекрестье прицела, и одной из моих задач стала оценка подготовки стран Европейского союза к наблюдению и выявлению заболевания и лабораторному анализу. От гриппа А (H5N1) погибли тогда десятки миллионов птиц, еще сотни миллионов были забиты и уничтожены, чтобы сдержать распространение инфекции в Юго-Восточной и Средней Азии, в России, на Кавказе, Балканах, Ближнем Востоке, в Западной Африке и по всей Европе.

Отслеживание вспышек заболеваний учит смирению. Столкнувшись с распространением гриппа А (H5N1), мы долгие годы исходили из того, что следующая эпидемия лишь вопрос времени, и считали, что это будет птичий грипп из Азии, как часто бывало в прошлом.

Пока мы присматривали за Восточным полушарием и ожидали птичьего гриппа, другой штамм нанес удар с противоположной стороны — из Мексики. Он оказался разновидностью гриппа А (H1N1p), возникшей у свиней. Этот штамм содержал гены четырех разных вирусов: североамериканского свиного гриппа, североамериканского птичьего гриппа, человеческого гриппа и вируса свиного гриппа, который обычно встречается в Европе и Азии.

Это было в 2009 году. Болезнь распространилась сначала до Сан-Диего и Техаса, а потом охватила все Соединенные Штаты и унесла 17 тысяч жизней. В Мексике ситуация была куда серьезнее: чтобы сдержать вспышку, пришлось на пять дней закрыть всю страну. Мы боялись одного, а получили другое, и враг застал нас врасплох.

Кстати говоря, этот штамм никуда не исчез. В 2014 году в Индии было зарегистрировано свыше 30 тысяч случаев заболевания и более 2 тысяч смертей. Летальные случаи отмечены в США (в Калифорнии и Техасе), а также в Канаде.

Может быть, этот штамм свиного гриппа действительно возник в Азии — мы не знаем. Так или иначе, он заставил нас понять, что ни одно государство не может позволить себе изолировать свою систему здравоохранения — она должна быть элементом глобальной медицинской инфраструктуры. Нельзя отмахнуться и сказать: «Мы самые богатые, у нас хорошие врачи и серьезная система надзора, поэтому мы в безопасности». Все работает совершенно по-другому.

2

СИН НОМБРЕ

Даже маленькая мышка
может рассердиться.

Чукотская поговорка

В мае 1993 года девятнадцатилетний Меррилл Баэ ехал с родными в город Галлап в штате Нью-Мексико. Внезапно ему стало трудно дышать. Семья остановилась у магазинчика, чтобы начать сердечно-легочную реанимацию и позвать на помощь. Прибывшая на вызов скорая забрала парня в Индейский медицинский центр Галлапа, но к тому моменту в легких уже было столько жидкости, что врачи оказались бессильны. Если не считать повышенной температуры и некоторых гриппоподобных симптомов, Меррилл был в целом здоровым юношей, спортивной звездой резервации индейцев навахо.

Такая необъяснимая, скоропостижная смерть здорового на вид молодого человека драматична сама по себе. Однако надо сказать, что Меррилл ехал в город на похороны своей невесты, двадцатиоднолетней Флорены Вуди. Она умерла при схожих обстоятельствах за пять дней до этого в близлежащем Медицинском центре Краунпойнта.

Джордж Темпест, сотрудник Службы здравоохранения США и медицинский руководитель Индейского медцентра, быстро созвонился с другими докторами, которые обслуживали индейцев навахо. Он обнаружил, что в регионе «четырех углов» — там, где сходятся границы штатов Нью-Мексико,

Аризона, Колорадо и Юта, — по схожим причинам за последние шесть месяцев умерло пять человек.

Закон требует сообщать обо всех необъяснимых смертях в центральное ведомство, поэтому о происшествии оповестили местного представителя Бюро медицинских расследований Нью-Мексико. Он уже сталкивался с аналогичным случаем: тридцатилетняя индианка навахо поступила в тот же кабинет неотложной помощи с жалобами на гриппоподобные симптомы и внезапно появившуюся сильную одышку и вскоре после этого скончалась. Аутопсия показала, что легкие женщины весили почти в два раза больше, чем положено в ее возрасте. Во время вскрытия патологоанатом выкачал несколько литров жидкости.

Было высказано предположение, что это чума, эндемичная в данном регионе, однако анализы исключили такую возможность. Это явно было что-то новое и необычное. За короткий период времени загадочной болезнью заразилось еще 12 человек, в основном молодые индейцы навахо из Нью-Мексико. В новостях стали сообщать о необъяснимых смертях и пренебрежительно говорить о «гриппе навахо».

Той весной заканчивалась моя двухлетняя подготовка в Службе расследования эпидемий. Это было удивительное время: я увидел больше разнообразных вспышек, чем многие врачи видят за всю свою жизнь, начиная от кишечного вируса в Термополисе (штат Вайоминг) и вирусного менингита (воспаление оболочек головного мозга) у богатых родителей, отдавших детей в калифорнийский детский сад, заканчивая корью в кампусе колледжа в Нью-Джерси. У нас с женой как раз родилась тройня, и пришло время принять ключевое решение — выбрать место работы. Я собирался продолжить образование в области инфекционных болезней, но эта перспектива отдалялась, когда я думал, что придется содержать семью, будучи практикантом. К тому же я буквально влюбился в организацию здравоохранения, в моих коллег и в работу, которую мы делали.

В Центрах по контролю и профилактике заболеваний тогда действовал мораторий на прием новых сотрудников, но, когда я обратился к директору моего отделения доктору Брайану Махи, он сказал:

— Не беспокойтесь по этому поводу. Мы найдем для вас должность.

— Конечно, это очень любезно с вашей стороны, но ведь прием заморожен, — возразил я.

— Не беспокойтесь на этот счет. Это моя проблема, — ответил начальник.

Больше вопросов я не задавал и решил довериться судьбе. Первого июля, когда моя стажировка в Службе расследования эпидемий завершилась, я просто пришел на работу в отдел особых патогенов.

Одной из причин, почему для меня нашлось место в этом отделе, стала та самая странная вспышка, которая, кажется, охватила весь регион площадью почти 70 тысяч квадратных километров, где располагались резервации индейцев хопи, юта, зуни и навахо. Ситуация усугублялась тем, что отчеты о подозрительных случаях поступали уже со всей страны.

Первый ключ к разгадке у нас появился, когда Том Ксёнжек, пришедший в отдел особых патогенов из Медицинского исследовательского института инфекционных заболеваний армии США, проверил взятые у пациентов клинические образцы на наличие различных возбудителей инфекций и обнаружил неожиданную иммунную реакцию на определенные вирусы Старого Света. Было известно, что их переносят крысы.

Это так называемые хантавирусы. Свое название они получили в честь южнокорейской реки Хантханган. В этом районе их впервые идентифицировали во время войны в Корее, когда американские солдаты начали страдать от корейской геморрагической лихорадки. Болезни, вызванные любым из целого ряда родственных вирусов, встречающихся в Евразии и Африке, стали известны под собирательным термином «геморрагическая лихорадка с почечным синдромом» (ГЛПС). Однако в регионе «четырех углов» поражения почек отмечено не было.

Один из резервуаров инфекции, ее естественный хозяин и переносчик — серая крыса. Этот вид грызунов распространился по всему миру на кораблях, но серые крысы крайне редко вызывали болезни. Тем не менее сотрудники нашей лаборатории начали с помощью генетических методов проверять кровь различных грызунов по всему Новому Свету.

Детализированные лабораторные данные поступали благодаря изучению генетического материала нового вируса, обнаруженного в крови зараженных людей. Это позволило Центрам по контролю и профилактике заболеваний разработать более сложные диагностические тесты. Оказалось, что перед нами редкий вирус Нового Света, связанный с хантавирусами Старого Света, но никогда ранее не ассоциировавшийся с болезнями.

Таким образом, через 40 лет после первого его появления в Корее мы, видимо, столкнулись с легочной версией вируса — хантавирусным легочным синдромом (ХЛС). Но что конкретно является возбудителем? Откуда он взялся? И какой грызун — его хозяин?

Мы запустили множество линий расследования. В то время Центры по контролю и профилактике заболеваний еще не внедрили системы управления инцидентами. Не было структуры с рабочими группами, не было центра экстренного реагирования для координации при крупных вспышках, так что все было несколько хаотично. Но пациенты всегда были в центре нашего внимания.

Когда во время войны в Корее американские военнослужащие начали страдать от корейской геморрагической лихорадки, ученые нашли очень эффективное лечение — рибавирин (противовирусный препарат). Именно поэтому первым направлением работы в регионе «четырех углов» стала организация испытания рибавирина: необходимо было узнать, может ли он помочь больным. Эту задачу доверили команде под руководством доктора Луизы Чапман.

Вторым направлением стало уточнение описания заболевания. Для этого следовало посетить все больницы, где были обнаружены зараженные, и непосредственно увидеть клинический спектр — это единственный способ понять, какую болезнь ты наблюдаешь, и тем самым выявить новые случаи. Затем нам предстояло побеседовать с выжившими и с членами семей умерших, побывать у них дома и попытаться вычислить риски, одновременно стараясь понять течение болезни.

Целью всей этой деятельности было предотвращение новых случаев. Нам обязательно нужно было выявить естественного хозяина, или резервуар, а также определить факторы риска и поведение самого вируса, грызунов и зараженных людей, способствующее распространению инфекции. Еще нужно было разработать диагностические тесты и разобраться, какие лабораторные инструменты понадобятся нам для выявления заболевания.

Местонахождение резервуара заболевания должен был определить наш териолог. В случае с хантавирусом для этого требовалось отловить грызунов по всему юго-западу Соединенных Штатов и изучить их, а потом собрать как можно более обширную и точную информацию о переносчике вируса. (В случае хантавирусов слова «переносчик» и «резервуар» часто используют как синонимы, потому что грызуны — это и естественный хозяин вируса, и прямой источник заражения для человека. Но так бывает не всегда. Например, для лихорадки Западного Нила естественным резервуаром могут быть птицы, а переносчиком — комары.)

Собрав все три элемента информации, мы должны были связать их воедино и разработать окончательную стратегию профилактики для внедрения в конкретных сообществах, затронутых вспышкой.

Объем работы был колоссальный. Кроме того, следовало изучить истории болезни, разузнать о каждом пациенте все подробности вплоть до температуры, частоты дыхания и сердечных сокращений. Как протекала болезнь? Чем человек болел в прошлом? Куда он ездил в последнее время? Чем любил заниматься? С кем мог контактировать? Какие лекарства принимал? Как насчет перенесенных хирургических операций? А потом лабораторные показатели: натрий, калий, хлор, содержание тромбоцитов, лейкоцитов, эритроцитов, анализы функции печени. И все данные надо обновлять каждый день.

Из этой разрозненной информации нужно попытаться сложить картину заболевания, чтобы научиться точнее определять следующие случаи, а затем оценить эффективность различных видов лечения и найти лучший способ борьбы с вирусом.

В начале июня я присоединился к группе реагирования, которая должна была сформулировать определение случая заболевания для предварительного исследования рибавирина. Надо было понять, кого нам предстоит лечить. Принимать такого рода клинические решения — сложная работа, потому что диагностических тестов еще нет. И даже если они есть, часто хочется поскорее начать лечение и назначить пациенту лекарство, а не дожидаться, пока придут результаты.

Мы решили, что первое условие для возможного начала лечения — это проживание в регионе «четырех углов», лихорадка и инфильтрат в обоих легких. Иммунитет не должен быть ослаблен. В качестве сравнения мы использовали случаи геморрагической лихорадки с почечным синдромом, которые возникали в Корее 40 лет назад.

Поскольку мы рано получили сигнал, что дело в ханта-вирусе, то пришли к выводу: несмотря на поражение легких, могут быть и случаи с поражением почек, которые мы просто не выявили.

Вирусы принято называть по месту первого обнаружения. Разумеется, местные жители были совсем не рады, что смертельный микроб стал вирусом «четырех углов». Проблема заключалась не только в дурной славе региона, из-за чего отдыхающие поедут на своих автофургонах куда-нибудь в другое место. Это привело к росту социальной стигматизации. Прецедент уже был: группу детей навахо дискриминировали во время поездки в столицу штата из-за того, что они из этой области.

Тогда мы предложили назвать вирус «Эль-Муэрто» — в честь каньона Дель-Муэрто, расположенного рядом с местом, где поймали зараженного грызуна, у которого выделили вирус. К сожалению, это оказалось еще и место решающего сражения между индейцами навахо и армией США под командованием Кита Карсона. Поэтому мы решили, что такое название тоже не самое удачное. Затем между учеными возникли споры по поводу того, кто первым выявил вирус, у кого есть право его назвать и так далее. После этого возникла тенденция называть заболевания не по месту, а по их клиническим проявлениям.

В конце концов было принято решение назвать вирус Sin Nombre (Син Номбре) — «безымянный» по-испански. Такое же название по-английски — No Name — было совершенно немыслимым, но другой язык придал ему некоторый шарм, и оно прижилось. Никто не уловил иронию, что вирус, убивавший индейцев — людей без права голоса, получил название «без имени».

Когда определение случая заболевания для начала лечения пациентов было сформулировано, я переключился на создание клинической базы данных. В этом вопросе я сотрудничал с нашей фармакологической службой, чтобы понять, каких пациентов в нее включать, а также с Управлением по контролю качества пищевых продуктов и лекарственных средств США*, чтобы проделать работу как можно быстрее.

Для создания клинической базы данных надо было рассортировать случаи заболевания на три группы. Первая — лица, проживающие в регионе «четырех углов». Вторая — лица, проживающие за пределами региона, но посещавшие его в течение предыдущих шести недель. Третья — лица, не проживающие в этом регионе и не посещавшие его. На тот момент мы не давали лекарств третьей группе, а сосредоточились на получении образцов и повторной оценке результатов лабораторных анализов в свете поступавшей информации о грызунах и их распространении в данной местности.

База данных росла, и мы начали корректировать определение случая заболевания. Чтобы точно диагностировать болезнь на основе клинической картины и быстро назначить лечение, нужно знать, кого именно ты ищешь, поэтому нетипичные случаи часто приходится исключать. В наше определение не вошли те, у кого могла быть госпитальная пневмония, те, кто был болен свыше двух недель, и те, у кого был ослабленный иммунитет. Такой подход позволял нам сосредоточиться на главном — найти того, кого мы ищем, и тех, кому может помочь терапия рибавирином. Задача упростилась, когда Центры по контролю и профилактике заболеваний разослали диагностические тесты по департаментам здравоохранения всех штатов.

---

* Управление по контролю качества пищевых продуктов и лекарственных средств США (Food and Drug Administration, или FDA) — агентство Министерства здравоохранения и социальных служб США, контролирует качество пищевых продуктов, лекарственных препаратов, косметических средств, табачных изделий и прочего, а также соблюдение стандартов и законодательства в этой области.

Освещение проблемы в средствах массовой информации побудило клиницистов в других регионах заново оценить признаки и симптомы в свете появившегося заболевания. В отличие от нас, работавших в эпицентре, они не были ограничены поиском случаев в зоне «четырех углов».

Выявлять случаи уже известных болезней — рутина для врачей. Однако в отношении новых заболеваний все зависит от проницательности специалиста. Он должен сказать: «Смотри-ка, у этого пациента симптомы совсем как те, про которые я только что читал в газете».

Один такой случай произошел в Лафкине в штате Техас: в конце июня женщина умерла от острого респираторного расстройства. Судя по документам, наш простейший тест выявил бы у нее вирус Сеул, один из хантавирусов Старого Света: высокий уровень антител (1:1600), отрицательный результат иммунофлюоресцентного анализа (метод, при котором инфицированные клетки подсвечиваются меченой кровью, если в ней есть антитела от текущей или ранее перенесенной инфекции).

Я вылетел в Хьюстон в семь вечера, взял в прокате машину и отправился в район Пайни-Вудс в восточном Техасе, в двух часах езды.

Лафкин — городок примерно с 35 тысячами жителей, выросший благодаря лесной промышленности, производству нефтепромыслового оборудования и птицеводству. На следующее утро в 7:30 я встретился с эпидемиологом штата. Потом поговорил с родителями умершей женщины. Побеседовал с ее мужем и дочерью. Пообщался с медсестрой из больницы, где ее лечили. Я попытался как можно больше узнать об анамнезе.

Чтобы разобраться в проблеме, мне нужна была информация о ее привычках и хобби, а главное, о поездках. Каким образом и от какого грызуна она могла заразиться? Она не работала в саду и была обыкновенной домохозяйкой. Насколько я понял, мышей в доме не замечали уже более года. Однако на заднем дворе было зерно и водились белки, а также крысы.

Далее мне предстояло изучить кипы документов в поисках любых других потенциальных случаев в округе. Я просматривал истории болезней всех пациентов, у которых могло быть что-то похожее, и надеялся обнаружить образцы крови или результаты аутопсии. Если они сохранились, можно провести расследование задним числом.

Моя работа в Лафкине начала казаться важнее, когда мы предварительно выявили резервуар этого заболевания: им оказались оленьи хомячки (*Peromyscus maniculatus*). Эти маленькие зверьки широко распространены по всему Юго-Западу США — они водятся в Техасе, Неваде и Калифорнии. Но вскоре случаи заболевания начали появляться и в других местах, в том числе в Луизиане и Флориде. Это навело нас на мысль, что может существовать другой патологический вирус и другой вид грызунов.

Впоследствии случаи, выявленные вне ареала обитания оленьего хомячка, позволили нам обнаружить множество других видов грызунов из того же семейства, имевших свои собственные хантавирусы.

Благодаря вниманию СМИ один доктор из округа Дейд во Флориде заподозрил, что хантавирус стал причиной заболевания у его пациента, и отправил нам образец. Он оказался прав, однако это был не вирус Син Номбре, который мы видели на Юго-Западе, а совершенно другой штамм под названием вирус Блэк-Крик.

Флоридский случай нас озаботил: выяснилось, что зараженный пациент находился в лечебном центре еще с 30 людьми. Поэтому я полетел в округ Дейд и встретился там с администратором Второго района, администратором по вопросам окружающей среды отдела здравоохранения округа Дейд, заместителем администратора района по вопросам здравоохранения и специалистом по связям с общественностью.

По рабочим дням я занимался базами данных для мониторинга хантавирусной инфекции, а по выходным расследовал необычные случаи. Такая нагрузка — обычное дело для ученых в отделе особых патогенов: жена моего наставника вообще стала приходить по выходным к нему на работу. Но моей семье пришлось еще тяжелее, ведь я оставил жену одну с шестимесячными тройняшками.

Как обычно, львиная доля полевой работы заключалась в определении риска контакта с возбудителем, поэтому мне необходимо было выяснить, кто еще мог заболеть, и одновременно позаботиться, чтобы специалисты продолжали поиски нового грызуна. И мы довольно быстро его обнаружили.

Виновником распространения вируса Блэк-Крик оказался не обычный олений хомячок, а хлопковый хомяк. Наша задача усложнилась. Отследить и изолировать конкретного грызуна с одним вирусом было недостаточно: теперь мы имели дело со множеством видов грызунов, у каждого из которых был свой, хотя и родственный хантавирус.

По мере погружения в проблему мы поняли, что эти североамериканские разновидности заболевания совсем не новые.

В 1978 году в Престоне — городке с населением 3170 человек в штате Айдахо — скончался молодой мужчина. Его смерть была настолько внезапной и необъяснимой, что лечащий врач немедленно связался с Центрами по контролю и профилактике заболеваний. По всей видимости, в тот день в Атланте было спокойно, потому что наша организация направила в Престон и своего сотрудника, и сотрудника Службы расследования эпидемий — доктора Рика Гудмана. Однако по завершении работы они знали о произошедшем ненамного больше, чем в самом начале.

Пятнадцать лет спустя — на волне ажиотажа в прессе — врач из Престона, который тогда нам позвонил, сказал себе: «Похоже, у того парня был хантавирус» — и снова связался с нами.

К счастью, после вскрытия того пациента сохранились парафиновые блоки с образцами. Их направили доктору Шерифу Заки, главному патологу Центров по контролю и профилактике заболеваний. Он рассмотрел образцы под микроскопом, проанализировал с помощью сыворотки со специфическими антителами — иммунным маркером, изучил результаты и пришел к выводу, что пациент действительно умер от хантавирусного легочного синдрома. Пятнадцать лет назад, еще при президенте Картере.

Мне удалось побеседовать с родителями того человека, его братом и сестрой, а также с его женой. Специально для этого они приехали в Престон. Их воспоминания были очень живые и свежие — в конце концов, речь шла о смерти близкого человека.

Да, была середина лета. Помню, была жара под сорок. У него появилась очень сильная усталость, начала болеть шея. Сначала его отвезли к хиропрактику. Он весь день спал. Не ел. Был холодный пот, его лихорадило.

Родные вспомнили, что доктор сначала диагностировал грипп и начал лечение, но лучше больному не стало. У него появился кашель. Он поехал в другую больницу, где ему сделали укол и ввели лекарственные свечи. Потом у него появились проблемы с дыханием.

Через четыре дня ноги стали мерзнуть, а кашель усилился. Дышать было по-прежнему тяжело — возможно, у него была пневмония. Когда он вернулся в больницу округа, его кожа уже была синевато-серой, он хватал ртом воздух. В больнице обнаружили, что легкие наполнены жидкостью. Вскоре он умер.

Выяснилось, что этот человек работал сварщиком в Логане в штате Юта и жил в сборном доме с подполом. Он охотился на лосей и оленей, а еще на мышей: в доме, под домом, вокруг дома. По словам родных, он тратил на это занятие много времени и не только стрелял по ним, но и топтал, а иногда даже подбирал и швырял о свой грузовик, чтобы разбить мышиный труп в лепешку.

Этот случай показал нам: если заболевание не выявлено, это еще не значит, что его не существует. Дело в том, что привлекает внимание, как правило, целый кластер случаев: это позволяет собрать достаточный объем диагностических свидетельств, связать их между собой и понять, что ты столкнулся с чем-то новым.

Не будь у нас теста на хантавирус из Кореи, потребовалось бы гораздо больше времени, чтобы понять масштаб вспышки 1993 года, которая охватила не только регион «четырех углов», но и вышла далеко за его пределы.

Нам помогло и стечение обстоятельств. Прежде всего, типичных случаев оказалось достаточно много, и это вызвало озабоченность, а современные методы диагностики позволили нам точно определить, с чем мы имеем дело. Как только болезнь была идентифицирована, стало совершенно очевидно, что она с большой вероятностью существует в Соединенных Штатах уже тысячи лет, ведь эти вирусы должны были пройти коэволюцию с разными видами грызунов. К тому же появились межвидовые инфекции. Можно предположить, что изначально хозяином вируса в Новом и Старом Свете были землеройки или кроты.

Зоологи говорят: «Образ того, что ты ищешь, влияет на восприятие». Например, птицы какого-то вида могут невероятно ловко замечать определенный вид жуков, которыми они кормятся, а мы, люди, обычно этого жука не видим. Но если мы натренируемся искать его узор на листе конкретного вида растений, у нас начнет получаться гораздо лучше.

До вспышки в «четырех углах» такого образа для хантавирусного легочного синдрома в США не существовало. Врачи наблюдали отдельных больных с вроде бы случайными симптомами, но это не складывалось в общую картину. Не стоит удивляться, ведь у человека не так много способов болеть и умереть. Случаи происходили десятилетиями, но не было ни терминологии, ни научной базы. До тех пор, пока кто-то не смог представить себе явление, оно оставалось невидимым. Иногда, чтобы обнаружить факты, приходится сначала строить теорию, поскольку в противном случае факты будут казаться случайными сигналами, рассеянными в стогу иголками.

До вспышки в «четырех углах» мы даже не задумывались о том, что грызуны, переносящие хантавирусы, могут водиться по всему Новому Свету, а следовательно, мы никогда бы не заметили, что хантавирусы вполне могут передаваться от человека к человеку.

В 1996 году мы отправили нашего замечательного эпидемиолога Рэйчел Уэллс в Барилоче в Аргентине — как мне сказали, очаровательный городок в Патагонии и лыжный курорт, — чтобы провести там расследование возможного появления нового хантавируса. Оценив обстановку, она заключила: «Судя по собранным данным, вирус может передаваться от человека к человеку. Многие заболевшие тесно связаны друг с другом».

В ответ я отправил ей сообщение: «Наш сорокалетний опыт изучения этих вирусов показывает, что хантавирусам такое не свойственно. Возможно, все эти люди живут рядом, у них дома одни и те же грызуны, и поэтому кажется, что люди передают друг другу инфекцию».

Мы попросили Рэйчел поработать еще и проверить информацию. Она так и поступила, но, исходя из каких-то особых отношений между этими людьми, по-прежнему была уверена, что передача от человека к человеку имеет место.

А в декабре 1996 года нам сообщили, что в Институте Мальбрана в Буэнос-Айресе диагностировано два случая хантавирусного легочного синдрома. Это было крайне неожиданно, ведь распространение инфицированных видов грызунов мы изучали в Барилоче.

Все стало еще интереснее, когда мы узнали о зараженном враче по имени Моника. Она приезжала в Буэнос-Айрес из Барилоче, а перед этим заболел ее муж. С ней была подруга Марина (тоже доктор), которая заболела и умерла в конце месяца. Заболел и врач, лечивший Монику, хотя он не покидал пределов Буэнос-Айреса. Оба случая произошли спустя 27 и 28 дней после первого контакта соответственно.

Но даже имея эту информацию и зная о том, что подруга Моники контактировала с артериальной кровью, я сделал в своем зеленом дневнике запись: «Возможно, имеет место укол иглой и дело в пациенте?»

Вместе с нашими аргентинскими коллегами мы провели серию исследований, чтобы проверить, не заражен ли кто-то еще. Мы взяли образцы крови во всех клиниках, где лечились эти люди, а также в других больницах, выявили потенциально зараженных медицинских работников и попросили их указать пациентов, которые могут быть в группе риска. К этому моменту мы уже знали, что надо искать родственников, которые ухаживали за пациентами в больнице, а также половых партнеров. С последним вопросом разобралась еще Рэйчел. Многие находились в интимной близости с теми, кто заразился в Барилоче. В итоге мы пришли к выводу, что этот тип хантавируса, так называемый вирус Андес, действительно может передаваться от человека к человеку воздушно-капельным путем.

Это типичный пример того, как молодой исследователь учит опытного вирусолога и эпидемиолога (в данном случае меня) чему-то новому. Хотя ни один из других штаммов хантавируса не передавался от человека к человеку, здесь все оказалось не так. Этот случай напомнил нам, насколько осторожно следует относиться к своим допущениям, когда имеешь дело с появлением инфекционных заболеваний. Всегда есть место для неожиданностей.

Вирус Син Номбре, обнаруженный в регионе «четырех углов», до сих пор не передавался от человека к человеку. А ведь это огромная разница. Вирус тот же, грызуны те же (или очень близкие), а различие принципиальное. Именно поэтому мы всегда стараемся объяснить, что болезни, вызывающие беспокойство населения, редко передаются воздушно-капельным путем. Вирус бешенства существует уже сотни тысяч лет, но так и не выработал этой способности. Заболевания обычно придерживаются типичного для них способа передачи.

Однако, учитывая постоянную — при каждом клеточном цикле и репликации — перетасовку генов, нельзя исключить появление новых и, возможно, смертельно опасных свойств.

По классической модели расследования необходимо изучить индивидуальные, патогенные и средовые факторы, понять, как они сочетаются, и уже исходя из этого решить, о чем информировать общественность. В конце концов, вплоть до конкретного происшествия люди не знают, что случилась опасная вспышка с участием грызунов, комаров или птиц, поэтому очень важно как можно скорее дать информацию и рассказать о взаимодействии факторов, влияющих на передачу заболевания.

Прежде всего надо задать вопрос: правильно ли определен переносчик? Несправедливо винить бурундуков, если проблема в серых белках. Когда переносчик установлен, возникает следующий вопрос: может ли он тебя чем-нибудь обрызгать и можно ли заразиться, например, вдохнув патоген, когда вытираешь пыль с мочой переносчика? (Если нужно убрать кал грызуна, мы всегда советуем сначала спрыснуть его лизолом*.)

Есть и так называемый фактор хозяина. Какое количество возбудителя попадает в организм? Какова врожденная восприимчивость к этому патогену?

Все эти переменные вступают в игру и определяют, заболеет человек или нет. Иногда все определяет чистая случайность. Некоторые курильщики доживают до глубокой старости, а те, кто ни дня не курил, умирают от рака легких.

Бывает, что СМИ опережают медицинское сообщество и заставляют систему здравоохранения реагировать. Именно это произошло, когда репортер чилийского научно-технического

---

* Дезинфицирующая маслянистая жидкость красно-бурого цвета.

журнала Quepasa связался со мной и сказал: «Помогите мне разобраться, как хантавирусы передаются от человека к человеку».

Он был озабочен ситуацией в городе Койайке в области Айсен на юге Чили. Область была пустынной, без лесов и грызунов, но пациент, видимо, умер от хантавируса. «Город кишит грызунами, — сказал репортер, — но медицинские работники не принимают никаких мер предосторожности. А как поступают у вас?»

Разумеется, Чили — это суверенное государство, и Центры по контролю и профилактике заболеваний США не отвечают за защиту всего мира. Этим занимается Всемирная организация здравоохранения (ВОЗ). Однако нас часто зовут на помощь, даже если вспышки происходят за пределами Соединенных Штатов.

Через пару дней я побеседовал с доктором Жанетт Вегой из чилийского представительства Панамериканской организации здравоохранения. Она работала в Министерстве здравоохранения Чили, а также в ВОЗ и управляющим директором по вопросам здравоохранения в Фонде Рокфеллера.

Она рассказала нам о мужчине, который заболел 5 сентября 1997 года и спустя шесть дней скончался. Внимание средств массовой информации привлекло то, что сестра, теща и шурин этого человека тоже умерли от хантавирусного легочного синдрома. Это был кластер, охвативший всех членов семьи.

Доктор Роберто Бельмар, который возглавлял тогда чилийскую комиссию по хантавирусу, пытался отреагировать на эту вспышку. Мы периодически общались с нашей коллегой доктором Эльзой Сальгеро и учеными из Аргентины, чтобы не пропустить аналогичные случаи. Неделю спустя у нас состоялся конференц-звонок с доктором Вегой и многими другими врачами. Им удалось установить, что первый кластер возник в районе Лаго-Верде — пять смертей за три месяца. Однако затем появился второй кластер в Койайке — четверо умерших всего за четыре дня!

Поскольку кластеры разделял короткий временной промежуток, можно было предположить, что люди заразились в результате контакта с каким-то общим источником. Однако в первом кластере начало вспышки растянулось на много месяцев, поэтому значительно вероятнее была передача от человека к человеку, от одного случая к другому. Именно эта версия по-настоящему нас заинтриговала.

Определение кластера — это тот самый момент, когда возникает образ того, что ищешь, и ты начинаешь замечать это повсюду. Теперь мы получали информацию о подозрительных случаях по всей стране и начали волноваться.

Мы занимались хантавирусами уже четыре года и знали, что в чилийском сообществе проводились некоторые исследования, в том числе рассматривалась возможность передачи инфекции от человека к человеку.

Приехав на место, мы помогли развернуть национальную систему надзора, а затем попытались собрать всю доступную информацию о клинике заболевания, сосредоточившись на пораженной области Айсен. Мы хотели описать эпидемиологические условия, выживших, умерших, а затем, возможно, провести несколько когортных исследований* среди членов семьи и медицинских работников, чтобы посмотреть, кто заразился, а кто нет, и опросить некоторых сельских жителей с целью проверить, не распространено ли это заболевание здесь больше, чем в других местах.

Рождество мы встретили в обществе министра здравоохранения, главы системы здравоохранения области, главы экологической медицины Чили и отдела эпидемиологического надзора, а также представителя ВОЗ доктора Пиньи, который как раз был в Чили.

---

* Когортное исследование — тип медицинских исследований, который используется для выявления причин заболевания, установления связей между факторами риска и их последствий для здоровья. Состоит в наборе двух групп (когорт) пациентов, одна из которых подвергается изучаемому вмешательству, а другая — нет. Далее эти когорты прослеживаются на предмет выявления интересующих исходов.

Мы узнали, что в 13 регионах, разделенных между 29 отделами службы здравоохранения, проживает 14 622 354 человека; 84 процента из них — сельские жители. На тот момент было предположительно 26 заболевших (из них 16 мужчин). Возраст больных варьировался от одного года и 11 месяцев до 46 лет. В области Айсен произошло 12 случаев. Люди умирали в период от одного до восьми дней после появления симптомов.

Потом мы направились в Койайке и начали объезжать деревни (иногда даже верхом), выслеживая переносчиков и пытаясь разобраться, что происходит.

Около трех недель мы занимались категоризацией грызунов и проверяли базы данных, чтобы правильно соотнести типы животных с местом их поимки. Выяснилось, что грызунов там множество: более 40 процентов ловушек срабатывали. Попутно мы расследовали целую массу подозрительных случаев, чтобы помочь местным органам здравоохранения составить систему критериев, кого нужно тестировать, а кого нет.

Площадь области Айсен — 51,5 тысячи квадратных километров. В нее входило пять провинций с общим населением 84 тысячи человек — 1,7 человека на квадратный километр. В основном это была сельская местность. Половина жителей — 42 тысячи человек — проживали в Койайке.

Лаго-Верде, где жила интересовавшая нас семья, был населенным пунктом из пяти десятков домов примерно с сотней жителей. Мы хотели выяснить, сколько процентов населения здесь было инфицировано хантавирусом, сколько человек из зараженных заболели и у какого числа из них болезнь протекала в тяжелой форме и закончилась летальным исходом.

Попутно нам удалось выявить связь между повседневным образом жизни в этом уголке мира и распространением заболевания. Например, данные указывали на один из кластеров, где все пострадавшие тесно общались друг с другом. Оказалось, что эта семья открыла дом для посетителей перед приездом богатых владельцев, — вероятно, именно так произошло одновременное заражение.

Четыре из 12 случаев в этой области выглядели скорее как проявления геморрагических синдромов, при которых поражаются многие органы, повреждаются кровеносные сосуды и нарушается способность организма к саморегуляции. Многое говорило о том, что у пациентов часто отмечалось поражение почек. Доктора уже пытались активно внедрять эффективное, по их мнению, лечение. Пациентам с низким артериальным давлением переливали плазму человека, перенесшего заболевание, — организм должен был отреагировать и победить болезнь. Такую экспериментальную методику применили во всех случаях, где это было возможно. Терапия плазмой поможет и позже, когда мы столкнемся с Эболой.

В самом конце весны нам сообщили, что рядом с крупнейшим городом Бразилии, Сан-Паулу, возник еще один кластер. Судя по всему, имела место передача от человека к человеку. Я полетел туда 10 июня 1998 года.

Правительство запросило помощь не только в Центрах по контролю и профилактике заболеваний, но и в Панамериканской организации здравоохранения. Мне предстояло попытаться понять, что происходит, и скорректировать принимаемые меры.

Штат Сан-Паулу был разделен на 24 медицинских сектора, которые курировал Институт Адольфо Лутца, входивший в структуру министерства здравоохранения страны. Там уже действовала система надзора за денге — это вирусное заболевание переносят комары из рода *Aedes*, преимущественно *A. aegypti*, — а также за лептоспирозом, который вызывают бактерии и переносят различные животные, чаще всего грызуны. Теперь бразильцы работали над системой надзора за хантавирусным легочным синдромом. Случаи заболевания регистрировались еще в 1996 году, и, когда два года спустя примерно в той же области возник кластер, они решили пригласить нас.

Клиницисты за свою профессиональную жизнь видят десятки тысяч пациентов, но лишь один или два случая могут оказаться настолько необычными, что придется обращаться в департамент здравоохранения. Это особенно важно в развивающихся странах и в регионах с низким и средним уровнем доходов, где диагностическая поддержка не всегда достаточна, а аутопсию* проводят редко. Обнаружение аномалий, таким образом, всецело зависит от клинической проницательности и интуиции врачей. Большую вспышку видит каждый. Но чтобы уменьшить масштабы и не дать вспышке выйти из-под контроля, нужно заметить ее на начальном этапе и принять профилактические меры.

Нередко доктора обращают внимание на такие особые случаи, если заболевает известный человек.

Так произошло и в регионе Сан-Паулу. Озабоченность вызвала женщина по имени Палуста. Ей был 51 год. Она умерла через шесть дней после начала болезни — довольно быстро для относительно молодой и в целом здоровой женщины. Врачи сначала подозревали денге, но, когда образец крови отправили на анализ, результат оказался отрицательным. Зато был обнаружен хантавирус.

Женщина владела скотоводческой фермой площадью 15 гектаров. Она ездила туда два раза в неделю, чтобы присматривать за работой, и трижды в неделю посещала дом женщины, которая когда-то у нее работала и умерла в местной больнице от сердечно-легочной недостаточности.

Вскоре заболел один из рабочих большой плантации, которая также принадлежала Палусте. Там выращивали сахарный тростник для производства алкоголя. У мужчины начались боли в животе и такая сильная боль в груди, что врачи заподозрили сердечный приступ. Электрокардиограмма оказалась в норме, но давление упало настолько, что сложно было поставить внутривенную капельницу. Рвотные массы напоминали

---

* Посмертное вскрытие.

кофейную гущу — это часто указывает на внутрижелудочное кровотечение. Также была небольшая одышка. Мужчина умер в состоянии шока. В данном случае симптомы указывали на денге.

Согласно истории болезни в субботу у Палусты началась лихорадка с головной болью, болями в мышцах и за глазами, но настоящей одышки не было. Через четыре дня она снова пришла к своему врачу, который сказал: «У вас в моче немного повышен уровень белка и лейкоцитов» — и диагностировал денге. В пользу этого говорили и кровоподтеки по всему телу женщины.

На следующий день, в четверг, она почувствовала себя лучше, но уже после обеда ее состояние ухудшилось. В пятницу в очень тяжелом состоянии ее доставили в кабинет врача: у нее отмечалась сильная одышка, а в легких было обнаружено большое количество жидкости. Через три часа ее не стало.

Чтобы разобраться, как человек заболел, надо сопоставить клиническое расследование его конкретного случая с эпидемиологическим расследованием. Полученные данные необходимо согласовать с энтомологией или в данном случае с териологией: посмотреть, какие животные водятся в этом месте и могут быть заражены. Когда три элемента сложатся, самое время подумать о правильном наборе стратегий профилактики, чтобы не заболели другие. Такой подход к новым инфекциям называют концепцией единого здравоохранения. Он подразумевает, что для определения возможных стратегий профилактики сосредоточиться следует не только на человеке, но и на животных, на средовых факторах. Примером является вакцинация собак для профилактики бешенства у людей.

Поскольку Центры по контролю и профилактике заболеваний были привлечены к расследованию этого кластера, мы отправились посмотреть на ферму Палусты. Ферма представляла собой кирпичное здание, с трех сторон окруженное полями. Бетонный пол, туалет внутри, но в черепичной крыше зияли просветы. Еще было зернохранилище, поленница в шести метрах от двери и «рападура» — сахарные брикеты, которые делали на ферме. Там же разводили кур, индеек, цесарок, свиней, крупный рогатый скот, выращивали бананы, апельсины, фасоль, кукурузу и кофе и возделывали огород. На ферме жило восемь человек, и у всех анализы на хантавирус дали отрицательный результат. У Паусты была еще одна ферма площадью пять гектаров, где находился силос. Ни один из семи членов домохозяйства там тоже не имел вируса.

Когда Паусте был поставлен диагноз, министерство здравоохранения направило на ее фермы зверолова. Он обнаружил два вида грызунов: *Rattus rattus*, черную крысу, и *Mus musculus*, домовую мышь. Было крайне маловероятно, что виноваты эти животные: обычно они не заражаются хантавирусами.

Поэтому мы поставили свои ловушки и поймали 28 грызунов в первую ночь и еще 40 во вторую. Это оказались вечерние хомячки из рода *Calomys*.

По сути, перед нами были отдельные представители *Sigmodontinae*, невероятно разнообразного подсемейства грызунов. Примерно пять миллионов лет назад они попали на американский континент, а потом подсемейство распалось почти на 400 разных видов. Вероятно, какой-то вирус заражал предков современных *Sigmodontinae*, и по мере эволюции грызунов вирусы тоже эволюционировали и множились, порождая межвидовые инфекции.

Оценив ситуацию на ферме, мы отправились в основное место жительства Паусты — красивый дом в центре городка в восьми километрах от фермы. Окрестную территорию окружала ограда с электронными воротами, улочки были вымощены. На кухне — гранитные столешницы, стены, покрытые до самого потолка итальянской плиткой, и блестящие полы из террацо во всем доме.

Мы расставили свои ловушки всего через три месяца после смерти женщины. Сработали 130 из 160, все на краю вспаханного кукурузного поля, где остались кустарники. Вечером я сам, одну за другой, установил ловушки, а ранним утром вместе с моей командой отправился их проверять. Чтобы грызуны не изжарились на солнце в металлических ловушках, я поспешил к месту расследования, попутно надевая защитный костюм, и лично занялся вивисекцией*. Коллеги научили меня брать кровь из глазницы: капиллярную трубку надо вставить прямо сверху глаза грызуна и пробить мелкие кровеносные сосуды, чтобы вытекла кровь. Затем животное усыпляют, а его органы кладут в жидкий азот.

Симптомы и признаки многих заболеваний весьма схожи. Нам пришлось изучить десятки вероятных случаев, чтобы как можно точнее установить диагноз и найти лучший способ помочь пациентам.

Много времени мы провели на больших фермах, где выращивался сахарный тростник, думая о том, что могло нарушить экологический баланс и стать причиной появления новых видов грызунов, которые, как оказалось, переносят смертельную болезнь.

Постепенно мы сосредоточили внимание на грубых остатках кукурузы и сахарного тростника по границе участков. Настоящий рай для грызунов. Власти, заботясь об экологии, боролись с выжиганием тростниковых полей: дым загрязняет воздух. К 1998 году три четверти полей не выжигали.

Здесь вступил в действие закон непредвиденных последствий. Правительство пыталось сделать что-то хорошее, но это вызвало вспышку смертельной болезни.

Вот почему последствия любых производимых человеком изменений всегда нужно долго и серьезно обдумывать. Иногда опасность — это не первобытные тайны природы, а мы сами.

---

* Выполнение операций на живом животном в научных целях.

3

ЛИЦО ДЬЯВОЛА

В мире всегда была чума, всегда была война.
И однако ж и чума, и война, как правило,
заставали людей врасплох.

АЛЬБЕР КАМЮ.
Чума*

«Я же держу сигарету за окном», — возразил доктор Абдул
Нур в ответ на мою очередную жалобу. На малолитражке
мы двигались через солончаки юго-восточной оконечности
Аравийского полуострова и объезжали все скотобойни в каждом из семи государств Объединенных Арабских Эмиратов.

Доктор Нур, египтянин, руководил программой здравоохранения ОАЭ. А я приехал, чтобы помочь министерству
здравоохранения справиться со вспышкой лихорадки с крово-
точивостью среди гастарбайтеров из Юго-Восточной Азии,
преимущественно индусов и пакистанцев, которые занимались забоем и разделкой скота. Еще во время телефонного
разговора, когда представитель министерства излагал мне
суть проблемы, я подумал, что это может быть малярия или
тяжелая дизентерия. Но нельзя исключать и геморрагическую
лихорадку Крым — Конго. Как правило, пациент попадал
в больницу, когда у него начиналась рвота с кровью. Хирурги
считали, что это кровоточащая язва, вскрывали, видели, что
все зашло слишком далеко, и зашивали. Больной умирал.

---

* Цит. по: *Камю А.* Чума. Пер. с франц. Н. М. Жарковой. СПб. : Кристалл, 2001.

Примерно через пять дней заболевала операционная медсестра, убиравшая кровь пациента и окровавленные хирургические инструменты, — у нее начиналось кровотечение. То же самое повторялось с другими медиками.

Конго-крымская геморрагическая лихорадка — это вирусное заболевание, при котором иногда возникает желудочно-кишечное кровотечение и подкожные кровоизлияния. Отмечается также спутанность сознания, рвота «кофейной гущей» и черный стул. Это лишь одна примерно из двадцати вирусных геморрагических лихорадок, которые могут появиться в любой точке планеты, но именно ее особенно полюбили авторы бульварного чтива — даже если приписывают ее герою ошибочно. Дело в том, что она самая кровавая среди подобных лихорадок и кровотечение угрожает жизни. Более трети зараженных конго-крымской геморрагической лихорадкой умирают в течение двух недель, часто при весьма драматических обстоятельствах.

Геморрагические лихорадки вызывают четыре разных семейства вирусов, у каждого из которых есть свое животное-переносчик. Желтую лихорадку, лихорадку Рифт-Валли и денге переносят комары. Естественным хозяином для конго-крымской и омской лихорадок, а также болезни Кьясанурского леса являются клещи. Для лихорадки Ласса, боливийской и аргентинской лихорадок, а также геморрагической лихорадки с почечным синдромом и хантавирусного легочного синдрома это грызуны. А еще есть Эбола — геморрагическая лихорадка, которая привлекает в последнее время наибольшее внимание. Вирус Эбола переносят летучие мыши.

Несмотря на то что у каждого вида геморрагической лихорадки свой резервуар и свои переносчики, определяющие географию распространения, все подобные лихорадки сваливают в одну кучу, поскольку симптомы у них схожие. Болезнь поражает почти все органы человека, кровеносные сосуды начинают кровоточить, и организму пациента становится сложно поддерживать артериальное давление.

Эти лихорадки вызывают серьезную тревогу из-за своих необычных симптомов, не говоря уже о риске смерти. От большинства разновидностей нет ни эффективных методов лечения, ни вакцин. Многие из них передаются от человека к человеку — чаще всего достаточно маленьких капелек в воздухе, вот почему с этими вирусами работают только в лабораториях четвертого уровня биологической безопасности, в костюмах-скафандрах или в больших герметичных камерах. Поставить диагноз непросто: открытое кровотечение появляется не всегда, а другие симптомы, как я уже говорил, схожи с симптомами малярии, дизентерии и еще целого ряда болезней.

Правительство ОАЭ вложило колоссальные средства в создание современной системы здравоохранения — и это хорошо, так как в противном случае под угрозой заражения оказались бы медицинские работники. К сожалению, власти совершенно не заботились о гастарбайтерах — таких, как умиравшие по неизвестной причине мясники, — и вообще о низших классах общества.

Население ОАЭ составляет 9 миллионов человек, 7 миллионов из которых — не граждане федеративного государства. В основном это выходцы из Индии. В таких странах проблемы здравоохранения сложно отделить от социальных и политических проблем — это одно и то же.

При этом ОАЭ, в частности эмират Дубай, — потрясающе современное место. Уже тогда Дубай позиционировал себя как мировой банковский и транспортный центр. На рынке можно было встретить и женщин в масках-бурках, и девушек в коротких юбках — последние из мечети прямиком шли в ночной клуб через дорогу.

К счастью, к американским консультантам вроде меня относились очень уважительно. Если сам эмир попросил тебя о помощи, можешь рассчитывать на перелет первым классом и номер в пятизвездочном отеле.

В первой бойне, куда мы с доктором Нуром приехали, мне потребовалось примерно 12 секунд, чтобы построить теорию заражения мясников. Их «защитная экипировка» сводилась к перепачканным кровью майкам, набедренным повязкам и шлепанцам.

Вы скажете, что министерству здравоохранения следовало озаботиться проблемой раньше; но существовали глубокие культурные различия, которые надо было вначале преодолеть. Это классическая проблема развивающихся стран. Во-первых, полное безразличие к низшим классам, во-вторых, нет ни традиции вмешательств, ни прикладной эпидемиологии, которая подразумевает, что специалисты пытаются решать проблемы на месте, а не сидят в кабинете, подсчитывая больных и умерших. Доктор Нур, мой коллега из министерства здравоохранения и заядлый курильщик, никак не мог взять в толк, зачем мне своими глазами видеть ситуацию и собирать данные, если для этого приходится терпеть обжигающий зной, продираться сквозь пыльные бури и колючие кусты, таскаться по вонючим скотобойням и не менее вонючим загонам для скота.

Объединенные Арабские Эмираты, в которые входят Абу-Даби и Дубай, с декабря 1971 года являются в некотором роде страной, но на деле это федерация из семи абсолютных монархий, простирающихся почти на 650 километров вдоль южного берега Персидского залива. Государство граничит с Оманом на востоке и Саудовской Аравией на юге и имеет морские границы с Катаром и Ираном.

Эмираты возникли после Первой мировой войны как британский протекторат на руинах побежденной Османской империи. Британцы надеялись, что здесь разгорится «нефтяная лихорадка», как в Баку и Мосуле, но, несмотря на старания Англо-персидской и Иракской нефтяных компаний, черное золото полилось в этих местах лишь в 1960-х годах. Теперь считается, что ОАЭ находятся на седьмом в мире месте по запасам нефти и природного газа. С такими ресурсами, а также благодаря стратегическому положению у Ормузского пролива страна процветает.

Нашим попыткам справиться с этой вспышкой мешал не только кабинетный подход к вопросам здравоохранения и равнодушие к простым людям. Были и менее очевидные проблемы. Между министерством здравоохранения и министерством сельского хозяйства шла подковерная борьба. Конго-крымской лихорадкой, как и большинством новых инфекционных заболеваний, надо заниматься комплексно, причем не только с медицинской точки зрения, но и в контексте взаимодействия между животными и людьми, в данном случае в контексте выращивания и содержания скота. Это и есть концепция единого здравоохранения.

Более 75 процентов новых заболеваний являются зоонозными инфекциями (то есть передаются человеку при контакте с животными). В эту группу попадает вирус конго-крымской лихорадки, хантавирусы, генипавирусы и Эбола. Другие болезни, например сезонный человеческий грипп и СПИД, были зоонозами вначале. Благодаря идеальному совпадению генетических, экологических, поведенческих и политических факторов патогены выходят из своей естественной среды обитания в дикой природе и заражают людей. Именно поэтому концепция единого здравоохранения подразумевает охоту на эти микробы в их естественной среде и поблизости, чтобы выявить, какие из них могут закрепиться в организме человека.

Наше расследование привело нас и в порты — надо было посмотреть, как привозят овец и где их держат. Было известно, что 80 процентов животных поступает в эмираты из Австралии, где нет ни смертельно опасных клещей из рода *Hyalomma*, ни вируса конго-крымской лихорадки, переносчиком которого является этот вид клещей. Следовательно, эти овцы были здоровы. Оказалось, однако, что их смешивали с животными из Сомали и Ирана — стран, где это заболевание присутствует. Невинные австралийские овечки заражались конго-крымской лихорадкой через клещей, попадавших на них с других овец или из загонов, и к моменту убоя имели в крови крайне высокое содержание вируса. Пораженных клещами животных контрабандой ввозили через Персидский залив на маленьких лодках, поэтому запрещать импорт было бессмысленно. Очевидное решение — перестать смешивать животных, но здесь мы ничего не могли поделать с предпочтениями местных жителей. Морда австралийской овцы, по их словам, была похожа на лицо дьявола, так что они предпочитали животных из своего региона.

Мы дали ряд рекомендаций — от защиты мясников и других лиц, обращающихся с животными, до внедрения системы мониторинга новых инфекций. Еще мы посоветовали отделять австралийских овец от местных, погружать последних в раствор от клещей до помещения в загоны, а сами загоны обрабатывать дезинфицирующим средством каждый раз при смене животных. Мы оставили и рибавирин (противовирусный препарат), который уже показал свою эффективность в небольших исследованиях, для использования в местных больницах при любых подозрениях на конго-крымскую лихорадку.

Вспышка в ОАЭ стала крупнейшей за всю историю наблюдений, но в регионе эта болезнь не была чем-то необычным. Пока я находился в ОАЭ, Министерство здравоохранения Саудовской Аравии пригласило меня на консультацию по поводу конго-крымской лихорадки среди гастарбайтеров — случаи наблюдались и там. Поэтому я получил в Дубае визу и полетел в Эр-Рияд. К сожалению, человек, который должен был меня встретить, решил не приезжать в аэропорт, так как было уже поздно и шел дождь. Переговоры с таможенной и иммиграционной службой мне пришлось вести самостоятельно. Пограничник по-арабски попросил мой паспорт. Я не понял. Тогда он увидел паспорт у меня в руке и повторил вопрос на английском языке. Я вручил ему свой служебный паспорт гражданина США.

— Ты мусульманин? — поинтересовался он.

— Да, — ответил я.

— Какой же ты мусульманин, раз не умеешь говорить по-арабски?

Затем, держа в руках мой служебный (а не гражданский) американский паспорт, в котором стояло место рождения «город Нью-Йорк, штат Нью-Йорк», он спросил меня, американец я или нет.

— Да, американец, — сказал я ему.

— Нет, ты просто пакистанец с фальшивыми документами, — бросил он с презрением и начал рыться в моем чемодане, разбрасывая вещи по всему посту.

Не забывайте, я был приглашенным гостем и приехал в страну по служебным делам.

Разумеется, он нашел в моем снаряжении 50 ампул с белым порошком. Его глаза озарились настоящим ликованием: мысль о том, что меня казнят к следующей пятнице, явно доставляла ему наслаждение.

Саудовская Аравия — одна из худших стран в мире с точки зрения прав человека. Юридическая система там основана на шариате, допускается наказание ударами плетью и забивание камнями, а вероотступничество карается смертью. Женщин и представителей религиозных меньшинств там систематически дискриминируют, а гастарбайтеры не имеют никакой защиты. Законы в отношении наркотиков там тоже самые строгие в мире: формальные суды, быстрые неправедные приговоры, публичная казнь путем отрубания головы после священной пятничной молитвы. Мое беспокойство превратилось в неподдельный страх. Запинаясь, я пробормотал, что в ампулах рибавирин — противовирусный препарат, который меня попросили привезти.

Позвали врача аэропорта — здравомыслие возобладало, и голова осталась у меня на плечах. Через два часа меня отпустили.

Условия вспышки в Саудовской Аравии были те же, что и в ОАЭ, — даже разногласия между министерствами, отвечавшими за здоровье животных и людей, были одинаковые. Мои рекомендации, в сущности, тоже были идентичны. Я оставил им рибавирин.

Вскоре меня пригласили в Оман в связи с новыми случаями конго-крымской лихорадки. В отличие от саудовцев оманцы оказались невероятно дружелюбны и прогрессивны во всех отношениях, включая систему здравоохранения.

В Омане мне посчастливилось поработать с новым сотрудником Службы расследования эпидемий доктором Джоуэлом Уильямсом, ветеринарным врачом Военно-воздушных сил США, а также с Гэри Мопином, отличным териологом и начинающим экспертом по клещам. Для Джоуэла это расследование стало своего рода боевым крещением — багаж путешествовал за ним по всему Ближнему Востоку, но так и не догнал своего владельца до окончания командировки. Помню, как он старательно пытался взять кровь из шеи козы, а другая козочка тем временем принялась жевать его полевые заметки. Мы с Гэри насилу его удержали, когда он решил достать бумаги из ее брюха и подать нам на ужин жаркое из козлятины!

Наши рекомендации, видимо, сработали, — а может быть, изменились экологические условия, которые спровоцировали появление в этом регионе клещей и конго-крымской лихорадки. Впоследствии случаев было немного.

* * *

Шестого мая 1995 года, всего через несколько недель после моего возвращения с Ближнего Востока, Джулия Уикс, главный врач Американской клиники в Заире, заказала телефонный разговор с Центрами по контролю и профилактике заболеваний. В это время она находилась на приеме в саду британского посольства в Киншасе. По ее словам, один миссионер рассказывал, что в больнице в Киквите — городе с населением в 400 тысяч человек в регионе Бандунду на юго-западе Заира — произошла вспышка кровавой диареи, вызываемой шигеллами*.

Шестое мая пришлось на субботу, и офисы Центров по контролю и профилактике заболеваний были закрыты, поэтому звонок перенаправили мне домой, хотя я на тот момент проработал в организации всего четыре года и, можно сказать, был новичком. Мы проговорили около получаса, пока не начал садиться аккумулятор ее мобильного телефона.

Для Центральной Африки малярия, сонная болезнь, желтая лихорадка, холера, фрамбезия и тиф — обычное дело, но в данном случае все звучало гораздо серьезнее. Речь шла о том, что лихорадка с сильным кровотечением появилась у 2 тысяч человек, причем применение привычных антибиотиков оказалось неэффективным. Умерло 12 медицинских работников.

Я позвонил своему руководителю, Кларенсу Джеймсу (все называют его Си Джей) Питерсу, главе отдела особых патогенов, и мы договорились встретиться у него в кабинете на цокольном этаже третьего корпуса Центров по контролю и профилактике заболеваний. Ему уже приходилось сталкиваться с подобным случаем. В 1989 году он руководил отделом оценки заболеваний в Медицинском исследовательском институте инфекционных заболеваний армии США в Форт-Детрике (штат Мэриленд). Десятки макак, привезенных с Филиппин для медицинских опытов, внезапно умерли в отделении карантина приматов компании Hazelton Research Products в Рестоне в штате Вирджиния. Хроника его борьбы с этой вспышкой описана в книге Ричарда Престона «Эпидемия». Си Джей отслеживал и боливийскую геморрагическую лихорадку, известную в Южной Америке как Мачупо.

К нам присоединился Том Ксёнжек, наш ветеринар и вирусолог, который помог разгадать тайну хантавируса. Мы пришли

---

* Шигеллы — род палочковидных бактерий; у человека и приматов могут являться возбудителями дизентерии.

к выводу, что первая задача сейчас — получить образцы крови. Вторая — отправить в Киншасу факс с инструкциями по диагностике вирусных геморрагических лихорадок и ведению пациентов.

В 1988 году Центры по контролю и профилактике заболеваний опубликовали в специальном издании Morbidity and Mortality Weekly Report руководство с описанием процедур, применяемых в таких случаях. Мы призывали использовать двойные перчатки, хирургические шапочки и халаты, водонепроницаемые фартуки, бахилы и защитные очки. Любой предмет, с которым контактировал пациент, следует класть в двойные герметичные пакеты, последние обрабатывать губкой с дезинфицирующим средством, а затем сжигать. Пациентов необходимо изолировать в отдельных палатах с предбанником, где можно вымыть руки. Контакт с трупами тоже должен быть сведен к минимуму, что весьма проблематично, если вспомнить африканские погребальные обычаи.

Нам также надо было поставить в известность высшее руководство: директора нашего отделения доктора Брайана Махи и главу Национального центра инфекционных заболеваний доктора Джима Хьюза. Для вмешательства Центров по контролю и профилактике заболеваний нужно получить официальное приглашение от местного или национального агентства здравоохранения, поэтому нам пришлось дожидаться запроса от правительства Заира — как назло, у этой страны были натянутые отношения с США. Еще больше осложнял дело тот факт, что в Киквите отсутствовала стабильная телефонная связь, а ресурсы для санитарной обработки и изоляции стационарных больных были минимальны.

Как только мы начали работу, стало понятно, что вспышка намного сложнее, чем нам сообщили, и знаем о ней не только мы. Первый случай был отмечен 9 апреля, когда тридцатишестилетний мужчина — лабораторный техник, работавший во втором родильном доме Киквита, — поступил в Киквитскую главную больницу с лихорадкой и кровавым поносом. У него диагностировали тиф и перфорацию кишечника. На следующий день хирурги, не слишком заботясь об инфекционном контроле, прооперировали пациента, но спустя три дня он умер.

К тому времени у медицинских работников, ухаживавших за этим пациентом, появилась лихорадка, головная боль, боли в суставах и мышцах, а у некоторых — геморрагические проявления.

Среди заболевших были монахини ордена малых сестер бедных из итальянского города Бергамо. Главной медсестре, Флоральбе Ронди, был 71 год — она прибыла в Киквит на корабле еще в 1952 году. Она умерла 25 апреля — этот случай посчитали малярийной лихорадкой. Следующая монахиня, медсестра-акушерка Кларанджела Гильярди 64 лет, умерла 6 мая. Власти поняли, что это не малярия.

Об этих случаях сообщили в Италию. Оттуда информация попала обратно в Киншасу и другие места. Над проблемой уже работали. Потом небольшая вспышка в Киквите смешалась с региональной вспышкой шигеллёза (дизентерии) — и это побудило Джулию Уикс нам позвонить. Обстоятельства заставили вспомнить мрачную шутку про мониторинг Эболы с помощью «дозорных монашек».

Вирусолог из Университета Киншасы Жан Жак Муэмбе-Тамфум, бывший в заирской деревне Ямбуку в 1976 году, когда обнаружили геморрагическую лихорадку Эбола, уже начал действовать. Он поручил военной медсестре взять кровь у 14 пациентов с подтвержденным заражением и организовал отправку образцов в лабораторию бельгийского вирусолога Гвидо ван дер Груп из Института тропической медицины в Антверпене. Заир — когда-то Бельгийское Конго — сохранял тесные связи с бывшей метрополией, и именно ван дер Грун в 1976 году анализировал первые образцы из Ямбуку.

Доктор Муэмбе поместил 14 ампул с кровью в металлический контейнер, выложенный ватой, упаковал все в пластмассовую коробку со льдом, запечатал ее и вручил французскому викарному епископу в Киквите. Тот сел в «сессну» Миссионерского авиационного общества и полетел в Киншасу, расположенную почти в 400 километрах оттуда. В столице он передал образцы доктору Жану Пьеру Лаэ, главе медицинского отдела бельгийского посольства. Доктор Лаэ добавил в коробку льда и начал думать, как доставить кровь в Антверпен. Он вышел на сотрудницу авиакомпании Sabena, которая часто летала из Заира в Брюссель и обратно. Та согласилась взять образцы в ручную кладь. Лаэ убедил бельгийского посла Андре Мунса написать официальное письмо с требованием без лишних вопросов пропустить кровь через таможню и не вскрывать емкость, пока она не попадет к сотрудникам Института тропической медицины.

Женщина прибыла в Брюссель в шесть утра в тот самый день, когда мы с Джулией Уикс разговаривали по телефону. Она промчалась через паспортный контроль и передала посылку врачу из Бельгийской корпорации развития, который и отвез образцы в Антверпен. Оказалось, однако, что у Гвидо ван дер Груна больше нет лаборатории с четвертым уровнем биологической защиты для работы с такого рода патогенами. Он открыл коробку, в очередной раз освежил лед и послал образцы в Атланту.

Мы получили их 9 мая и проверили с помощью иммуноферментного анализа на наличие вирусных маркеров (антигенов) и специфических антител к вирусам. У всех 14 пациентов обнаружились признаки заражения вирусом Эбола. Дополнительные пробы, включая изоляцию вируса и РНК-анализ, подтверждали диагноз. Это была геморрагическая лихорадка Эбола — вероятно, самая страшная болезнь на планете.

* * *

Вирус Эбола (название происходит от имени реки Эболы, притока Конго) — это еще один зоонозный патоген, который поначалу считали новым штаммом близкородственного вируса Марбург. Марбургская лихорадка появилась в 1967 году в одноименном немецком городе. Она поразила 25 лабораторных техников из компании Behringwerke и Института Пауля Эрлиха, которые контактировали с зараженными тканями африканских зеленых мартышек, и шестерых их знакомых из Марбурга, Франкфурта и Белграда. Семь человек умерло.

В 1976 году учитель из миссионерской школы в Ямбуку в тысяче километров к северу от Киквита обратился за медицинской помощью. В госпитале миссии болезнь приняли за малярию и сделали инъекцию хлорохина. Одноразовых игл там не было, а многоразовые не стерилизовали. На 120 коек приходилось всего пять стеклянных шприцев. Спустя 29 дней болело уже 11 из 17 сотрудников, и больницу закрыли. В итоге заболевание поразило 318 человек, 280 из которых умерли. Среди погибших были две католические монахини — это и породило черную шутку про «дозорных монашек».

Масштаб вспышки оказался не очень большим — скорее всего, из-за того, что после искоренения оспы прошло только шесть лет и местные помнили, как надо изолировать людей с подозрением на контагиозные заболевания. И все-таки геморрагическая лихорадка Эбола была чем-то новым в мире инфекций.

Одновременно на фабрике по производству хлопка в Южном Судане произошла другая вспышка: заразились 284 человека, из которых 151 умер. Несмотря на близость во времени и пространстве, эти случаи были вызваны двумя разными штаммами вируса Эбола: заирским и суданским. Оба штамма этих древних вирусов проявились потому, что сложились подходящие экологические условия. По иронии судьбы распространению болезни способствовало то, что здравоохранение было уже достаточно развитым для открытия больниц и недостаточно — для надлежащего инфекционного контроля. Медицинские учреждения стали фактором, умножавшим распространение заболевания: люди заражались посредством крупных капель при кашле и чихании и через зараженные инструменты, например иглы. Проблема затронула врачей, медсестер, членов семей, ухаживавших за больными.

На следующий год в миссионерский госпиталь в Тандале, тоже в Заире, поступила девятилетняя девочка с лихорадкой, болями в области живота и кровавой рвотой. Она жила с семьей в маленькой деревушке в 20 километрах оттуда, была здорова и не выезжала за пределы своей области. У нее диагностировали это недавно описанное заболевание, а через 28 часов она умерла.

Этот случай заставил вспомнить о смерти врача из Тандалы, произошедшей пятью годами раньше. Он порезал палец, проводя вскрытие ученика заирской библейской школы, у которого была диагностирована желтая лихорадка. Врач заболел 12 дней спустя. В 1977 году подняли его историю болезни, и оказалось, что Эбола могла существовать еще в 1972 году.

После смерти девочки из Тандалы вирус почти на 20 лет отступил в джунгли и не вызывал вспышек у людей. Тогда еще не было известно, что его естественным резервуаром являются летучие мыши, а люди заражаются либо напрямую, либо когда употребляют в пищу лесных животных, например шимпанзе и карликовых антилоп. Крупные обезьяны вообще страдают от этого вируса больше, чем люди. По мнению некоторых специалистов, Эбола могла недавно выкосить треть мировой популяции шимпанзе и горилл.

В начале декабря 1994 года кровавой лихорадкой заболели старатели, которые мыли золото в трех лагерях, расположенных на небольших полянах в тропических лесах габонских* районов Минкебе и Макоку; 32 человека проплыли на лодке 100 километров на юг и добрались до Макоку, где их госпитализировали в больницу общего профиля.

В конце месяца в другой деревушке далеко от лагерей золотоискателей началась вторая волна. Первая жертва жила

---

* Габон — государство в Центральной Африке.

рядом с «нгангой», местным знахарем, к которому приходили больные люди — некоторые из них ранее лечились в этой больнице. Еще 16 случаев произошло в январе, причем все за пределами зоны, охваченной первой волной. Пострадавшие непосредственно контактировали либо с пациентами больницы в Макоку, либо с «нгангой», либо с теми, кто ухаживал за пациентами.

Уже через восемь дней после последнего случая габонские медицинские чиновники официально объявили о завершении эпидемии, спутав ее со вспышкой желтой лихорадки (по принятым для Эболы процедурам сигнал отбоя дали бы лишь через 42 дня после последней смерти или выписки из больницы, что в два раза превышает максимальный инкубационный период). Всего в больницу в Макоку поступило 49 человек, умерли 29. В свете событий в Киквите диагноз будет поставлен под вопрос и пересмотрен, будут найдены параллели с первыми вспышками Эболы. При подходящих условиях вирус легко может появиться во множестве стран одновременно.

* * *

Через шесть дней после телефонного звонка Джулии Уикс и через день после получения образцов Центры по контролю и профилактике заболеваний идентифицировали киквитскую болезнь и передали эту информацию в посольство США в Киншасе и во Всемирную организацию здравоохранения в Женеве. И те и другие уведомили заирское министерство здравоохранения. Правительство страны немедленно ввело в городе карантин и перекрыло дорогу из Киншасы в провинцию Бандунду. Американское посольство объявило вспышку катастрофой, и Управление зарубежной помощи в чрезвычайных ситуациях Агентства США по международному развитию одобрило выделение местным неправительственным организациям 25 тысяч долларов на приобретение и перевозку необходимых медикаментов и средств. Воздушное и автомобильное сообщение было ограничено, но правительство Заира позволило Миссионерскому авиационному обществу обеспечить доставку.

Через посольство США правительство Заира направило нам просьбу прислать специалистов для проведения расследования. Одновременно Всемирная организация здравоохранения пригласила нас присоединиться к команде, так как мы поддерживали один из их центров по классификации вирусов и исследованию особых патогенов. Помощь пообещали предоставить «Врачи без границ»*, Национальный институт вирусологии Южной Африки, парижский Институт Пастера и Институт тропической медицины в Антверпене. Для координации исследований и борьбы с эпидемией ВОЗ создала международный комитет под председательством доктора Муэмбе.

Руководить нашей работой Си Джей назначил доктора Пьера Роллена, французского клинициста, вирусолога и историка, ведущего эксперта по геморрагическим лихорадкам. Он участвовал в расследовании случаев Эболы в Рестоне в 1989 году. Не думаю, что доктор Роллен видел особый смысл в том, чтобы пригласить в команду новичка, который даже не говорил по-французски. Тем не менее он взял меня в качестве младшего эпидемиолога, сказав не мешать и не брать с собой компьютер: там все равно практически не будет электричества и возможности собрать данные. Чтобы я не осталась без дела, он поручил мне таскать за ним спутниковый телефон весом тринадцать с лишним килограммов (это было до того, как средства связи сжались до размеров мобильного телефона). У меня потом несколько недель болели руки и спина.

---

* «Врачи без границ» (международное название Médecins Sans Frontières, сокращенно MSF) — международная независимая некоммерческая медицинская гуманитарная организация, которая оказывает чрезвычайную медицинскую помощь людям, пострадавшим в результате военных конфликтов, голода, эпидемий, вынужденной миграции, природных катастроф, более чем в 70 странах мира.

Не добавляло любви Пьера ко мне и то, что меня очень сильно укачивает в транспорте. Когда ты в зной часами едешь куда-то по ухабистой дороге в битком набитой машине, мучаясь от тошноты и головной боли, только и хочется сказать: «Пожалуйста, помолчите и выключите, наконец, это радио!» Такое ощущение, что для выживания надо отрезать все входящие сигналы.

* * *

Заирский вирус Эбола принадлежит к семейству филовирусов, *Filoviridae*, и является одним из пяти членов рода *Ebolavirus*, которые названы по региону первого обнаружения. К этому же роду относятся вирусы Эбола Бундибуджио, Рестон, Судан и вирус леса Тай. Рестонский вирус выбивается из этого ряда: его нашли у филиппинских обезьян и он не вызывает заболеваний у человека. Заирский — самый опасный с точки зрения как числа вспышек, так и смертности, которая до сих пор составляла в среднем 83 процента.

Хотя Ричард Престон перегнул палку со своими кровавыми описаниями в «Эпидемии», геморрагическая лихорадка Эбола — действительно страшная болезнь. Вирус проделывает микроскопические отверстия в эндотелии кровеносных сосудов, и кровь поступает через них в кишечник, внутренние полости и дыхательные пути. Из-за лихорадки иногда начинаются галлюцинации, а слезы могут стать красными от крови. Известно, что при Эболе бывают кровотечения из носа, ушей, рта, кишечника и мочевого пузыря. Однако так происходит только у 10—15 процентов пациентов. В большинстве случаев все сводится к гематомам, просачиванию кровотечений из слизистых оболочек и в местах уколов иглой. Если начинает отказывать диафрагма, появляется икота — зловещий, но редкий признак. Характерной особенностью больных, которых видел я сам, было похожее на маску выражение лица.

Как и другие РНК-вирусы (те, которые содержат рибонуклеиновую кислоту, в отличие от большей по размеру дезоксирибонуклеиновой кислоты, ДНК), вирус Эбола быстро мутирует — почти с такой же скоростью, что и вирус гриппа. В обоих случаях мутации происходят как в конкретном больном в процессе развития заболевания, так и в природном резервуаре, которым выступает местная человеческая популяция.

Вирусы не могут размножаться путем клеточного деления. Вместо этого они перестраивают механизмы синтеза белка и клеточные структуры хозяина и заставляют их производить множество копий самих себя. Затем эти копии собираются внутри инфицированной клетки в вирусные макромолекулярные структуры.

Если у зараженного человека не возникает мощной иммунной реакции, его организм превращается в фабрику по производству вирусов. Даже если он оправится после острой фазы заболевания, могут возникнуть осложнения — продолжительные мышечные и суставные боли, а вирус может остаться в местах, недоступных для иммунной системы, например: в головном мозге, структурах глаза* и в яичках (у лиц мужского пола). Впоследствии вирус может выйти из своего укрытия, и человек заболеет снова. Вирус, который сохраняется в органах мужской репродуктивной системы, может передаваться половым путем в течение девяти месяцев после выздоровления.

* * *

Одиннадцатого мая мы прибыли в Киншасу — город с населением 10 миллионов человек на южном берегу реки Конго. Киншаса оказалась самым беспорядочным местом на земле: современные высотные здания соседствовали с бескрайними трущобами, в которых люди жили под брезентом и листами рифленой жести. Мы провели там неделю, пробиваясь через бюрократические препоны и коррупционные барьеры, типичные для стран третьего мира.

---

* Имеется в виду хрусталик глаза и содержимое камер глаза. *Прим. науч. ред.*

Мне уже приходилось видеть мрачные последствия британской и французской колонизации — во втором случае, по крайней мере, всегда можно купить хороший багет. Что касается бельгийской колонизации, то она оставила безжалостный шрам на людях и стране в целом. В этой части Африки ни одного вопроса нельзя было решить без взяток и различных подковерных сделок. Заир, бывшее Бельгийское Конго, стал «золотым стандартом» в области коррупции еще во времена, когда государство было личной собственностью короля Леопольда. Надзиратели тогда «подбадривали» рабочих на каучуковых плантациях отрубанием рук за невыполнение нормы. Говорят, что, когда в 1960-х годах бельгийцы ушли, в стране, по площади равной двум третям Западной Европы, университетское образование было лишь у трех десятков местных жителей. Но и в 1990-е все по-прежнему напоминало «Сердце тьмы» Джозефа Конрада*.

Мы встретились с представителем ВОЗ, которому удалось достать компьютер и принтер. Агентство США по международному развитию предоставило велосипеды и мотоциклы. Компания Chevron, уже четверть века добывавшая нефть в этом регионе, согласилась выделить нам джип и бензин, а также жидкий азот.

Когда прояснился масштаб вспышки, стали поступать пожертвования от многочисленных неправительственных организаций и других государств. Свой вклад внес и Заир — власти разрешили не взимать пошлину с поступавшей в страну гуманитарной помощи. Несмотря на богатейшие запасы алмазов, золота и нефти, страна была нищей. Сначала постарались бельгийцы, а потом — президент Мобуту Сесе Секо, который создал клептократический режим и, говорят, за годы своего правления украл от 5 до 15 миллиардов долларов.

---

* «Сердце тьмы» — повесть польско-английского писателя Джозефа Конрада (1857–1924), опубликованная в 1902 году. В ней английский моряк Чарли Марлоу рассказывает о своем путешествии вглубь Африки. Повесть была написана Конрадом после восьми лет пребывания в Конго.

Взлетно-посадочная полоса в Киквите — это бывшее футбольное поле. Мы должны были вылететь туда на грузовом самолете, построенном, наверное, году в 1940-м, однако вылет отложили из-за журналистов: они заплатили министерству информации от 500 до 10 тысяч долларов, что позволило им обойти запреты и отодвинуть в сторонку нас, неплатежеспособных филантропов. Могущество СМИ я понял в Киквите. Нас не хотели выпускать из салона, пока журналисты не выйдут и не приготовятся *сфотографировать, как мы выходим*.

Двенадцатого мая мы прибыли в киквитскую больницу, рассчитанную на 350 коек. Мы везли с собой запас хирургических перчаток, халатов, резиновой обуви, клейкой ленты, масок, дезинфицирующих средств и мешков для трупов. Нас с Пьером сопровождал доктор Филипп Кален, швейцарский врач и прекрасный ученый-вирусолог, который проходил в Центрах по контролю и профилактике заболеваний постдокторскую стажировку по молекулярной биологии, но после этой вспышки решил изменить карьеру и сосредоточиться на полевой работе. Нас встретил главный врач больницы, представитель Пастеровского института и полковник заирской армии доктор Нсуками Заки — наверное, единственный работавший человек во всем правительстве. Доктор Заки был привлечен заирским Красным Крестом для организации работы волонтеров — помимо всего прочего, нужно было найти грузовик для перевозки трупов к месту захоронения и бульдозер для рытья братских могил.

Больница, которая даже в свои лучшие времена была печальным и депрессивным местом, превратилась в тропический ад. Разбежался почти весь персонал — а также все пациенты, кто только мог, — что способствовало распространению заболевания. Остались только самые тяжелые больные, в том числе загипсованный с ног до головы мужчина. А еще мертвецы. Нам приходилось лавировать между распухшими, зловонными трупами пациентов: они лежали на полу, на койках. Повсюду была кровь, рвота и экскременты, под ногами валялись иглы и шприцы. Не было ни электричества, ни освещения, ни водопроводной воды. Не было даже уборной.

Предполагалось, что целью моей работы будет создание системы надзора, выявление факторов передачи инфекции и внедрение мер противодействия. Пьер — настоящий герой этой вспышки Эболы и многих последующих — вместе с Филиппом должен был сосредоточиться на сборе клинической информации и развертывании походной лаборатории. Но теперь стало до боли очевидно, что, какими бы ни были наши планы, прежде всего надо убрать грязь и обеспечить пациентам уход.

Эпидемия затронула четыре больницы. Кроме Киквитской главной больницы, ставшей очагом, была поражена больница № 2, а также больница в деревне Мосанго, куда перевели медика, который лечил лабораторного техника, заболевшего одним из первых. Интересно, что в Мосанго не заразилась всего одна женщина-врач — она тщательно мыла руки. Четвертая больница была расположена в Яса-Бонге, примерно в 250 километрах оттуда.

Сначала мы занялись главной больницей. Она была рассчитана на 326 коек и состояла из дюжины зданий, так называемых павильонов. Пациенты спали на тонких матрасах без простыней, койки представляли собой металлические рамы, покрытые облупившейся белой эмалью. Пациентов в больнице не кормили, так что продукты приходилось покупать родным.

В первый день мы оставались снаружи и разгружали медикаменты и защитное снаряжение. На второй день, надев защитные халаты, очки, ботинки и перчатки, мы вошли в больницу и начали помогать коллегам оказывать медицинскую помощь, убирать из отделений трупы, жечь матрасы и обеспечивать минимальную гигиену. Бельгийское отделение «Врачей без границ», имевшее постоянное представительство в Киншасе, прислало группу из двух санитарных врачей, один из которых знал местный язык. Они установили бак для воды, стерильные фильтры, электрогенератор и соорудили систему удаления отходов.

Заирский Красный Крест сыграл очень важную роль в погребении трупов, но до нашего приезда у их волонтеров не было защитной одежды, и шестеро из них заразились и умерли. Мы снабдили их оранжевыми комбинезонами биологической защиты, резиновыми ботинками и масками, а также шахтерскими лампами, которые закрепляют на голове, так как электричество было не везде. В этом наряде они напоминали существ из фильма ужасов или подручных самого дьявола. Они опрыскивали труп дезинфицирующим средством, помещали в белый пластиковый мешок, а затем опрыскивали еще раз. После этого они клали мешок на каталку и везли по крытому проходу из третьего павильона — карантинного отделения — в маленькое бетонное здание морга.

Когда больницу привели в порядок, заирский Красный Крест начал отправлять грузовики для сбора трупов в окружающие деревни. Это было крайне опасное занятие еще и из-за враждебного отношения местных жителей. Они хотели обращаться с мертвыми по своим обычаям — с прикосновениями, поцелуями и омовениями. Некоторых парней даже избили за то, что они пытались забрать трупы.

По штатному расписанию в больнице Киквита должно было быть 12 врачей, 200 медсестер и акушерок и 60 санитарок. Из оставшихся врачей трое были больны: один поправлялся дома, двое — в больничном отделении. Еще остались три медсестры и одна санитарка. Они работали несколько дней без отдыха, без руководства и без защиты.

Директор больницы нанял еще двух медсестер и санитарку, а также одна медсестра из персонала больницы оставалась работать до следующего утра, пока ее не сменял волонтер. Таким образом, всю первую неделю в больнице посменно работали всего три медсестры и одна палатная санитарка. Вскоре после нашего прибытия скончалась третья монахиня ордена малых сестер бедных, сестра Даниеланджела Сорти; ей было 48. Всего погибнет шесть монахинь. Последней жертвой станет сестра Витароза Цорца. Ей был 51 год, она приехала в Киквит работать медсестрой в отделении с больными монахинями. Вероятно, она умерла в результате незначительного нарушения инфекционного режима. Ее болезнь и смерть стали для нас самым тяжелым моментом. Пьер, рискуя собой, с любовью ухаживал за ней на протяжении всей ее болезни. Он же выкопал для нее могилу.

В отделение неотложной помощи продолжали поступать пациенты. Если жалобы указывали на Эболу, их обследовали в одной из двух отдельных палат и при вероятности заражения направляли в третий павильон.

Чтобы попасть в карантинное отделение, достаточно было малейшего намека на симптомы Эболы. Я уверен, что ошибок хватало и из-за этого здоровые люди заражались уже в больнице.

В больничной аптеке имелись препараты для перорального приема и парентерального введения, включая хинин, хлорохин, антибиотики, успокоительные и анальгетики, но при этом в больнице не было ни воды, ни электричества.

Как правило, иглы использовали индивидуальные, однако из-за проблем с их надлежащей утилизацией повышался риск для медицинских работников: можно было случайно уколоться, поскольку в отделениях царил полумрак. Мы распорядились свести к минимуму инъекции и инфузии и поощряли родных заботиться об увлажнении ротовой полости больных.

К 20 мая третий павильон был полон, но к тому времени помогать нам вызвались и другие медсестры, так что мы смогли открыть еще один карантинный павильон. Как только пациенты вступали в фазу выздоровления, их переводили в соседнее здание, где риск заражения был намного ниже.

Создавая систему надзора, я работал вместе с координатором операции доктором Дэвидом Хейманом из женевского отделения ВОЗ. В качестве сотрудника Службы расследования эпидемий он был свидетелем вспышки в Ямбуку и потому сохранял спокойствие среди бушевавших волн инфекции.

Важнейшей задачей для меня было разобраться в эпидемиологии, выявить все случаи и людей, которые контактировали с больными. Втайне я надеялся проследить цепочку передачи инфекции вплоть до нулевого пациента — того, кому не повезло стать первой мишенью, когда зоонозная инфекция преодолела межвидовой барьер и перепрыгнула от животного к человеку, — и доказать, что вспышка вызвана единичным заражением. Для этого приходилось ездить с нашими командами по району и выявлять случаи.

Вместе с одним студентом из медицинской школы Банду, который был моим переводчиком, я обучил заирцев сбору и анализу данных. Главные вопросы были следующие: «Где умирают люди?», «Сколько их там?», «Какого они возраста?», а также «Как вы думаете, кто вас заразил?» и «С кем вы общались?»

Когда начали поступать данные, мы разделили случаи на «вероятные» и «подозрительные» на основе симптомов и принялись кодировать ответы на вопрос об источнике заражения. Эту информацию можно было использовать, чтобы продвинуться по цепочке к первоисточнику. Мы учитывали и число заболевших медицинских работников — это показатель эффективности наших мер профилактики и усовершенствования процедур.

Используя полученные данные, я пытался сосредоточить поиск на группах с самым высоким уровнем заражения. Мы хотели, чтобы нам немедленно сообщали обо всех смертях: это позволяло безопасно похоронить умерших и перевести всех лиц с подозрением на инфекцию из дома в больничные условия, где человек получал лечение и, что не менее важно, не мог заразить других людей.

В ходе расследования мы записывали, с кем контактировали все умершие и те, у кого было подозрение на Эболу. Если анализы давали положительный результат, контакты проверяли еще раз, а затем в течение трех недель следили, не заболел ли кто-то из круга контактных лиц. Те, кто не имел симптомов, не представляли риска в отношении распространения инфекции. Характер нашей реакции определялся поведением таких людей и варьировал от периодической проверки с просьбой звонить в случае начала болезни до трехнедельного карантина всей деревни с вооруженной охраной для обеспечения изоляции. Очевидно, что желание общин сотрудничать зависело от принимаемых нами решений, особенно в первые дни, когда людей на карантине даже не обеспечивали питанием.

Внедрив базовый контроль и гигиенические процедуры среди медицинских работников, чтобы остановить распространение эпидемии, мы столкнулись с трудностью культурного характера. Надо было посылать сначала ученых на мотоциклах, а позже студентов-медиков на велосипедах, чтобы убедить местных жителей не прятать больных и радикально изменить подход к обращению с умершими. Мы создали различные системы информирования, в том числе регистрировали слухи о заболевших и умерших и выступали с отчетами по местному радио. Никаких средств массовой информации — даже газет — там не было, поэтому нам оставалось полагаться лишь на плакаты и уличные громкоговорители. С помощью этих простейших средств надо было справиться с местной верой в магию: считалось, что вспышка в больнице произошла из-за проклятия какого-то человека, которого коллеги не пригласили разделить трапезу.

По заирским обычаям члены семьи омывают умершего перед погребением, дотрагиваются до него, целуют, сохраняют его волосы и состриженные ногти. При Эболе это самоубийство — в одном миллилитре крови умершего человека может быть до 10 миллиардов единиц вирусного генетического материала. В итоге жители смирились с жестокой реальностью и начали пускать в свои дома людей в оранжевых комбинезонах. Те сразу клали жертв в мешки, опрыскивали их лизолом и увозили на грузовиках. И хотя местные добровольцы раздражали людей не так сильно, как иностранцы, работа в любом случае была вдвойне опасной — можно было пострадать и от инфекции, и от насилия со стороны рассерженных крестьян.

По ночам мы часто слышали плач и имена умерших. Мы знали, что горе соединяется со страхом: заболевание казалось еще ужаснее из-за того, что даже доктора и медсестры не смогли себя защитить. По сути, система здравоохранения только усугубила проблему. Если человек умирает в одиночестве в своей хижине, это не вспышка. Именно больницы, не имеющие строгих мер профилактики, накапливают и распространяют инфекцию.

Вечером я надевал защитный костюм и шел в отделение. Однако помочь пациенту, когда твои глаза заливает пот и ничего не видно сквозь запотевшую маску, нелегко. Как в сумерках попасть иглой в нужное место, чтобы взять кровь у корчащегося от боли пациента? Кроме того, запросто можно было споткнуться и растянуться на полу.

Помимо этого нам приходилось заботиться и о собственных простейших потребностях. Единственным жильем, которое мы смогли найти, был дом местного «бизнесмена», — по-моему, его деятельность сводилась к торговле на черном рынке и потреблению огромного количества алкоголя. Но и там мы прожили ровно до того момента, пока он посреди ночи не решил поухаживать за одной нашей сотрудницей.

Когда международная команда снабдила персонал больницы защитной одеждой и одноразовыми шприцами, новых случаев заболевания стало меньше. Активный поиск больных и санитарное просвещение также помогли ограничить распространение инфекции за пределами больницы.

Перепробовав много ложных следов, я нашел нити, которые вели от подозрительных случаев к нулевому пациенту. Первой жертвой оказался Гаспар Менга, сорокадвухлетний мужчина, занимавшийся выжиганием древесного угля. Он поступил в Киквитскую главную больницу 6 января 1995 года. Адвентист седьмого дня, он не ел лесной дичи и, насколько нам известно, не контактировал с другими больными Эболой, но участок, на котором он работал, находился на опушке густого леса, прямо под кронами деревьев. Когда он ходил за дровами и копал ямы для выжигания угля, он мог столкнуться с самыми разными потенциальными переносчиками, включая летучих мышей, насекомых и грызунов.

Нулевой пациент непосредственно заразил как минимум трех членов своей семьи — все они скончались — и еще десять менее близких родственников. Все это происходило в течение девяти недель и затронуло Киквит и три близлежащие деревни.

Выявление нулевого пациента помогло нам в поиске резервуара среди животных. Вместе с коллегами я собирал клещей, грызунов, летучих мышей, комаров и земноводных, чтобы понять, откуда взялся вирус. Нашими главными подозреваемыми были питающиеся фруктами летучие мыши. Всего для резервуарного анализа мы собрали более 1400 образцов.

Вспышка затронула 315 человек. Летальность составила 81 процент. Почти все случаи мы проследили до зараженного родственника, знакомого или медицинского работника, прямо контактировавшего с другим пациентом или поранившегося иглой, хирургическим инструментом во время операции. Более 70 процентов ранних случаев произошли среди больничного персонала.

Среди заболевших 166 были женщинами, 149 — мужчинами; 32 процента из них — медики, 21 — домохозяйки, которые обычно ухаживали за больным членом семьи или выполняли обряды подготовки к похоронам. Во время этой вспышки болезнь передавалась в основном от человека к человеку через контакт с физиологическими жидкостями и ритуальное омовение трупа (эта работа традиционно считалась женской).

Последним выявленным случаем была двадцатисемилетняя домохозяйка из Нзинды в Киквите. Она поступила во второй родильный дом Киквита 24 июня 1995 года по поводу септического аборта. Ее выписали 14 июля, а через два дня она скончалась у себя дома.

Позже, 24 августа 1995 года, было объявлено об окончании вспышки.

Мы усовершенствовали наши умения в области эпидемиологии, стали лучше понимать способы передачи инфекции и разработали актуальные стратегии профилактики, а я получил возможность увидеть и описать концепцию «сверхраспространителей». Это люди, которые много контактируют и непропорционально ускоряют развитие эпидемии. Классический пример — ирландская кухарка Мэри Маллон по прозвищу Тифозная Мэри. Считается, что в первые десятилетия XX века она заразила брюшным тифом 51 человека в районе Нью-Йорка, трое из них умерли. Случай примечателен тем, что у самой Мэри никаких симптомов не было.

В течение полутора лет после окончания вспышки в Киквите были инициированы международные проекты по поддержке надзора за Эболой и содействию инфекционному контролю в больницах этой области. К сожалению, работу прервала гражданская война, которая продолжается до сих пор.

Мобуту свергли меньше чем через два года после окончания эпидемии, но перед этим он и его клан успели украсть из хранилищ каждый золотой слиток и каждую иностранную банкноту, которыми должна была «обеспечиваться» заирская валюта. В тот же год Мобуту умер от рака предстательной железы.

Несколько месяцев спустя я вернулся за образцами костного мозга выживших, необходимыми для разработки терапии антителами, — местные клиницисты провели интересное исследование, показавшее отличную эффективность переливания больным крови перенесших заболевание людей. Монахини не бросили эту больницу. Поистине любовь и преданность Богу сильнее любой Эболы.

4

ОСПА НА ОБА ВАШИ ДОМА

*Итак, оспа возникает, когда кровь гниет
и бродит и оттого исторгает чрезмерные
испарения, образующие волдыри. Она превращается из крови младенцев, которая похожа
на молодое вино, в кровь молодых мужчин,
подобную вину, прекрасно созревшему.*

АБУ БАКР МУХАММЕД БЕН ЗАКАРИЯ АР-РАЗИ.
Книга об оспе и кори

Мы, люди, ведем себя как хозяева этой планеты, хотя на самом
деле ей правят микробы и насекомые. Напомнить нам, кто
здесь главный, можно, например, с помощью заболеваний,
которые часто переносят мелкие зверьки, в том числе грызуны
и летучие мыши. От 70 до 80 процентов новых инфекций —
это зоонозы. Остальные проблемы, такие как устойчивые
к лекарствам микробы, создали исключительно мы сами.

Это не значит, что все микробы плохие. Мы должны быть
им весьма признательны за ферментацию вина, пива и сыра,
а еще мы превратили их в биологические фабрики и даже
естественные инсектициды. Я испытываю к микробам огромное уважение. Микробы существуют на нашей планете уже
3,5 миллиарда лет, они составляют 90 процентов всей жизни
на Земле, способны порождать 30 поколений в день и научились быстро эволюционировать путем обмена удачными элементами генетического материала с помощью транспозонов

и плазмид*. Взглянем на нас, людей. Современный человек появился около 200 тысяч лет назад, поколения у нас сменяются каждые 25 лет, а за наше генетическое разнообразие отвечает ограниченный круг партнеров.

Кстати, каждый из нас вообще представляет собой не единый организм, а целый рой организмов, так как мы неотделимы от нашего микробиома**.

Человеческое тело содержит 100 триллионов клеток, и 90 процентов из них — это клетки микробов, живущих в кишечнике, а также в других полостях и на их поверхностях. «Пассажиры», образующие нашу экосистему, относятся примерно к 10 тысячам различных видов микроорганизмов. Сложные взаимодействия с микробиотой*** играют важную роль в сохранении нашего здоровья. Одновременно микробиота предположительно связана с инфекциями, которые передаются половым путем, с заболеваниями желудочно-кишечного тракта, диабетом и ревматоидным артритом. Мы уже используем «полезные» микробы, или пробиотики, для лечения тяжелых врожденных желудочно-кишечных инфекций и для профилактики диареи после приема антибиотиков. Фекальная трансплантация — пересадка кала от здорового донора с хорошими микробами — является предпочтительной терапией для пациентов с одной из тяжелых, угрожающих жизни инфекций ободочной кишки. Это заболевание вызывают бактерии

---

* Транспозоны, или мобильные генетические элементы, — фрагменты ДНК, способные перемещаться внутри генома (их также называют «прыгающие гены»); могут вызывать мутации, в том числе хромосомные перестройки. Плазмиды, или факторы наследственности, расположенные в клетках вне хромосом, — молекулы ДНК, способные к автономному размножению. Плазмиды помогают микроорганизмам адаптироваться к меняющимся условиям среды.

** Микробиом — совокупность различных микроорганизмов, которые населяют наше тело и находятся в симбиозе с ним (бактерии, вирусы, простейшие, грибы).

*** Микробиота — множество различных видов микроорганизмов, которые населяют кишечник человека.

4. ОСПА НА ОБА ВАШИ ДОМА

Clostridium difficile, и применение антибиотиков нарушает работу полезных кишечных микробов. Наконец, все больше данных свидетельствуют о том, что раннее применение антибиотиков впоследствии может привести к ожирению. Ученые обнаружили, что страдающие от ожирения мыши становятся стройнее, если кормить их микробами брата или сестры, похудевших после мышиного эквивалента хирургической операции по снижению массы тела. Уже появились любопытные исследования связи между ожирением и измененной кишечной микробиотой, в рамках которых пациентам с ожирением пересаживали кал стройных людей.

Иногда микробы выходят из-под контроля и начинают искать себе новую экологическую нишу — подобно тому, как мы переезжаем за город, когда в нем становится слишком много народу. С момента зарождения современной науки у нас довольно хорошо получалось отражать атаки микробов. Оспа, которая, скорее всего, эволюционировала из какого-то вируса грызунов, была одним из самых ужасных проклятий человечества. Она, без сомнения, изменила ход истории, особенно во время колонизации Нового Света, жители которого не имели к ней иммунитета. Однако благодаря международным усилиям в 1980 году оспа была официально побеждена повсеместно — мы даже приостановили программы вакцинации от нее. Успех оказался возможен исключительно потому, что оспа не могла опереться на животных в качестве хозяев или резервуара и ее существование всецело зависело от передачи от человека к человеку. Если прервать эту цепочку, то есть найти и изолировать последнего человека-хозяина или защитить не зараженных оспой людей с помощью вакцины, болезнь исчезнет навсегда — конечно, если не сохранить некоторое количество живого вируса в научных лабораториях, но это другая история. К сожалению, используя последние успехи в области синтетической биологии, какие-нибудь безумные ученые на основе опубликованных генетических карт легко могут собрать этот вирус заново для неблаговидных целей.

Угроза натуральной оспы осталась в прошлом, однако мы опасались, что ее опустевшую экологическую нишу может занять оспа обезьян — не столь смертоносное, но весьма неприятное заболевание.

В декабре 1996 года — я тогда возглавлял отдел особых патогенов, эпидемиологическое подразделение Центров по контролю и профилактике заболеваний, — мне позвонил доктор Дэвид Хейман из Всемирной организации здравоохранения (мы вместе работали при вспышке Эболы в Заире). По его словам, в центре Конго возник кластер из 12 удаленных деревень, где произошла вспышка оспы обезьян. Доктор Хейман попросил меня помочь.

Дэвид получил от генерального директора ВОЗ на трехнедельное расследование 20 тысяч долларов и хотел, чтобы я возглавил команду, в которую войдут специалисты из Центров по контролю и профилактике заболеваний и из Европейской программы по полевой эпидемиологии (это аналог американской Службы расследования эпидемий).

Оспа обезьян получила свое название в 1958 году, когда была впервые выявлена у макак-крабоедов, пойманных для использования в качестве подопытных животных для неврологических исследований. Оспу обезьян вызывает зоонозный вирус из рода *Orthopoxvirus*, который входит в семейство *Poxviridae* (одним из представителей этого семейства является вирус обыкновенной бородавки). Возбудитель натуральной оспы также относится к роду ортопоксвирусов.

Несмотря на свое название, оспа обезьян на самом деле больше распространена у солнечных белок и других грызунов, особенно у гамбийских хомяковидных крыс. После инкубационного периода продолжительностью одну-две недели на коже зараженных людей появляются глубокие, твердые куполообразные высыпания, которые могут выглядеть как очень похожие на оспу пузырьки или пустулы*. К счастью, это довольно редкая болезнь.

По клиническим проявлениям у человека оспу обезьян бывает сложно отличить от натуральной оспы (ее близкой родственницы) и ветряной оспы (которой она не родственна).

Животных можно проверить на наличие антител к оспе обезьян — это улики, которые остаются после того, как иммунная система вступила в бой с данным агрессором. Если антитела есть, вероятно, перед тобой хозяин вируса.

Когда в 1970 году появились первые сообщения о том, что заболевание встречается у людей, были предприняты активные усилия по созданию системы мониторинга, чтобы узнать, представляет ли оно угрозу для кампании по искоренению оспы. До этого глобальная кампания по уничтожению желтой лихорадки не заладилась отчасти потому, что болезнь сумела отступить в джунгли, где вирус выжил за счет животных, а затем вновь начал заражать людей. На протяжении следующих 15 лет было отмечено всего лишь около 400 случаев оспы обезьян — в экваториальной Центральной и Западной Африке, главным образом в удаленных деревнях, окруженных влажными тропическими лесами. Люди там чаще контактируют с зараженными животными и употребляют их в пищу: в рацион местных жителей входят не только обезьяны и другие дикие животные, но и грызуны. Смертность от оспы обезьян составляет около 10 процентов (натуральная оспа намного страшнее и убивает до 30 процентов заболевших), уровень вторичной передачи от человека к человеку примерно такой же. Безопасного и проверенного лечения от этой болезни нет.

Настоящий вопрос в отношении этого крупного нового кластера для нас звучал так: не ошиблись ли мы, прекратив вакцинацию от оспы? Не открыли ли мы тем самым двери

---

* Пустула — гнойничок, первичный морфологический элемент кожной сыпи в виде полостного образования с гнойным содержимым, размером от нескольких миллиметров до нескольких сантиметров.

для оспы обезьян? Возможно, чтобы предотвратить распространение этой болезни, придется возобновить вакцинацию в Центральной Африке. Но вакцина от оспы — это живой вирус, который вызывает у человека со здоровым иммунитетом иммунную реакцию. Что делать в таком случае с распространившимся ВИЧ/СПИД (вирус иммунодефицита человека / синдром приобретенного иммунодефицита)? Ведь сотни тысяч людей с ослабленной иммунной системой не будут иметь достаточной защиты от живого вируса, и возвращение к массовым прививкам может обернуться катастрофой*. Всегда лучше предотвратить заболевание, чем лечить его. Но какой ценой?

Нельзя было упустить из виду важность и историю этого вопроса. Крупнейшая пандемия конца XX века — она продолжается до сих пор — это ВИЧ/СПИД, и началось все также с зоонозной инфекции. Подробный анализ вирусных генов показал, что возбудитель появился в 1920-х годах в Леопольдвиле (сейчас этот город называется Киншаса) из родственного вируса иммунодефицита шимпанзе, — успешный межвидовой прыжок он совершил, вероятно, в тот момент, когда люди разделывали сырое мясо лесных животных. В то время город переживал бум торговли, население быстро росло, активно строились железные дороги и каждый год Леопольдвиль пропускал через себя около миллиона человек. Процветавшая проституция и, по всей видимости, повторное использование шприцев создали ядовитую смесь, позволившую вирусу развиться и расползтись по всему континенту, а также выйти за его пределы через грузовые и пассажирские пути. Несмотря

---

* Автор пишет о вакцинации от натуральной и ветряной оспы. Риск развития вакциноассоциированной инфекции при этом остается низким из-за свойств штаммов, входящих в состав вакцин. Вакцинация препаратами, содержащими ослабленные живые вирусы (против кори, краснухи, паротита и пр.) может проводиться людям с ВИЧ/СПИД после исследования уровня иммунокомпетентных клеток (в частности, CD4-лимфоцитов). *Прим. науч. ред.*

на убедительные описания «истощающей болезни», в Африке ее признали самостоятельным заболеванием только спустя 60 лет — дело усугубляла некорректная реакция США, связанная с политикой в отношении секса. Теперь ВИЧ прочно закрепился в качестве человеческого патогена и в 2013 году стал причиной полутора миллионов смертей.

* * *

В феврале 1997 года я вернулся в тропический рай Киншасы. С момента моего последнего визита прошло полтора года, но обстановка ничуть не улучшилась. Это и неудивительно. Хаос и коррупция по-прежнему шли рука об руку, а гражданская война разгорелась еще сильнее.

Всемирная организация здравоохранения заверила нас, что, как только мы войдем в буш, нас обеспечат транспортными средствами; но сначала нужно было получить разрешение министра здравоохранения, а его свита решила, что наша команда непременно должна взять кое-кого из их людей. Мы предположили, что дело было исключительно в суточных. Эти дальние родственники и придворные лизоблюды вдруг превратились в экспертов в области вирусологии и эпидемиологии. Мы проявили благоразумие и не стали интересоваться, почему до сих пор они работали таксистами и клерками. Мы надеялись, что после переговоров у нас останется место для тех, кто действительно в чем-то разбирается, а не только для подставных лиц.

Однако нам повезло, и у нас сложилась превосходная команда. В нее вошли сотрудники министерства здравоохранения, а также доктор Окитолонда Сеспи из школы здравоохранения Университета Киншасы.

Мы планировали в основном заниматься сбором крови у разных грызунов, чтобы понять, кто из них болеет оспой обезьян. И по этой причине мы взяли в команду зоолога Делфи Мессинджер — она должна была помочь нам разобраться в видах грызунов.

Кроме того, нужно было найти самолет. Первый вариант, который мы посмотрели, держался на честном слове (в переносном смысле, конечно), но утечка горючего была самая настоящая. «А, не волнуйтесь, — успокоил нас пилот. — Как только поднимемся в воздух, появится давление и течь перестанет».

Я сказал: «Спасибо, но мы в него не сядем». Возражений не последовало, и мы продолжили поиски, хотя эта проволочка стоила нам времени.

Наконец мы нашли стандартную двухмоторную «летающую этажерку» и отправились в Лоджу — город, расположенный примерно на 800 километров восточнее Киншасы, чуть южнее природного заповедника Санкуру. Это была наша отправная точка, где нам предстояло нанять джипы и грузовик. Причем здесь все совсем не так, как в обычной жизни, когда ты заходишь в офис Budget или Enterprise*, достаешь кредитку и, разумеется, напоминаешь про баллы для постоянных клиентов. Тут все по принципу «сделай сам». Находишь в городке нужного человека и спрашиваешь: «Сколько стоит неделю попользоваться вашим внедорожником»? Обо всем приходится заботиться самому, так что, если ты улетишь в овраг или повстанцы расстреляют машину из АК-47, — твои проблемы. Здесь нет страховой компании, которая тебя прикроет после уплаты франшизы.

Обеспечив себе транспорт и провизию, мы отправились в наш пункт назначения — деревню Акунгула в районе Кайембе-Кумби, которая стала эпицентром вспышки оспы обезьян в Конго.

Оспа обезьян — одно из тех редких вирусных заболеваний, которые не дают расслабиться людям вроде меня. Вирус может распространяться не только посредством прямого контакта с физиологическими жидкостями инфицированного человека, как в случае с Эболой, но и воздушно-капельным

---

* Американские компании по прокату автомобилей.

путем, подобно гриппу. Инкубационный период заболевания составляет 10–14 дней. К ранним симптомам относится характерное опухание лимфоузлов (не такое, как при оспе), боль в мышцах, головная боль, лихорадка и характерная сыпь, которая обычно проходит через стадии везикуляции, пустуляции, умбиликации* и образования коросты. У некоторых пациентов ранние повреждения превращаются в язвы. Сыпь и ранки появляются на голове, туловище и конечностях, часто даже на ладонях и пятках.

Но вот что самое главное: даже если мы справимся с вирусом оспы обезьян у человека, сам вирус от этого не исчезнет и прекрасно выживет без нас в своем резервуаре (у грызунов). Болезнь продолжит тихо распространяться от крысы к крысе или от белки к белке, существуя где-то в джунглях, и не будет давать о себе знать, за исключением спорадических заражений человека. А потом, как гром среди ясного неба, мы столкнемся с новой эпидемией. Это может произойти в любой момент, и нужно быть к этому готовыми.

Ситуация в Акунгуле страшила не только числом заболевших, но и тем, что прослеживались очень длинные цепочки заражений — иногда из восьми и более человек. Судя по всему, оспа обезьян распространялась от человека к человеку так же легко, как простуда в вагоне метро. Мы уже многое знали о передаче этого заболевания и предполагали, что от него будут страдать те, кто контактировал с зараженными грызунами. Особенно уязвимы были маленькие дети, которым никогда не делали прививку от оспы — она давала некоторую перекрестную защиту — и которые тренировали свои охотничьи навыки, мастеря силки и другие простые ловушки для мелких зверьков. Однако мы не ожидали, что вирус с легкостью будет

---

* Везикуляция — образование везикул (пузырьков, первичного полостного воспалительного элемента кожной сыпи). Пустуляция — образование пустул (гнойничков). Умбиликация — втяжение кожи в форме пупка.

продолжать передаваться людям и дальше, уже без всяких грызунов. Это всерьез нас встревожило.

Новые случаи появлялись по всему району Кайембе-Кумби, и, когда мы добрались до Акунгулы, местные сразу же принялись рассказывать нам, что они видели и, возможно, пережили. Полученную информацию надо было просеять и попытаться понять, что там на самом деле происходит и какие действия следует предпринять.

Мы развернули в деревне портативную лабораторию и поселились в хижине, которую нам любезно предоставил тамошний вождь Ломанге Отшуди.

Выходя по утрам из нашего жилища, мы разделялись на небольшие группы. Каждая команда брала машину и направлялась в одну из деревень в радиусе 50—60 километров. В основном нашим эпидемиологам приходилось самим прокладывать себе дорогу, пробиваясь через джунгли.

Когда мы приезжаем в новый регион, у нас обычно бывают координаты местного контактного лица, к которому можно обратиться за помощью. В некоторых крупных городах есть католическая миссия, где нас могут приютить священник или монахини. В таких случаях не придется разбивать где-то лагерь, спать в гамаках и питаться всухомятку: будет горячий душ, нормальная кровать и вкусный завтрак, даже хлеб с «Нутеллой». Просто удивительно, какими роскошными кажутся самые спартанские условия по сравнению с необходимостью спать на земле — и как же это радует после целого дня тряски по ухабистым дорогам. Именно тогда я понял истинный смысл фразы «проблемы первого мира». Священники, монахини и другие служители сами избрали жизнь в нищете, и это заставляло меня почувствовать благодать и особенную близость Бога.

В некоторых сельских районах встречались infirmiers — местные санитарки, которые являлись самыми высокопоставленными представителями здравоохранения во всей округе и нередко были вообще единственными медицинскими специалистами в радиусе многих километров. Они принимали роды и распределяли лекарства, если у правительства находились на это деньги. Иногда они работали в примитивных лечебницах с несколькими койками — эти учреждения нельзя было назвать настоящими больницами, так как их в основном крайне плохо финансировали и отвратительно оснащали. Некоторые из этих лечебниц представляли собой остатки клиник, построенных еще в колониальный период, когда страна была личной собственностью бельгийского короля Леопольда.

Крестьяне платили столько, сколько могли себе позволить заплатить за медицинские услуги, — если вообще могли что-то дать. Те, у кого водились деньги, лечились в больнице в городе.

По прибытии на новое место мы начинали работу с поисков такой infirmier и представителей местной администрации. Например, в зоне здравоохранения Като-Квамбе мы познакомились с начальником зоны Омешанго Опангой, с комиссаром этого района господином Омандалой Одимо и с главной медсестрой. Мы также познакомились с сестрой Джин, директором по сестринскому уходу в одной из местных больниц.

Когда пытаешься разобраться, что необходимо сделать, очень важно привлекать местных жителей. Чтобы добиться успеха, нужно наладить отношения с сообществом. Нельзя десантироваться с самолета и заявить: «Всем привет, я американский доктор. Теперь я тут главный». Это не сработает. Да и почему должно было бы сработать? Если в вашу местную больницу пожалует некто с продолговатой зеленой головой и сообщит: «У меня есть ответы на все вопросы! Я пришел вас спасти!» — вы станете ему доверять?

Чтобы добиться цели, необходимо плотно взаимодействовать с местными жителями и местной администрацией. Только так можно убедиться, что поступаешь правильно. Иначе все рухнет в ту же минуту, когда ты уйдешь, — к сожалению, иногда это случается, даже если действовать как положено, но пытаться все равно стоит. Таков истинный смысл глобального здравоохранения: стремиться улучшить условия жизни людей по всему миру независимо от их жизненных обстоятельств и координат GPS.

Отсутствие плана сохранения успеха — серьезная проблема для большинства вспышек. План нужен не только для сдерживания самого заболевания, но и для внедрения базовых функций здравоохранения (например, надзора).

В каждой деревне надо было представиться, поискать случаи болезни, взять кровь у людей в домохозяйствах, проверить у них наличие шрамов, оставшихся после прививок от оспы, и постараться получить ответы на наши вопросы. Мы проводили опросы в школах и смотрели историю вакцинации от оспы в данной области. Это было для нас очень важно: если эпидемиология заболевания изменилась и оно стало более тяжелым или начало стабильно передаваться от человека к человеку, не возвращаясь в природный резервуар (к грызунам), полученные данные могут указывать на то, что в этом районе необходимо возобновить вакцинацию населения от оспы, несмотря на риск, связанный с ВИЧ/СПИД. Хотя это была бы весьма трудная задача.

Почти во всех деревнях мы были первыми чужаками за многие годы, и от местных членов нашей команды требовалось большое мастерство, чтобы завоевать доверие крестьян и получить образцы крови — это очень пугающая и болезненная процедура, особенно для маленьких детей.

Но даже имея в своем распоряжении высокотехнологичные гаджеты для отслеживания вспышек заболевания и борьбы с ними, мы использовали некоторые предельно простые инструменты, причем именно они оказывались наиболее эффективными. В поисках людей с подозрением на оспу обезьян мы ходили из одной глинобитной хижины с соломенной крышей в другую и несли с собой стопки старых «осповых карт». Это были ламинированные цветные фотографии детей с характерными ранками — при оспе кожа с головы до пальцев ног может выглядеть как шагреневая. Эти карточки доктора показывали людям по всему миру, объясняя, как выглядит натуральная оспа. Поскольку оспа обезьян очень на нее похожа, мы решили, что карточки помогут людям опознать такие случаи.

Карточки много лет пылились в архивах ВОЗ, но мы достали их и начали брать с собой в полевые выезды. Останавливаясь в деревне, мы раздавали жителям карточки и спрашивали: «Вы видели что-то похожее?»

Если обнаруживались характерные пустулы, лихорадка и респираторные симптомы, мы брали жидкость из покрытых коростой струпьев или везикул, а также мазки и гной, если случай был активный. Мы считали шрамы на лице, следы от вакцинации, отмечали возраст человека. Болезнь была распространена в основном среди детей и подростков, однако около 20 процентов заболевших составляли люди старше 15 лет, — по всей видимости, их никогда не прививали от оспы. Было бы полезно узнать, заражен ли кто-то из этих людей ВИЧ, но для проведения таких тестов требовалось соответствующее разрешение от министерства здравоохранения.

А пока мы пообещали крестьянам награду, если они принесут мелких млекопитающих, например: белок, летучих мышей, обезьян и крыс.

Если говорить о цепочке передачи — пути, по которому микробы во время вспышки переходят от одного хозяина к другому, то один из ключевых вопросов в эпидемиологии звучит так: станет ли цепочка передачи в какой-то момент настолько длинной, что ее невозможно будет прервать? То есть появится ли когда-нибудь столько людей-хозяев, что заразному заболеванию вообще больше не потребуется резервуар в виде животного? С этого момента речь пойдет уже не о заболевании, хозяевами которого являются животные, а о болезни человека.

Существует модный научный термин, описывающий заразность болезни, — «базовая скорость репродукции». Если этот показатель больше единицы, заболевание может сохраняться в человеческой популяции бесконечно, поскольку каждый случай будет связан как минимум с одним новым заражением человека. Например, у кори очень высокая базовая скорость репродукции — около 15, именно поэтому для прекращения вспышки требуется крайне высокий уровень вакцинации. У гриппа базовая скорость репродукции варьируется от 2 до 3, но это компенсируется очень коротким инкубационным периодом — временем от заражения до начала болезни. (Я объяснял эту концепцию Кейт Уинслет и сценаристам фильма «Заражение», в котором она играла.) Когда мы сталкиваемся с любым новым заболеванием, именно вычисление этого показателя позволяет оценить масштабы проблемы.

Если при расследовании вспышки — как в нашем случае с оспой обезьян — выясняется, что среднее зараженное домохозяйство имеет менее одного дополнительного случая заражения, можно сделать вывод: вспышка достигла своего пика. Однако, если скорость репродукции выше единицы, то есть в среднем обнаруживается больше одного дополнительного больного на домохозяйство, это своего рода переломный момент. Это означает, что болезнь уже способна поддерживать себя в сообществе и, возможно, даже набирает обороты.

Вот почему число дополнительных случаев в конкретном домохозяйстве — один из важнейших вопросов, на которые необходимо получить ответ. Затем можно обобщить данные и составить комплексное представление о происходящем.

Если скорость репродукции вируса будет оставаться выше единицы, он может сохраняться в популяции вечно. Это мечта любого микроба и кошмар любого эпидемиолога. Каким-то микробам удалось закрепиться, у других не получилось, но есть и критически важный фактор, благодаря которому это происходит. В контексте подготовки к следующей глобальной

4. ОСПА НА ОБА ВАШИ ДОМА

пандемии этот фактор имеет огромное значение. Какой вирус станет следующим, кто скажет: «Ура! Я совершил прыжок! Мне больше не придется возвращаться в джунгли и прозябать в грызунах!»? Многие исключительно человеческие болезни — корь, сезонный грипп, малярия, ВИЧ/СПИД — когда-то успешно совершили такой прыжок.

В целом заболевание вроде Эболы может иметь базовую скорость репродукции меньше единицы. Но если зараженные находятся в сообществе или больнице, где фактически отсутствует инфекционный контроль, болезнь может еще долго распространяться — до тех пор, пока не выгорит сама. Вспышки всегда угасают. Вопрос в том, сколько придется ждать и какой хаос болезнь успеет посеять в обществе.

Одним из моих компаньонов по приключениям в Конго был удивительный Джоуэл Уильямс, ветеринар, прославившийся тем, что в Омане коза съела его записки. Он был медицинским сотрудником Военно-воздушных сил США и получил стипендию на изучение эпидемий. Джоуэл — один из лучших специалистов в этой области, с которыми мне приходилось работать. Настоящий современный Макгайвер — секретный агент из телесериала 1980-х годов, который мог соорудить все, что нужно, с помощью швейцарского армейского ножа* и лежащего вокруг хлама.

В деревнях, где мы останавливались, крестьяне с утра до ночи приносили нам пойманных диких животных, а Джоуэл анализировал добычу на предмет оспы обезьян и других интересовавших нас заболеваний. По сути, Джоуэл разворачивал посреди джунглей лабораторию третьего уровня биологической безопасности. Он возил с собой переносной генератор, купленный на рынке в Киншасе (мы шутили, что это тот самый генератор, который мы привезли из Атланты, но так

---

* Складной многофункциональный нож с клинком и дополнительными инструментами.

и не получили с багажом), портативную центрифугу и еще кучу какого-то оборудования. Конечно, до уровня «Стартрека» это не дотягивало, но мысль вы поняли. Джоуэл устраивал себе рабочее место, чтобы препарировать животных и класть органы в емкости с жидким азотом. В своей маленькой лесной лаборатории он мог сделать с этими животными все, о чем мы его просили: взять образцы крови, профессионально извлечь любые органы, которые были нам нужны для изучения и отправки в Атланту в целях дальнейшего анализа. Наша команда возвращалась из деревни и отдыхала, а мы с Джоуэлом засиживались до глубокой ночи и при свете переносного фонаря обрабатывали животных, чтобы успеть до следующего дня.

Это исследование поставило нас в несколько затруднительное положение с точки зрения этики. Мы знали, что чаще всего люди заражаются через непосредственный контакт с больными животными, которых ловят для еды. Должны ли мы призывать их отказаться от привычных объектов охоты?

Разумеется, мы не хотели, чтобы они заразились. С другой стороны, мы понимали, что наши уговоры не помогут, а кроме того, нам крайне нужны были образцы для исследования. Некоторое время нас мучила мысль, что мы ставим звероловов под угрозу, однако в итоге возобладал прагматичный подход: крестьяне все равно охотятся на этих животных и едят их, а мы просто направляем добычу на научные нужды. Мы подчеркивали, что необходимо как можно меньше трогать руками животных, пока их мясо не приготовлено как следует, а контактировать с подозрительными особями должен только один человек — желательно старший член домохозяйства, который либо уже перенес оспу обезьян, либо имел след от прививки.

* * *

Конечно, работая с животными, в том числе с кровью и частями тела, мы заботились и о собственной защите: у нас были медицинские халаты, резиновые перчатки и маски. Думаю,

4. ОСПА НА ОБА ВАШИ ДОМА

в тропической жаре Конго Джоуэл соблюдал правила биологической безопасности строже, чем я, но мы в любом случае старались не рисковать, потому что до ближайшей, хорошо оснащенной больницы было невероятно далеко.

Предусмотрительный Джоуэл припас и всевозможное снаряжение для чрезвычайных ситуаций — мне бы и в голову не пришло везти с собой эти вещи. Однажды мы заметили полчища кочевых муравьев возле нашей хижины. Атака казалась неминуемой. «Если они войдут внутрь, нам крышка», — заявил Джоуэл и достал огромную пластиковую бутылку мощной отравы от муравьев. «Откуда она взялась? — подумали мы. — Он что, таскает все это в багаже?» Джоуэл побрызгал жидкостью по периметру хижины, и муравьи передумали на нас нападать. Он знал, как держать животных под контролем. Как я уже говорил, он был ветеринаром.

Еще одним плюсом путешествия с этим превосходным специалистом являлось то, что Джоуэл был у нас фактически «ресторанным экспертом». Разумеется, про ресторан я говорю в переносном смысле. Сельское Конго отнюдь не туристическая Мекка, и зайти поесть там совершенно некуда. Дома из глины, соломенные крыши, даже спать нам приходилось на раскладушках, которые мы с собой возили. Но всякий раз, когда мы собирались задержаться в деревне, мы в первую очередь нанимали поваров. Обеденную зону с маленьким столиком и несколькими стульями мы устраивали на открытой площадке перед хижиной — в начале и в конце дня можно было посидеть там и съесть то, что нам приготовили.

Джоуэл следил за приготовлением пищи и поначалу говорил нам только то, что, как ему казалось, нам следует знать. Мы довольно быстро заметили, что завтрак неизменно состоял из остатков вчерашнего ужина. Несколько дней спустя Джоуэл спросил меня: «Али, а ты видел здесь холодильники?»

И тут до меня дошло, что никаких холодильников и в помине не было. Но стоит ли волноваться из-за легкого кишечного расстройства, особенно когда твой лучший друг — антибиотик ципрофлоксацин? Если на этом не зацикливаться, можно пережить и такую неприятность.

Я убежденный мясоед, однако как мусульманин соблюдаю некоторые ограничения — например, стараюсь употреблять в пищу только халяльное мясо, то есть мясо животных, забитых в соответствии с мусульманскими обычаями (это такая исламская версия кашрута*).

Надо сказать, что довольно сложно оставаться привередой в еде, когда ты бродишь по африканской глубинке как герой романа Джозефа Конрада. В сельском Конго, вдали от ресторанов с меню на нескольких страницах, день за днем приходилось питаться исключительно местными овощами, и мне это порядком надоело. Рек поблизости было полно, но рыбу почти не продавали. Поэтому однажды после обеда я решил: ну что ж, буду покупать живых животных и сам сделаю их халяльными. Я сам буду заниматься убоем!

На следующее утро один крестьянин привел мне козу. Я заплатил за животное, взял острый нож, произнес в знак благодарности «Аллах акбар», а затем быстрым движением перерезал козе трахею и сонные артерии — так, чтобы свести ее страдания к минимуму. Джоуэл провел обязательный осмотр туши и убедился, что животное было здорово. Дело сделано. Все члены нашей команды, включая жителей деревни, которых мы наняли как поваров, были в восторге от свежего мяса. Несколько дней спустя я повторил процедуру с двумя купленными цесарками. Все сошлись во мнении, что вернуть мясо в наш рацион — отличная идея.

В один прекрасный день я заметил, что мои коллеги оживились больше обычного — настроение поднялось даже

---

* Кашрут (кошер, кашер) — в иудаизме заповеданное Торой и предписываемое Талмудом представление о сакральной пригодности вещей, отношений и действий. Например, пригодная к употреблению пища называется кошерной.

у привязанных неподалеку коз. Оказалось, крестьянин принес живого молочного поросенка, и теперь мои товарищи ждали, когда я его забью, и грезили о беконе, ветчине и свиных отбивных, которые пополнят наше недельное меню. «Послушайте, вы все видели, но ничего не поняли, — объяснил я. — Свинины просто не может быть в мусульманском меню. Никто — *никто* — не сделает свинью халяльной». Однако я был честным парнем и заплатил за животное, чтобы другие члены команды могли его съесть.

Хотя наша работа целиком была посвящена тому, как *не* заразиться, должен признаться, что иногда даже я допускал небольшие послабления. Например, я не всегда вешал над постелью обработанную инсектицидом сетку от комаров — это самый дешевый и самый надежный способ спастись от малярии, особенно если у вас, в отличие от нас, докторов, нет доступа к профилактическим противомалярийным препаратам.

Если подумать, сетка полезна тем, что способна задержать не только комаров, но и гостей покрупнее, которых совсем не хочется обнаружить у себя в постели. Помню, однажды утром я проснулся от шума — люди искали топливо для генератора. Открыв глаза, я увидел жирного волосатого паука с ладонь величиной, который полз по сетке в нескольких сантиметрах от моей головы. Не самое приятное зрелище, но все же гораздо лучше, когда тарантул на сетке, а не под ней. С тех пор пользоваться сеткой я не забывал.

Другим членом нашей команды в Конго была териолог Делфи Мессинджер, этакая американская Джейн Гудолл*. Она работала в Киншасе в спасательном центре, специализировавшемся на диких бонобо. Это двоюродные братья шимпанзе, только гораздо более добрые. Если колония шимпанзе чемто напоминает тренировочный лагерь морской пехоты, где

---

* Джейн Гудолл (р. 1934) — британский приматолог, этолог и антрополог, много лет посвятила изучению жизни и поведения шимпанзе в Танзании.

жесткая иерархия поддерживается силой и страхом, то общество бонобо похоже скорее на коммуну хиппи, и совокупления там — социальная смазка, которая всегда помогает остудить пыл. Делфи была довольно ярким персонажем: зоозащитница, прожившая в Африке 14 лет. Будучи волонтером Корпуса мира, она вызвалась помочь ВОЗ в борьбе с оспой обезьян. Когда началось крупное восстание, она не испугалась свиста пуль и не убежала. Чтобы защитить своих бонобо, она написала на дверях здания, в котором работала, SIDA (СПИД по-французски).

Подопечными Делфи были бонобо, которых бросили матери или ранили браконьеры, охотившиеся на них ради мяса. Эта очаровательная женщина прекрасно ладила с животными, но, как и Джейн Гудолл, она относилась к животным с заметно бо́льшей симпатией, чем к людям, поскольку те постоянно осложняли жизнь ее мохнатым любимцам. Я пытался выудить у нее информацию о рода́х и видах местных животных — она прекрасно это знала, но завладеть ее вниманием на длительное время, чтобы получить ответ, было непросто. Нельзя сказать, что она не хотела нам помогать, — скорее просто не разделяла нашего понимания важности задачи. Она привыкла проводить свои дни с бонобо, а бонобо славятся своей вальяжностью.

Более серьезной проблемой для нас стала Первая конголезская война*. Как я уже писал, мы поняли, что война до нас добралась, когда приехал парень на мотоцикле и сообщил, что приближаются повстанцы. Они боролись с президентом Мобуту от имени Лорана Кабилы, который был родом из провинции Катанга и принадлежал к народности луба.

Взаимоотношения различных этнических групп восточной части Заира всегда были напряженными, особенно отношения коренных земледельческих племен и полукочевых народов

---

* Гражданская война 1996–1997 годов, в ходе которой Альянс демократических сил за освобождение Конго-Заира во главе с Лораном Кабилой выступил против правительства диктатора Мобуту Сесе Секо.

тутси, которые пришли из Руанды. Дестабилизация на востоке Заира, возникшая в результате геноцида в Руанде, стала последней каплей: многочисленные внутренние и внешние факторы сложились не в пользу коррумпированного и некомпетентного правительства страны.

В 1990-х годах по Африке прокатилась волна демократизации, и заирский президент Мобуту Сесе Секо был вынужден начать реформы. Он официально положил конец однопартийной системе, которую поддерживал с 1967 года, но в итоге все-таки не захотел идти по пути преобразований, чем оттолкнул от себя сторонников как в стране, так и за ее пределами. Заирское государство в тот период едва не перестало существовать: большинство населения выживало лишь за счет теневой экономики, а заирские вооруженные силы были вынуждены поддерживать себя за счет населения, что только усугубляло положение.

Около полутора миллионов беженцев, спасавшихся от творившегося в Руанде геноцида, осело в восточной части Заира. Среди них были и те, кто прятался от хуту, которые устроили расправу над тутси, и те, кто скрывался от Руандийского патриотического фронта, опасаясь возмездия со стороны тутси. В числе последних выделялись непосредственные организаторы геноцида, в том числе представители бывшей руандийской армии, и независимая экстремистская группа боевиков хуту — интерахамве. Именно эти ребята к нам и приближались.

Связавшись с посольством США и получив совет эвакуироваться, мы отправили крестьян собирать нашу команду, потом сложили образцы в одну емкость с жидким азотом и двинулись через джунгли: до взлетно-посадочной полосы в Лодже было 120 километров. Автомобили приходилось переправлять на понтоне.

Самолет французских документалистов, который должен был нас забрать, приземлялся в ливень. Как только самолет подрулил, его окружила толпа напуганных местных жителей, которые надеялись спастись от повстанцев Лорана Кабилы. Охрана вынуждена была стрелять в воздух.

Мы уже пережили сильное потрясение, а тут еще и погода оказалась такой отвратительной, что взлетать было опасно. Парень рядом со мной страшно нервничал. Другой мой товарищ, сидевший через проход, негромко молился. Мы боялись, что наш самолет разобьется, хотя не меньшее беспокойство вызывали плохо закрепленные предметы: их швыряло по всему салону, и мы опасались, что они кого-нибудь травмируют, повредят снаряжение или вышибут дверь.

Я повернулся к соседу и сказал: «Вы прожили хорошую жизнь, а раз не о чем жалеть, то и умереть не так страшно». Не то чтобы я был очень отважный и безрассудный, однако, если ты решил помогать в такого рода ситуациях, нельзя слишком много думать о собственной безопасности. Как убедить других не бояться, если ты сам во власти страха? Я не боялся смерти, и это всегда позволяло мне трезво спланировать свои действия, поскольку не нужно было подавлять собственный страх, прежде чем перейти к решению проблем.

Мы выбрались, хотя могло быть и по-другому. Вскоре после нашего отъезда повстанцы заняли ту деревню и казнили некоторых жителей, сотрудничавших с нами. Эти достойные, трудолюбивые люди стали жертвами чистого расизма, пешками в чужой игре. Даже если ты далеко, гнева и горя от мыслей об этом не становится меньше.

Исследование было прервано, но мы все же смогли доказать, что болезнь не передается от человека к человеку с той скоростью, которая необходима для поддержания эпидемии. Длинные цепочки передачи беспокоили нас, но не удивляли, учитывая природу заболевания. Да, вспышка стала возможна из-за прекращения вакцинации от оспы, но мы убедились, что скорость репродукции оспы обезьян ниже единицы, а значит, следующей глобальной пандемией она не станет.

Это была серьезная проблема, но не катастрофа вселенского масштаба.

В случае с натуральной оспой хорошо то, что у нее нет животного резервуара: если искоренить ее у людей, проблема исчезнет. Существует также очень эффективная вакцина, которую можно применять по принципу «кольцевой вакцинации» — прививать всех, кто предположительно контактировал с зараженным человеком. Затем надо сформировать еще один барьер иммунитета — привить «второе кольцо», то есть людей, которые могли контактировать с людьми в первом кольце.

С оспой обезьян все по-другому. Она не только способна на много лет отступить в джунгли, чтобы потом снова атаковать человека, но и хранится в удобном «футляре» — грызунах. В наши дни самых опасных с инфекционной точки зрения грызунов можно найти где угодно.

* * *

Как ни странно, семь лет спустя мне довелось еще раз встретиться с оспой обезьян. В мае 2003 года в клинику в Висконсине поступил трехлетний мальчик с лихорадкой неизвестного происхождения, которая сопровождалась высокой температурой (39,4 °C), отеком глаз и красной везикулярной сыпью. Врачи изучили под электронным микроскопом взятые из ранок образцы содержимого и увидели вирусы в форме кирпичиков — отличительный признак оспы. Доктора связались с местным департаментом здравоохранения, а тот — с Центрами по контролю и профилактике заболеваний.

Оспа обезьян появилась в США впервые, поэтому сотрудники системы здравоохранения призадумались: как заболевание, никогда не выходившее за пределы Центральной Африки, попало на американский Средний Запад?

Оказалось, что месяцем ранее один техасский импортер получил из Ганы партию африканских грызунов. Всего 762 особи: гамбийские крысы, полосатые и древесные белки, кистехвостые дикобразы, сони и полосатые мыши. Грызунов разослали дистрибьюторам в шесть штатов, а также отправили в Японию.

В Иллинойсе дистрибьютор получил гамбийских крыс и сонь и разместил их с двумя сотнями луговых собачек*, а затем продал этих луговых собачек в зоомагазины Висконсина, Иллинойса, Индианы, Миссури, Канзаса, Южной Каролины и Мичигана. У животных уже появились похожие на оспу ранки, но этого никто не заметил (представьте, что случилось бы, если бы это оказалась целенаправленная биологическая атака на США). Единственной хорошей новостью (для нас, а не для луговых собачек) стало то, что мы обнаружили идеальный вид грызуна для заражения оспой обезьян.

Выяснилось, что мальчика из Висконсина укусила как раз луговая собачка, купленная в местном зоомагазине.

Получив сигнал, Центры по контролю и профилактике заболеваний направили несколько команд в разные штаты, в основном на Средний Запад, чтобы отследить заболевание в местной популяции грызунов и связанные случаи у людей. Я попросил разрешения возглавить команду в Индиане — прежде всего потому, что до сих пор видел проявления этой болезни только у маленьких африканцев и хотел посмотреть, как она выглядит у взрослых белых людей. Для клинициста это не праздное любопытство, а возможность получить полезную диагностическую информацию.

Своим заместителем в этой поездке я назначил первоклассного специалиста Джона Искандара, который помогал мне расследовать случай с зараженным льдом на круизном лайнере. Прибыв в Индиану, я сделал то, за что получил бы выговор в нашей штаб-квартире. Я сказал Джону: «Ну все, теперь ты здесь командуешь», а сам прыгнул в арендованную машину и несколько дней колесил по штату, посещая в домах

---

* Грызуны из семейства беличьих.

и больницах всех пациентов с подозрением на оспу обезьян, — несмотря на то, что я был руководителем и полевая работа не входила в мои обязанности. Вы скажете, что я поступил безответственно, — но мне хотелось снова почувствовать себя старым добрым полевым эпидемиологом, который расследует болезни, собирает факты, ищет ключи к разгадке. А еще меня радовало то, что на этот раз пациентам не грозит смерть — в нашем деле часто приходится быть ее предвестником.

Попутно я познакомился с миром людей, которые занимаются «карманными питомцами». Я побывал в гостях у семьи, которая держала почти сотню домашних животных (от змей до млекопитающих), и досконально изучил жизнь луговых собачек и птичьи рынки — ведь именно туда обычно идешь, чтобы купить или продать экзотическое животное или, например, подстричь шерстку питомцу, купленному в прошлый раз.

Луговых собачек вместо чихуахуа частенько заводят семьи фермеров, живущие в фургонах. Едва ли кто-то из американской богемы об этом знает, но, оказывается, можно взять сверхмощный пылесос, пойти в прерии, воткнуть шланг в нору и высосать луговую собачку из-под земли.

Мой заместитель тем временем занимался более серьезными вопросами эпидемиологического надзора, в том числе непрерывным мониторингом заболевания и проведением опросов в детском саду, школе и двух местных больницах. Со своей задачей он справился блестяще.

Из двух сотен луговых собачек, которых держали с гамбийскими крысами и сонями, инфицированы оказались 94 особи: анализ подтвердил наличие вируса оспы обезьян. Эти грызуны попали в зоомагазины Висконсина (44 зверька), Индианы (24), Иллинойса (19), Огайо (4), Канзаса и Миссури (по одной особи). Еще один случай выявили в Нью-Джерси.

В период с 15 мая по 20 июня 2003 года оспой обезьян заразился 71 человек. Возраст инфицированных варьировался от 1 до 51 года. У пациентов чаще всего отмечалась лихорадка, головные и мышечные боли, озноб и непродуктивный кашель. По прошествии периода от 1 до 10 дней появлялась генерализованная папулезная сыпь — сначала на туловище, а потом на конечностях и голове. Высыпания проходили через фазы везикуляции, пустуляции, умбиликации и образования коросты. Все пациенты сообщали о прямом или близком контакте с недавно приобретенной луговой собачкой.

Центры по контролю и профилактике заболеваний выпустили руководство по применению вакцины от оспы, цидофовира (антивирусного препарата) и иммуноглобулина против вируса осповакцины (препарат из антител); 26 человек в пяти штатах получили прививки от оспы — к счастью, сообщений о каких-то побочных реакциях не поступило.

Летальность при оспе обезьян составляет от 1 до 10 процентов, однако во время вспышки в США смертельных исходов не было. У одного очаровательного шестилетнего малыша из-за вирусной инфекции началось тяжелое воспаление мозга. Вероятнее всего, мы столкнулись не с тем типом болезни, который я наблюдал в Заире, а с ее более мягкой западноафриканской разновидностью. Но даже эти случаи напомнили нам, как слабо мы защищены от оспы. Целенаправленное применение этой болезни в качестве биологического оружия не пустой звук, так как существует синтетическая биология, а величайшим позором в истории Америки стал факт раздачи индейцам зараженных оспой одеял.

Существует городская легенда: якобы в нью-йоркской канализации живут аллигаторы, которых смывают в унитаз владельцы, когда осознают, что ужиться с большой хищной рептилией в скромной квартирке в Верхнем Вест-Сайде нереально.

Мы опасались, что на Среднем Западе люди, услышав об оспе обезьян, начнут выпускать на волю своих луговых собачек. Как известно, эти зверьки имеют просто сказочную способность заражаться, однако показатель инфицированности в любой рассматриваемой популяции еще не был определен. Каков процент луговых собачек, являющихся носителями болезни? Как быстро они смогут распространить заболевание среди диких сородичей, прежде чем сами заболеют и умрут? Если люди выпустят своих питомцев только после того, как обнаружат признаки болезни, уменьшит ли это опасность?

Чтобы подстраховаться, Центры по контролю и профилактике заболеваний запретили импорт всех африканских грызунов, а Управление по контролю качества пищевых продуктов и лекарственных средств распорядилось прекратить пересылку луговых собачек и всех африканских грызунов между штатами.

Главный вывод таков: в эпоху авиаперевозок болезнь, появившаяся где угодно, быстро может распространиться по всей планете.

5

ВЫСШАЯ ФОРМА УБИЙСТВА

Проблемой биологического оружия мы начали активно заниматься в 1993 году, после взрыва бомбы во Всемирном торговом центре. Тогда нам стало ясно, что террористы могут наносить удары и по США. Кроме того, перебежчик из России сообщил нам, что в его стране сохранились после распада Советского Союза огромные запасы возбудителей сибирской язвы, оспы, вируса Эбола и других патогенов.

БИЛЛ КЛИНТОН.
Моя жизнь

Пятнадцатого октября 2001 года я возвращался с конференции. В чикагском Международном аэропорту О'Хара меня задержали сотрудники ФБР. Взглянув на мою смуглую кожу и паспорт со штампами Саудовской Аравии, Йемена и Пакистана, специальный агент Дон Даффи наверняка подумал: «Так-так».

Четверо вооруженных до зубов чикагских полицейских повели меня в маленькую комнатку в стороне — что-то наподобие камеры временного содержания. Они все время повторяли, что я не должен прятать руки в карманы, а один из них, Томас, следил, чтобы я не дергался. Я и не дергался — несколько часов.

Агент Даффи без конца задавал мне одни и те же вопросы: «Дата рождения? Возраст? Какие страны вы посещали? Цель этих поездок? Где вы работаете?»

Помню, как он и его чикагские коллеги писали что-то так, чтобы я не видел, и пытались понять, что, черт возьми, со мной дальше делать.

Оказалось, что мое имя появилось в новом черном списке, составленном в ответ на атаки на Всемирный торговый центр и Пентагон, которые были совершены всего за несколько недель до этого. Полицию и ФБР не интересовало, что я ехал по служебному американскому паспорту (а не по личному), что при себе у меня было удостоверение федерального служащего Центров по контролю и профилактике заболеваний, а также удостоверение старшего офицера силового ведомства — Службы здравоохранения США. На каждом удостоверении была моя фотография. Мои проездные документы тоже не произвели на них никакого впечатления. Важен был цвет кожи и мусульманское имя.

Поэтому я сидел на стуле в комнате без окон, а различные сотрудники из всевозможных организаций приходили и уходили — иногда просто взглянуть, иногда поиграть в доброго и злого полицейского. Пока все это продолжалось, объявили мой рейс на Атланту, посадка закончилась и самолет улетел без меня. А я получил возможность вплотную познакомиться с системой усиленных мер безопасности, возникшей после терактов 11 сентября.

В конце концов меня отпустили, но лишь после того, как сотрудники ФБР созвонились с Центрами по контролю и профилактике заболеваний в Атланте и побеседовали с госпожой Харрис, нашим ночным администратором. Они ее спросили, знает ли она доктора Али Хана. К счастью, она меня знала. Очаровательная женщина — я любил поболтать с ней, когда проходил мимо. И все же мне не дает покоя мысль: что случилось бы, если, позвонив по номеру, который я им дал, они попали бы на временного администратора, который никогда обо мне не слышал? Может быть, меня в экстренном порядке упрятали бы в Гуантанамо? Кстати, а что вообще они знали о женщине, с которой говорили по телефону? Телефонный номер с кодом 404 мог вести не в Атланту, а прямиком в штаб-квартиру «Аль-Каиды» в пещерах Тора-Боры, и на другом конце могла ждать какая-нибудь ловкая Мата Хари. Поговорить с администратором — это далеко не уровень Шерлока Холмса. А что касается причин этого инцидента, то все выглядело как задержание афроамериканца за DWB — «вождение в состоянии негра» (driving while black), — только в моем случае вина заключалась в FWM, то есть «авиаперелет в состоянии мусульманина» (flying while Muslim). С тех пор прошло 15 лет, я привык к «красной мусульманской папке» в иммиграционной службе и беседам в боковой комнате, и конца этому не видно.

Я сумел попасть на следующий рейс, но домой добрался почти в два часа ночи и, вымотанный, рухнул в кровать.

Не успел я уснуть, как зазвонил телефон. Это была моя коллега-эпидемиолог Трейси Тредуэлл из Центров по контролю и профилактике заболеваний.

«Али, ты нужен нам в Вашингтоне. Капитолийский холм атакован сибирской язвой, ты должен помочь разобраться в ситуации», — сказала она.

В одно мгновение — быстрее, чем переодеться в костюм супергероя в телефонной будке — я превратился из подозреваемого в терроризме в борца за свободу, которого призвали на фронт, чтобы спасти страну от биологической угрозы.

* * *

Солнце едва взошло над горизонтом, а самолет Центров по контролю и профилактике заболеваний уже взлетел и взял курс на Вашингтон. Причиной такой спешки был стандартный почтовый конверт, который днем ранее доставили в бюро лидера сенатского большинства Тома Дэшла. Конверт был плотно заклеен скотчем. На нем стоял штамп об оплате почтового сбора в сумме 36 центов, штемпель города Трентона в Нью-Джерси и обратный адрес:

4th Grade
Greendale School
Franklin Park NJ 08852

Когда девушка-стажер, работавшая в бюро сенатора, вскрыла конверт, оттуда поднялось облачко мелкой, как тальковый порошок, пыли. Несколько частичек попало на колени и туфли, еще немного на брюки сидевшей рядом коллеги. Заглянув в конверт, девушка увидела слова «сибирская язва» и «умри». Она испугалась, бросила конверт на пол и выбежала из кабинета.

Текст сообщения — вряд ли она его дочитала — был таким:

09-11-01
ТЫ НАС НЕ ОСТАНОВИШЬ
У НАС СИБИРСКАЯ ЯЗВА
ТЕПЕРЬ ТЫ УМРЕШЬ
БОИШЬСЯ?
СМЕРТЬ АМЕРИКЕ
СМЕРТЬ ИЗРАИЛЮ
АЛЛАХ ВЕЛИК

Уже через несколько минут в огромное офисное здание имени Харта — один из корпусов сената США — бежала группа оперативного реагирования: шестеро полицейских из Капитолия, шестеро сотрудников ФБР, парламентский пристав и еще шестеро сотрудников отдела опасных устройств. Всего в группу оперативного реагирования войдет 38 человек. Полиция Капитолия принесла ручные анализаторы.

Они светились красным, предварительно подтверждая, что этот порошок — сибирская язва. При этом сотрудники не позаботились о костюмах химзащиты или, по крайней мере, о том, чтобы как-то защитить дыхательные пути, равно как и о перчатках и одноразовых халатах, которые можно потом снять и утилизировать.

Но и на этом промахи не закончились. Хотя спецслужбы отдали распоряжение покинуть здание и сразу его заблокировали, система охлаждения и вентиляции работала еще 45 минут — пока не прибыл Скотт Стэнли, агент ФБР с докторской степенью по биомедицине и серьезной подготовкой в области биотерроризма, который велел парламентскому приставу отключить ее. Из-за этой проволочки техникам в защитных костюмах пришлось собирать образцы с ковров, стульев, из вентиляционных каналов и даже с лестниц по всему зданию площадью 93 тысячи квадратных метров.

Стэнли положил письмо в жесткий пластмассовый контейнер, а врачи и техники совместно с ФБР начали брать мазки из носа у всех сотрудников, находившихся на пятом и шестом этажах. При содействии врача Капитолия всем пострадавшим и членам группы оперативного реагирования немедленно назначили дозу ципрофлоксацина, синтетического антибиотика второго поколения, с 1987 года считавшегося золотым стандартом для применения в подобных ситуациях. Если дать достаточную дозу этого препарата, человека можно спасти. Однако «достаточная доза» — это 60-дневный курс с возможными побочными эффектами, например разрывом ахиллова сухожилия. Чтобы не переусердствовать, необходимо было четко определить, кого из находившихся в здании могла затронуть сибирская язва.

Пятнадцатого октября письмо Дэшлу стало главной темой вечерних новостей на трех крупнейших телеканалах, однако о биотерроризме заговорили еще раньше. За три недели до происшествия на Капитолийском холме аналогичные конверты со спорами сибирской язвы — тоже прошедшие через почтовое отделение в Трентоне — получили в редакции New York Post и в офисе Тома Брокау, в то время ведущего NBC News. Ассистентка Брокау открыла письмо 25 сентября.

В конверте была ксерокопия послания следующего содержания:

09-11-01
ЭТО СЛЕДУЮЩЕЕ
ПРИМИ ПЕНАЦИЛИН [sic] СЕЙЧАС
СМЕРТЬ АМЕРИКЕ
СМЕРТЬ ИЗРАИЛЮ
АЛЛАХ ВЕЛИК

Вскоре женщина пожаловалась на покраснение на груди, которое затем почернело, и на небольшую лихорадку. Доктор Шериф Заки (интересно, сколько часов держат в аэропорту человека с таким именем), главный патолог Центров по контролю и профилактике заболеваний, изучил образец тканей из ее раны и подтвердил кожную форму сибирской язвы.

Двадцать девятого сентября няня привезла в студию ABC News семимесячного сына одного из продюсеров — у малыша появилась ярко-красная язва на тыльной стороне левой руки.

Первого октября ассистентка Тома Брокау начала принимать ципрофлоксацин. В тот же день помощница Дэна Разера, ведущего новостей на телеканале CBS, заметила у себя на лице отметину. Женщина решила, что это укус насекомого. Но это была сибирская язва.

Еще до атак на известных людей сибирскую язву диагностировали в городке Бока-Ратон во Флориде: зараженными оказались двое сотрудников компании American Media, занимавшейся изданием таблоидов. В этом штате за последние 100 лет было зафиксировано меньше двух десятков случаев сибирской язвы, причем, как правило, прослеживалась прямая связь с профессиональной деятельностью заболевших, которые работали, например, со шкурами животных. В 2001 году необычные диагнозы появились менее чем через месяц после атак в Нью-Йорке и Вашингтоне, но подозрений, что это может быть терроризм, почему-то не возникло. Следствие сосредоточилось на том, что умерший первым шестидесятитрехлетний фоторедактор Роберт Стивенс ходил в Северной Каролине в поход и пил воду из водопада в пещере.

Врачи Стивенса забили тревогу, когда увидели на его мозговых оболочках бактерии характерной формы и цвета. Самая тяжелая форма сибирской язвы, ингаляционная, поражает оболочки головного мозга, поэтому при вскрытии мы видим характерную картину — так называемую «шапочку кардинала». Местная лаборатория, сотрудники которой недавно прошли подготовку в Центрах по контролю и профилактике заболеваний, подтвердила диагноз, но образцы все же направили нам для обязательной повторной проверки. К делу привлекли ФБР, но подозрений в терроризме по-прежнему не было — иногда мы чересчур консервативны и разумны. Врачи говорят: «Если услышал стук копыт, думай о лошадях, а не о зебрах». В данном случае нам как раз следовало подумать о зебрах.

Несколько дней спустя от спокойствия не осталось и следа. В кабинете Стивенса — на клавиатуре и в других местах — криминалисты обнаружили споры сибирской язвы. Вероятно, Стивенс получил зараженное письмо, но не заметил облачко спор, от которого впоследствии и умер. Письмо так и не обнаружили. По итогам работы была сформирована объединенная рабочая группа ФБР и Почтовой службы США, получившая название Amerithrax. Однако запинка с постановкой диагноза стала предвестником дальнейших проблем: казалось, что реакция всегда была слегка нескоординированной, а следствие не поспевало за развитием событий и поступлением новой информации.

Эпидемиологи Центров по контролю и профилактике заболеваний принялись прочесывать базы данных подозрительных инфекций, а американцев, которые постепенно начали приходить в себя после сентябрьских терактов, вновь охватила паника.

Четвертого октября, за несколько дней до того, как были получены положительные результаты анализа средовых образцов и лаборатория штата подтвердила диагноз мистера Стивенса, министр здравоохранения и социальных служб США Томми Томпсон устроил пресс-конференцию. Он заявил, что спорадические случаи сибирской язвы действительно имели место, однако случай с мистером Стивенсом может быть «результатом усиленного мониторинга заболевания со стороны системы здравоохранения и медицинского сообщества». Томпсон трижды подчеркнул: «Система работает». Шесть раз он повторил: «Это единичный случай». Под давлением журналистов министр прямо исключил возможность теракта и упомянул о глотке воды из ручья в пещере в Северной Каролине.

На следующий день Роберт Стивенс умер. На той же неделе скончался еще один сотрудник American Media — семидесятитрехлетний сортировщик почты Эрнесто Бланко.

Двенадцатого октября сотрудники аппарата сената встретились с парламентским приставом Элом Ленхардтом, чтобы обсудить вопросы безопасности. Председатель юридического комитета сената Патрик Лихи объявил, что прекращает принимать почтовые отправления. Никто тогда еще не знал, что его персональное письмо с сибирской язвой — тоже отправленное из Трентона и пока не открытое — с 9 октября лежит у него в офисе.

* * *

Шестнадцатого октября в 9:30 я прибыл в Вашингтон. Центры по контролю и профилактике заболеваний на тот момент не имели практически никакого опыта реагирования на акты биологического терроризма. Я был главным научным сотрудником отдела паразитарных заболеваний, но меня экстренно вызвали не из-за близкого знакомства с паразитами. Дело было в том, что двумя годами ранее я стал одним из основателей нашей программы по обеспечению готовности и реагированию на биотерроризм и знал профессионалов в этой области. Кроме того, у меня был опыт работы со вспышками инфекций.

До создания этой программы человек, решивший купить или заказать по почте, скажем, бубонную чуму, услышал бы всего один вопрос: «VISA или MasterCard?» Именно так микробиолог по имени Ларри Уэйн Харрис, который, как потом выяснилось, был еще и белым расистом, сделал заказ и в 1995 году получил чуму по почте*. Если террористы занимаются биологией, вероятнее всего, они сами же и станут жертвами. Если биологи начинают заниматься терроризмом, все намного хуже.

Чтобы нанести серьезный урон, не надо быть ни гением, ни химиком вроде Уолтера Уайта из фильма «Во все тяжкие». Известны случаи, когда дальнобойщики, недовольные приговорами суда, смешивали семена клещевины с ацетоном и по почте отправляли получившийся смертельно опасный ядовитый порошок судьям.

Но когда речь заходит о масштабных убийствах и хаосе, *Bacillus anthracis*** — это, безусловно, идеальное оружие. Сибирская язва, которую обычно ассоциируют со скотом, шкурами и почвой, может образовывать споры, способные выдержать самые суровые условия: споры сибирской язвы были обнаружены на всех континентах, включая Антарктиду.

---

* В 1995 году микробиолог Ларри Уэйн Харрис, связанный с ультраправой организацией «Арийская нация», был арестован за попытку приобретения и отправки почтой пузырьков с культурами бубонной чумы. Харрис не скрывал своего намерения осуществить биотеррористический акт против федеральных структур.
** Бактерия, являющаяся возбудителем сибирской язвы.

Если вдохнуть или проглотить споры или если они попадут на поврежденный участок кожи, они могут ожить даже после вековой спячки и очень быстро размножатся. А размер этих спор как раз подходит для того, чтобы проникнуть глубоко в легкие.

Хотя сибирская язва не передается непосредственно от одного зараженного животного или человека другому, ее споры очень легко переносятся на одежде, обуви или просто с ветром. Труп животного, на момент смерти пораженного сибирской язвой, крайне заразен, и споры десятилетиями сохраняются в месте погребения. Потревоженные скотомогильники приводили к появлению новых случаев заболевания более чем через 70 лет.

Повышенная стойкость возбудителя делает сибирскую язву идеальным вариантом для создателей оружия. Во время Второй мировой войны немцы экспериментировали с фосфорорганическими отравляющими веществами нервно-паралитического действия — табуном, зарином и зоманом — и антигитлеровская коалиция старалась не отставать. Однако бактерия сибирской язвы — это живое существо. Сможет ли она выдержать доставку с применением взрывающегося носителя, например бомбы или артиллерийского снаряда? Корпус королевских инженеров Британской армии решил это проверить и в 1942 году провел печально известный эксперимент на удаленном острове Гринард у берегов Шотландии. Военные собрали 80 овец и поместили в центре стада снаряд со штаммом сибирской язвы Vollum 14578. Как и рассчитывали экспериментаторы, бациллы сибирской язвы сохранили свои смертельные свойства. Снаряд взорвался, овцы погибли, а остров на 40 лет стал закрытой зоной.

За эти четыре десятилетия возникло движение под названием Operation Dark Harvest. Активисты, среди которых были и ученые, требовали от правительства обезвредить территорию. Группа отправилась на остров (вероятно, в защитных костюмах), собрала там 136 килограммов зараженной почвы и пригрозила оставить образцы «в соответствующих точках, чтобы правительство как можно быстрее перестало быть равнодушным, а общественность как можно быстрее узнала о проблеме». Одну запечатанную посылку они положили рядом с военным научно-исследовательским центром в Портон-Дауне в графстве Уилтшир, другую — в Блэкпуле, где проходил ежегодный съезд правящей консервативной партии. Началась очистка территории, и в 1990 году, спустя почти полвека, остров был объявлен безопасным. Это стало еще одним напоминанием о том, что недовольные ученые могут представлять угрозу, но, если говорить о письмах с сибирской язвой в Вашингтоне, урок не пошел на пользу.

Во время Второй мировой войны США создали собственный центр биологического и химического оружия. Он располагался в Детрик-Филде, где дислоцировалась Вторая бомбардировочная эскадрилья авиакорпуса армии США, недалеко от городка Фредерик в штате Мэриленд. Когда летчиков в том же 1942 году отправили в Англию, Детрик-Филд переименовали в Форт-Детрик и разместили в нем лаборатории биологического оружия армии США.

Американские ученые изучали различных возбудителей, в том числе и сибирскую язву, но в 1969 году президент Никсон объявил, что страна в одностороннем порядке закрывает программу в этой области. Одновременно был создан Медицинский исследовательский институт инфекционных заболеваний армии США, задачей которого стали оборонные исследования — разработка вакцин и других мер противодействия для защиты американских военных в случае биологической атаки.

Советский Союз также согласился приостановить работу над биологическим оружием, однако подписанное в 1972 году соглашение не предусматривало никаких средств контроля. Семь лет спустя рядом со Свердловском (ныне Екатеринбург) около 100 человек погибло от сибирской язвы — пострадал даже скот, пасшийся вдоль шлейфа выброса. По версии властей, причиной этих смертей (равно как и случаев среди мясников) стало потребление зараженного мяса. Это действительно могло вызвать желудочно-кишечную или кожную форму заболевания, но решительно *не объясняло* ингаляционную форму, поразившую население. Медицинская документация была изъята или уничтожена.

Тогда стало очевидно, что в Свердловске находится специализированная научная лаборатория. Созданная сразу после Второй мировой войны, она продолжила работу над невосприимчивыми к антибиотикам концентрациями сибирской язвы, начатую еще японцами. В марте 1979 года один из лаборантов снял загрязненный выходной фильтр аппарата для сушки спор сибирской язвы. Он оставил записку с объяснением, что оборудование временно отключено, но его начальник ничего не отметил в журнале. Потом пришел начальник следующей смены и включил аппарат.

Прежде чем машины остановили и поставили новый фильтр, в небо взмыло почти 10 килограммов возбудителя — к счастью, выброс не попал на город. Инцидент впоследствии назвали «биологическим Чернобылем». О ситуации доложили военному командованию, но местное партийное руководство, включая будущего президента Бориса Ельцина, решило замять дело, нарушив при этом Конвенцию о биологическом оружии. А через несколько дней начали умирать рабочие на соседнем керамическом заводе.

Страшная правда вскрылась лишь в 1992 году, когда молекулярный биолог из Гарварда Мэтью Мезельсон отправился туда с группой инспекторов. Самым пугающим открытием стал тот факт, что, если бы ветер подул в противоположном направлении, могли погибнуть сотни тысяч людей.

Мезельсон побывал на месте трагедии после распада Советского Союза. Тогда же полковник Канатжан Алибеков, заместитель руководителя «Биопрепарата», советской программы разработки биологического оружия, решил изменить карьеру. Он эмигрировал в США и стал героем жуткой статьи в New Yorker, а потом под псевдонимом Кен Алибек опубликовал леденящую кровь книгу под названием «Осторожно! Биологическое оружие!»*, где подробно описал, чем ученые занимались в своих лабораториях, спрятанных в Уральских горах примерно в полутора тысячах километрах к востоку от Москвы. Судя по всему, ребята в Свердловске придумали особенно зловредный возбудитель под названием «Антракс-836», предназначенный для боеголовок межконтинентальных баллистических ракет Р-36, нацеленных тогда на американские города. В романе «О дивный новый мир», вышедшем в 1932 году, Олдос Хаксли писал о «разрывах бомб с сибирской язвой, звучащих не громче бумажной хлопушки». Советскому Союзу удалось приблизиться к антиутопии Хаксли, но к Конвенции о биологическом оружии страна, похоже, отнеслась как к кредитному договору, который иногда подписывают, даже не читая.

В 1997 году президент Клинтон получил подробный отчет на эту тему, и министр обороны США Уильям Коэн объявил о введении обязательной вакцинации большинства американских военнослужащих от сибирской язвы. Применяемая вакцина до сих пор вызывает споры: есть мнение, что она стала причиной развития «синдрома войны в Персидском заливе»**. В результате возникла многомиллиардная индустрия, занимающаяся производством — и уничтожением

---

* *Алибек К., Хендельман С.* Осторожно! Биологическое оружие! М. : Городец-издат, 2003.

** Синдром войны в Персидском заливе — хроническая мультисимптомная болезнь неясного происхождения, отмечавшаяся у военнослужащих армии США, которые участвовали в операции «Буря в пустыне» (1990–1991). Проявления заболевания: хроническая усталость, боли в мышцах, помутнение сознания, диарея, проблемы с памятью, нарушения сна и пр.

по истечении срока годности — огромного количества средств для профилактики сибирской язвы, чумы, ботулизма и других смертельно опасных болезней.

Затем президент Клинтон прочел триллер Ричарда Престона The Cobra Event («Случай кобры»), рассказывающий о биологической атаке на США. В книге красноречиво объяснялось, что Америка беззащитна под прицелом биологического оружия.

Явно напуганный, Клинтон надавил на конгресс и добился выделения средств на создание национальной программы биологической защиты. На программу по обеспечению готовности и реагированию на биотерроризм, которую разрабатывали Центры по контролю и профилактике заболеваний, было направлено 156 миллионов долларов. Директором новой программы стал Скотт Лиллибридж, а я занял пост его заместителя.

Одним из наших первых и очень важных достижений в рамках этой программы стала попытка точно определить, как мы сможем противостоять в случае, если кому-нибудь придет в голову мысль атаковать нас живыми организмами. Мы собрали представителей университетов, разведки и государственных органов и составили перечень самых опасных возбудителей, разделив их на три категории. Естественно, каждый ученый хотел, чтобы микроорганизм, на котором он специализировался, попал в список А — это перечень наиболее вероятных угроз, для отражения которых требуются специальные противоядия и медицинские системы.

Несмотря на лоббирование, список А мы ограничили сибирской язвой, оспой, ботулизмом, чумой, туляремией (заячьей болезнью) и вирусными геморрагическими лихорадками, вызванными вирусом Эбола и семейством вирусов Ласса. (Признаюсь, последние два пункта прошли главным образом потому, что я занимался особыми патогенами. Вирусные геморрагические лихорадки, пожалуй, лишние в этой категории.)

Категория B включала ряд возбудителей, которые уже применялись для совершения актов биологического терроризма, например: риккетсии (внутриклеточные паразиты) и бациллы, вызывающие Ку-лихорадку, а также сальмонеллы, которыми, как показали многочисленные естественные вспышки, легко можно заразить продукты питания и систему водоснабжения.

Первая серьезная биологическая атака в США произошла в 1984 году. Тоталитарно-деструктивная секта Раджниша попыталась заразить сальмонеллой салатные бары в городе Даллес в Орегоне — они решили проверить, получится ли сделать так, чтобы из-за болезни люди остались дома во время местных выборов. Болезнь проявилась у 700 человек — не знаю точно, сколько среди них было зарегистрированных избирателей. Еще есть масса примеров, когда недовольные сотрудники впрыскивали патогены в пончики в обеденной комнате, — все случаи не перечислишь, просто имейте в виду.

Категория C состояла из новых патогенов, за которыми мы приглядывали на случай, если они широко распространятся. В этот список входили одни из самых ужасных зоонозов в истории. Вряд ли кто-то использовал бы их в качестве оружия, если учесть, как мало о них было известно, но они заслуживали внимания как потенциальные кандидаты.

В период расследования биологической атаки на Вашингтон моим постоянным контактным лицом в ФБР был агент Скотт Декер. Мы познакомились, когда я разрабатывал программу реагирования на биотерроризм. Сложившиеся между нами отношения оказались крайне важны для эффективной работы — мы могли мгновенно обмениваться информацией и координировать посещение пациентов.

Я помню, как во время разработки нашей программы противодействия биотерроризму встречался с некоторыми руководителями Совета национальной безопасности, в том числе с Кеном Бернардом, Ричардом Кларком, Сэнди Бергером, а также Маргарет Гамбург, которая тогда занимала пост помощника министра здравоохранения и социальных служб по вопросам планирования и возглавляла программы, связанные с биотерроризмом. Мы беседовали о том, почему биологическое оружие — прекрасный вариант для террориста. Можно, например, найти различные варианты доставки, выбрать индивидуальное или массовое поражение, можно вызвать смерти или инвалидности. При правильном научном подходе и несложной логистике можно обойтись небольшими затратами, а отразить такую атаку будет трудно. Биологическое оружие не разрушает материальную инфраструктуру. В сущности, оно позволяет истребить население, а затем, в зависимости от возбудителя, войти в опустевший город и получить все, что нужно. Возбудителей легко спрятать. Если кто-то сам не заявит, что располагает ими, очень сложно будет связать нападение с конкретной страной или террористической группировкой.

В июне 2001 года мы обсуждали асимметричный характер угрозы и непропорционально большое количество смертей, которое способен вызвать биотерроризм по сравнению с другими средствами создания хаоса. Тогда же, через пять месяцев после начала работы администрации президента Буша и всего за четыре месяца до терактов 11 сентября, вице-президент Дик Чейни инициировал операцию «Темная зима» — масштабную симуляцию биотеррористической атаки, которая до ужаса всех перепугала.

Штабные учения были посвящены локализованному применению оспы в Оклахома-Сити с последующими атаками в Джорджии и Пенсильвании.

Учения были сосредоточены на оценке слабых мест в реакции государства на чрезвычайную ситуацию — а слабых мест было (и остается) немало. Другими словами, учения спланировали так, чтобы возникла особая ситуация, когда Совету национальной безопасности трудно определить источник атаки и сдержать распространение патогена.

В ходе учений выяснилось, что страна не в состоянии угнаться за распространением болезни. Если бы подобная атака произошла в реальности, среди мирного населения было бы огромное количество жертв. Это обрушило бы систему реагирования на подобные ситуации и еще сильнее обострило бы очевидные недостатки медицинской инфраструктуры США. Во время учений губернаторы закрывали границы штатов — через 15 лет Крис Кристи, губернатор Нью-Джерси, поступит так же и отправит на карантин людей, боровшихся с Эболой в Западной Африке.

Учения наглядно показали, что мы не имеем представления, как вести себя в ситуациях, подобных атаке сибирской язвой на Вашингтон.

* * *

Когда утром 16 октября я прибыл в Вашингтон, здание Капитолия было опоясано оградительной полицейской лентой, а внутри ползали агенты ФБР. В начале крупной вспышки любой болезни возникает неразбериха, но здесь дело усугублялось сумятицей уголовного расследования, дублированием работы местных и федеральных органов, которые пытались разобраться в происходящем, а также страхом перед третьей мировой войной, вызванным терактами 11 сентября.

Сначала мы встретились с парламентским приставом, потом с Шерри Адамс, главой отдела по вопросам неотложной помощи и медицинских услуг департамента здравоохранения округа Колумбия. Доктор Адамс сказала, что она муниципальный сотрудник, следовательно, Капитолий и другие федеральные здания не попадают под ее юрисдикцию. Это был первый намек на бюрократические хитросплетения, через которые нам придется пробиться, чтобы хоть что-то сделать. Еще мы встретились с доктором Джоном Айсолдом, врачом Капитолия, который играл ключевую роль в медицинском обслуживании членов и сотрудников конгресса, а также с представителями

Федерального агентства по управлению в чрезвычайных ситуациях и Агентства по охране окружающей среды.

Команду Центров по контролю и профилактике заболеваний возглавляла доктор Рима Хаббаз из отдела вирусных заболеваний («истинная американка» англосаксонского происхождения) — прекрасный руководитель с потрясающе развитым критическим мышлением. Помимо всего прочего, ей приходилось разбираться с политическими интригами и общаться со СМИ. Я был оперативным руководителем команды — парнем в машинном отделении, благодаря которому корабль движется вперед.

Мы относились к этим письмам как к нападению, однако, несмотря на всю неопределенность ситуации, выбора у нас не было — приходилось принимать решения, от которых зависела жизнь и смерть. Мы все испытывали сильнейший стресс, и именно поэтому необходимо было сохранять светлую голову. Я не спал уже двое суток и, думаю, не уснул бы, даже если бы попытался. Я был полностью поглощен стремлением понять, что, черт возьми, происходит.

В этой атаке использовали смертельное оружие, и среди хаоса, который я описал выше, нужно было спокойно разобраться, кто столкнулся с этой угрозой, кто может встретиться с ней в будущем и кто уже пострадал от последствий. Кроме того, нам предстояло сформулировать меры предосторожности, поскольку споры сибирской язвы могли быть повсюду.

Сибирская язва — смертоносное оружие. Чайная ложка порошка в почтовом конверте может содержать миллиарды спор, хотя требуется всего от 5 до 50 тысяч спор возбудителя, чтобы убить половину пораженных ими людей (а некоторым хватит и дюжины спор). Человека убивают не сами бациллы сибирской язвы, а токсины, которые они выделяют по мере размножения, — эти вещества вызывают падение артериального давления и появление карбункулов, в которых поселяется возбудитель.

Заразиться можно, если вдохнуть споры или если они попадут на кожу. При попадании спор сибирской язвы на кожу в местах контакта появляются черные безболезненные пятна, которые люди часто путают с укусами пауков (английское название сибирской язвы — *anthrax* — происходит от древнегреческого слова ἄνθραξ — «уголь», то есть «черный как уголь»). Заразиться можно и употребляя в пищу инфицированное мясо — так часто бывает в Африке. Кроме того, в последнее время в США болезнь часто поражает музыкантов, которые играют на традиционных барабанах. Эти инструменты обтягивают шкурами африканских животных, и именно шкуры оказываются зараженными. Человек бьет в барабаны — споры взлетают в воздух. В Европе встречаются случаи заражения после инъекции инфицированного героина.

Мы установили, что в непосредственной близости от комнаты 216, где был открыт конверт с обратным адресом 4th Grade, Greendale School, работали 67 человек, а всего на пятом и шестом этажах — 301 человек. Инкубационный период сибирской язвы составляет от одного до семи дней независимо от того, произошло заражение в результате вдыхания или через кожу, но может растянуться и на 60 дней, поэтому профилактику приходится проводить два месяца.

Мы не знали, сколько человек находилось в здании в момент происшествия. Поскольку система вентиляции еще некоторое время работала, возбудители разлетелись повсюду: анализы показали наличие тысяч, если не миллионов, спор в офисах, коридорах, на лестничных пролетах. Мы брали смывы с мебели на всех этажах и сразу же отправляли их на проверку. Однако приоритетом была не мебель, а люди.

Биологический материал для анализа необходимо было получить у каждого сотрудника, поэтому из людей, ожидавших взятия мазка из носа, выстроились длинные очереди. Мы провели 150 анализов в понедельник, 1350 — во вторник, 2000 — в среду. Затем все образцы мы отправили в Национальные институты здравоохранения, в Национальный военно-медицинский центр имени Уолтера Рида, в Институт патологии вооруженных сил, в Форт-Детрик и в аналитическую службу в Норкроссе в штате Джорджия. Всего было собрано 7000 образцов человеческого биоматериала.

Одновременно мы формировали эпидемиологическую команду, клиническую команду, команду по надзору, команду по гигиене окружающей среды, интервенционную команду, а также команду для проведения пресс-конференций, написания пресс-релизов и другого взаимодействия с общественностью. Наша временная штаб-квартира расположилась непосредственно в здании Капитолия, а когда численность команды увеличилась, мы переехали в офисы в Ботаническом саду США, который очень кстати был закрыт на ремонт.

Полевая и штабная структура была в то время довольно примитивной, поскольку в рамках нашей программы подготовки и реагирования мы еще не успели определить, как должен выглядеть оперативный центр по чрезвычайным ситуациям. Раньше мы в основном реагировали ситуативно, а теперь развивали идею создания координационного центра по аналогии с теми, которые при пожаре согласуют действия пожарных и полицейских. Мы выстроили четкую организационную структуру, которая курировала финансы, планирование, операционную деятельность и логистику. Начальник центра подчинялся директору Центров по контролю и профилактике заболеваний, а впоследствии появилось и специальное научное подразделение.

К часу ночи 16 октября первые лабораторные анализы выявили сибирскую язву. В итоге почти во всех образцах из комнаты 216 будут обнаружены ее споры.

Мы сразу же назначили антибактериальную терапию для 227 человек. Результат анализа окажется положительным у 20 из 30 сотрудников, работавших в непосредственной близости от поступившей корреспонденции и в смежных помещениях, у пары человек из соседнего офиса и у шести из группы оперативного реагирования, но, учитывая способность спор сибирской язвы путешествовать в любом направлении, приходилось проверять все, а не только приоритетное и очевидное.

Центры по контролю и профилактике заболеваний оперативно установили усиленный пассивный мониторинг заболевания в кабинетах неотложной помощи (мы выбрали этот термин, так как общепринятое понятие «наблюдение» имело несколько иной смысл для коллег из ФБР). Мы постоянно спрашивали: «У вас есть какие-то тревожные симптомы? Может быть, лихорадка неизвестного происхождения? Затрудненное дыхание?» Наш коллега, Скотт Харпер, занялся поиском новых и более ранних случаев менингита (воспаления оболочек головного мозга) и легочных инфекций, которые могли указывать на сибирскую язву. Болезнь могла проявиться по-разному, но, если окажется, что жертва работала в Капитолии, это то, что надо.

Позже будут привлечены сотрудники Национального института охраны труда: они помогут экологическим командам прочесать здание и собрать множество образцов в вентиляционной системе. Споры будут найдены в 7 из 26 зданий вблизи Капитолийского холма, и Агентство по охране окружающей среды потратит 27 миллионов долларов, чтобы их отдраить.

Затем началась собственно криминалистическая фаза расследования. Только основывалась она не на обычном принципе «следуй за деньгами», а на принципе «следуй за почтой». Изучив штампы с указанием времени, ФБР совместно с Почтовой службой США проследили путь, который проделало адресованное Тому Дэшлу письмо, вплоть до ячеек в почтовой комнате и машин для распаковки писем. Были установлены все этапы движения этого письма от Трентона, где 9 октября его приняли, до почтового отделения Пи-стрит в Вашингтоне, куда письмо поступило 12 октября; затем его доставили в почтовую комнату здания имени Дирксена, обслуживающую здание имени Харта, после чего письмо попало в комнату 216.

Тем временем приходили отчеты из Военно-морского госпиталя в Бетесде и Национальных институтов здравоохранения. Положительных результатов было все больше и больше, и в каждом случае отмечался сильный и быстрый рост. Спор оказалось чертовски много. Поскольку самые первые тесты делали на скорую руку с помощью криминалистических наборов Tetracore, мы отправили эти образцы в Центры по контролю и профилактике заболеваний для подтверждения. Еще мы проконсультировались с ведущими специалистами по сибирской язве в Атланте, в первую очередь с Арни Кауфманом, по поводу того, что делать со всей полученной информацией. По иронии судьбы за два года до случившегося Центры по контролю и профилактике заболеваний собирались закрыть программу по сибирской язве — ее спасло то, что в последний момент было выделено финансирование в рамках реагирования на биотеррористическую угрозу.

Я информировал сотрудников конгресса о положении дел и встречался с медицинскими чиновниками из Мэриленда и Вирджинии. Было много телефонных переговоров — кстати говоря, мобильный в Капитолии ловит отвратительно.

В Капитолии мы собрали 1081 средовую пробу. С применением воздушных фильтров высокой эффективности (НЕРА-фильтры) мы пропылесосили здание имени Харта и здание имени Форда — там споры обнаружились на машине, сортировавшей почту для палаты представителей США. Мы заменили фильтры в системе вентиляции и убрали всю корреспонденцию. Вскоре поступили очередные положительные результаты: заражение обнаружилось в здании имени Дирксена, где обрабатывали всю почту для сената США, а также в трех офисах в здании Лонгуорт-хаус.

Семнадцатого октября спикер Деннис Хастерт закрыл палату представителей на пять дней. Здание имени Харта уже было закрыто. Доставку почты в Белый дом приостановили, а девять судей покинули здание Верховного суда — впервые с момента его открытия в 1935 году.

Восемнадцатого октября споры сибирской язвы были обнаружены в почтовом отделении Белого дома. Анализы подтвердили также еще одно заражение — у помощника новостного отдела New York Post была выявлена кожная форма сибирской язвы на среднем пальце правой руки.

Девятнадцатого октября был взят соскоб с автомобиля вашингтонской полиции. Анализ на сибирскую язву оказался положительным.

Сеть лабораторного реагирования проверила более 125 тысяч только средовых образцов — для этого было выполнено свыше миллиона лабораторных тестов.

Двадцать пятого октября сенат принял Патриотический акт*. К тому времени к нам присоединились 10 сотрудников Службы расследования эпидемий, а команды Центров по контролю и профилактике заболеваний работали с информационными сетями в Нью-Йорке, с газетами и над двумя случаями во Флориде. Мы просматривали списки поступивших в кабинеты неотложной помощи в поисках необъяснимых смертей. Мы искали сепсис, респираторные и желудочно-кишечные заболевания, неопределенные инфекции, неврологические заболевания, даже сыпь, потому что сибирская язва проявляется черной сыпью на коже.

Мы были в густом тумане войны, почти как герои «CSI: Место преступления», если смешать его с «24 часами» (телесериал с Кифером Сазерлендом, где постоянно тикают часы).

---

* Закон, принятый Джорджем Бушем в ответ на теракты 11 сентября (полное название — акт «О сплочении и укреплении Америки путем обеспечения надлежащими средствами, требуемыми для пресечения и воспрепятствования терроризму»). Документ значительно расширил полномочия силовых структур: например, спецслужбы получили право прослушивать телефонные переговоры граждан без санкции суда, читать электронную переписку, отслеживать покупки в интернете и т. д.

Если человек хорошенько надышится спорами, инкубационный период может занять всего два дня. Мы постоянно находились под прессом противоречивых требований и бюрократии, мы хотели понять, кто тут командует, а кто лезет не в свое дело, кто мешает, а кто помогает, и при этом мы должны были действовать. Если сделаем неверный шаг, погибнут люди.

БРЕНТВУД

Девятнадцатого октября в кабинет неотложной помощи больницы Inova Fairfax в Фолс-Чёрч в Вирджинии обратился Лерой Ричмонд 56 лет. Ему было трудно дышать. Врач предположила, что у него пневмония, и уже была готова назначить антибиотики и отправить его домой, но пациент оказался упрямый и сказал, что работает на почте. Почтовое отделение Брентвуда обрабатывало всю корреспонденцию, отправляемую на Капитолийский холм.

Чиновники штата Вирджиния были предупреждены о происходящем, и мы отправили туда Скотта Харпера для проведения расследования. Мистер Ричмонд спал в больничной палате. За три дня он потерял около трех килограммов, появились судороги, но кожных повреждений не было.

Уровень лейкоцитов был повышен, рентген грудной клетки относительно нормальный. К счастью, принимавшая Лероя Ричмонда врач оказалась проницательной и назначила пациенту компьютерную томографию, которая выявила симптом сибирской язвы — расширение средостения, области между легкими. Томография показала небольшое увеличение печени, лимфаденопатию средостения (увеличенные лимфоузлы в центре грудной клетки), инфильтративные изменения в легких и односторонний выпот в грудной клетке — жидкость в одном легком. Увеличение лимфоузлов говорило о том, что у Лероя может быть лимфома. Изначально лихорадки не было, но она появилась тем же вечером, а на следующий день гемокультура дала положительный результат при анализе на сибирскую язву. В мазке из носа роста бактерий не было. Доктор палаты неотложной помощи назначила Ричмонду ципрофлоксацин внутривенно, а потом добавила еще пару антибиотиков.

Днем ранее другой сотрудник брентвудского почтового отделения, пятидесятипятилетний Томас Моррис — младший, обратился в клинику Kaiser Permanente, выражая конкретные опасения по поводу сибирской язвы. И хотя у Морриса на тот момент было всего лишь легкое недомогание, повезло ему гораздо меньше. Терапевт позвонил в департамент здравоохранения и услышал, что сибирская язва не представляет угрозы для почтовых работников. Пациента отправили домой и посоветовали принимать парацетамол от симптомов простуды, а если состояние ухудшится — прийти еще раз. Три дня спустя Моррис позвонил по номеру 911. Дыхание было сильно затруднено. Моррис сказал, что заразился сибирской язвой. Через несколько часов он скончался.

На следующий день после того, как мэр объявил о случае сибирской язвы в Брентвуде, еще один сотрудник этого почтового отделения, Джозеф Керсин — младший, приехал на машине в больничный центр MedStar в Клинтоне в штате Мэриленд. Днем ранее он потерял сознание во время мессы, но отказался от скорой помощи, так как хотел принять причастие, а вечером пошел на работу. Домой он вернулся рано утром, жаловался на боль в верхней части живота, тошноту и диарею. Результат рентген-исследования выглядел нормальным, и у пациента диагностировали желудочный грипп. Ему назначили лекарства от диареи, после чего он заявил, что чувствует себя хорошо, и поехал домой. Никто не поинтересовался, где он работает. На следующий день он умер.

* * *

Мы нагрянули в Брентвуд, прямо как это делают в CSI, — и начали собирать мазки, смывы и проводить вакуумную фильтрацию. В почтовом отделении площадью 37 тысяч

квадратных метров, расположенном по адресу Брентвуд-
роуд, 900, в северо-восточной части Вашингтона, трудится
1700 сотрудников — они обрабатывают почту для конгресса
и федеральных ведомств. Тем временем аналогичная история
разыгрывалась в Нью-Джерси с работниками трентонского
почтового отделения. Медицинские власти штата обнаружили
первый случай днем ранее. Почтовое отделение было закрыто,
а сотрудников отправили на профилактику.

Любопытно, что до этого мы не встречали случаев заражения в почтовых отделениях, хотя все письма — даже поступав-
шие во Флориду — проходили через Почтовую службу США.
Это подкрепляло ошибочное убеждение, что под угрозой
находятся только люди, которые открывали письма.

И вот что мы обнаружили.

Когда запечатываешь конверт, по бокам сверху всегда
остаются незаклеенные места. В отделении конверт проходит
через сортировочную машину, которая разглаживает его перед
автоматом, считывающим почтовый индекс. В Брентвуде
сортировочные машины обрабатывали до 30 тысяч писем в час,
оказывая на каждый конверт давление в десятки атмосфер.
Из-за такого сильного и быстрого сжатия споры отлично
разлетались в стороны.

Кроме того, машины ежедневно чистили сжатым воздухом,
и споры могли взлететь на целых 10 метров.

В итоге мы закрыли почтовое отделение в Брентвуде на два
с лишним года, а его очистка от сибирской язвы стоила почти
320 миллионов долларов.

К 23 октября мы уже знали, что брентвудское отделение от-
правляло почту не только в почтовые комнаты государственных
ведомств, как мы полагали ранее, но и еще в 352 места, включая
обычные почтовые отделения, почтовые комнаты корпораций
и целый ряд посольств. Мы нарисовали схему связей с внешним
миром — на ней было видно, откуда письма приходят и куда
пересылаются, как и с какими курьерами они движутся.

Покончив с этой задачей, мы отправили людей в полном защитном снаряжении — ночью, чтобы никого не напугать, — во все почтовые отделения города для сбора смывов. В воскресенье мы взяли 3281 образец, 1500 образцов в понедельник, 1300 — во вторник.

Тем временем ФБР тайком собирало смывы с почтовых ящиков по всему северо-востоку страны, пытаясь отыскать тот самый ящик, куда злоумышленник бросил письма.

Несколько колоний бацилл сибирской язвы были обнаружены в почтовом отделении Пи-стрит в Вашингтоне. Это стало очередной неприятностью. Мы протестировали каждого из 500 сотрудников, которые обрабатывали там почту, и задумались: следует ли назначить им 60-дневный курс антибиотиков?

Примерно тогда же у меня была запланирована видеоконференция, которую устраивала Национальная медицинская ассоциация — ведущая организация, объединяющая врачей афроамериканского происхождения. К счастью, вечером перед этим большим событием я ужинал с некоторыми из организаторов — один из них был заместителем декана, когда я учился в Медицинском центре Университета штата Нью-Йорк. Благодаря нашей беседе за ужином участникам конференции не удалось застать меня врасплох. Я осознал, насколько плохо мы умеем общаться с афроамериканцами. Доктора принялись рассказывать мне о своем видении проблем, в частности о том, что выбор профилактических мероприятий вызывает у них недоверие и озабоченность.

Некоторые лидеры общественного мнения в Вашингтоне начали намекать, что Центры по контролю и профилактике заболеваний и городской департамент здравоохранения непропорционально много времени и сил тратят на защиту и лечение народных избранников и их персонала на Капитолийском холме. Так ли мы добросовестны и внимательны к тысячам людей, работающих в почтовых отделениях города? Поскольку многие почтальоны в округе Колумбия — афроамериканцы, вопрос имел четкий расовый подтекст.

Кое-кто даже заявлял, что не только белые богатеи из Капитолия, но и их собаки получают ципрофлоксацин, в то время как бедным приходится довольствоваться устаревшим доксициклином. По правде говоря, оба препарата эквивалентны, а собаки, о которых шла речь, на самом деле служили в правоохранительных органах и вынюхивали наркотики и взрывчатку. Однако, когда люди боятся, что вспышка заболевания перерастет в смертельную эпидемию, недоверие может привести к большим проблемам.

Положительными оказались смывы, взятые в почтовых учреждениях в ЦРУ, в здании Капитолия, в министерстве юстиции, в Верховном суде и даже в Белом доме. Принимая во внимание теракты 11 сентября — они произошли всего за несколько недель до атаки с применением сибирской язвы, — приходилось учитывать, что, возможно, это не просто атака в национальном масштабе, а некая «новая нормальность». Разумеется, это вызывало сильный стресс и тревогу. Многие люди перед лицом войны или, как им казалось, надвигавшегося Армагеддона предпочитали находиться рядом со своими близкими. По крайней мере, один наш коллега из системы здравоохранения отпросился домой в Атланту, к семье.

* * *

Спинномозговую жидкость, взятую у Роберта Стивенса, фоторедактора из Флориды, ФБР отправило в лабораторию Пола Кейма, специалиста по генетике растений из Флагстаффа в Аризоне и создателя методики генетической дактилоскопии. В начале 1990-х годов Кейм работал над проектом ЦРУ в городке Аль-Хакам в 65 километрах к юго-западу от Багдада. Инспекторы Организации Объединенных Наций обнаружили там сотни больших бумажных пакетов, предположительно с сибирской язвой. Выяснилось, что в пакетах были *Bacillus thuringiensis*, или Bt, — похожие, но не смертельные для человека бактерии, которые применяются для борьбы с сельскохозяйственными вредителями. Порошок сушили с помощью влагопоглотителя бентонита.

ФБР с помощью электронного микроскопа сфотографировало покрытые бентонитом споры «сибирской язвы» из Ирака и отправило их Кейму. Иракские образцы не совпали с теми, что использовались при недавних атаках. Однако Кейм выяснил, что в Вашингтон был послан штамм «Эймс» — его производили в США и применяли ученые, работавшие над защитой от биологического оружия. Джон Эззелл, доктор наук, микробиолог из Медицинского исследовательского института инфекционных заболеваний армии США, ранее определил, что бактерии из офиса Тома Брокау тоже относятся к этому штамму. Как оказалось, штамм «Эймс» используют всего 18 лабораторий по всему миру, 15 из которых находятся в США и по одной в Великобритании, Швеции и Канаде.

Несмотря на это, отставные полковники, которые подрабатывали в качестве комментаторов, бывшие руководители Медицинского исследовательского института инфекционных заболеваний армии США и СМИ в целом продолжали утверждать, что следы этой вспышки должны вести за рубеж.

В разговоре со своим руководством Эззелл заметил, что увидеть «вооруженную сибирскую язву» было бы страшно. Технически это значило бы, что кто-то внедрил в штамм сибирской язвы химическое вещество, предотвращающее слипание, благодаря чему споры легче рассеиваются в воздухе. Но здесь был не тот случай. Это был штамм «Эймс», простой и чистый.

Опасения о «вооруженности» сибирской язвы возникли, вероятно, из-за многочисленных свидетельств, что ее споры очень хорошо распространялись на другие конверты и вообще были «прыгучими» — при проверке первого зараженного офиса в здании имени Харта споры вновь распылялись в воздухе. Существовало стойкое представление, что естественные споры должны быть «клейкими» из-за электростатического заряда. Это была еще одна вспышка, которая заставила отбросить догмы, сложившиеся представления и стандартные схемы реагирования.

К сожалению, неточная реплика Эззелла сама распространилась как вирус — ее подхватили и без устали начали повторять в Пентагоне, в министерстве здравоохранения и в Белом доме. Кое-кому из администрации Буша не терпелось развязать войну с Ираком, поэтому слово «вооруженный» постоянно слетало у них с языка — в противном случае его вычеркнули бы из лексикона и заверили бы население, что сибирская язва в государственных лабораториях строго контролируется.

ФБР занялось сбором образцов из всех 18 лабораторий, работавших со штаммом «Эймс», чтобы найти какие-то характерные особенности.

Свой вклад в поддержание слухов внесла передача ABC News: там заявили, что бентонит в спорах сибирской язвы — это фирменный знак программы Саддама Хусейна по разработке биологического оружия. Попытки Белого дома приглушить часть комментариев, казалось, только подливали масла в огонь. Тем временем Питер Ярлинг, прекрасный вирусолог, сотрудник Медицинского исследовательского института инфекционных заболеваний армии США, начал ошибочно утверждать, что споры возбудителя сибирской язвы обработаны кремнием — это еще одна химическая добавка, которую иногда ассоциируют с Ираком. Впоследствии специально проведенные исследования опровергнут и эти домыслы.

Образцы спор отправили в Национальную лабораторию Сандия в штате Нью-Мексико, где инженеры проанализировали их с помощью специализированного программного обеспечения и электронных микроскопов и выявили присутствие кремния. Однако кремний — второй по распространенности элемент в земной коре и уступает в этом отношении только кислороду. Более того, в данном случае кремний находился под внешней поверхностью спор, а значит, он оказался там естественным путем, а не в результате какой-то искусственной обработки.

Директор лаборатории ФБР Дуайт Адамс подтвердил, что споры не содержат добавок и штамм не является устойчивым к антибиотикам, но журналистов это не остановило. В ABC News и редакционной статье Wall Street Journal продолжали твердить о сибирской язве «военного назначения» и о том, что у спор убрали электростатический заряд, чтобы облегчить их распространение по воздуху. Особенно усердствовала Wall Street Journal — газета пыталась представить Саддама Хусейна как «союзника и единый фронт с бен Ладеном и „Аль-Каидой“» (несмотря на то, что между этими людьми вообще не было никакой связи). Все дело в том, что порошок в письме, отправленном сенатору Дэшлу, оказался мелким, рыхлым и летучим, а господствовавшая догма гласила, что из-за электростатического заряда споры должны прилегать к поверхности.

Расследование ФБР долго шло по этому тупиковому пути — агенты побывали даже в афганском Кандагаре, где «Аль-Каида» якобы пыталась создать биологическое оружие. Агенты ФБР взяли более 400 образцов, но доказательства, что «Аль-Каида» или Саддам Хусейн замешаны в этих атаках, так и не были найдены.

В Медицинском исследовательском институте инфекционных заболеваний армии США над программой Amerithrax работало 70 сотрудников. К концу 2001 года ФБР попросило всех этих ученых пройти проверку на детекторе лжи. В дальнейшем бюро разошлет требование предоставить образец своего штамма в каждую из 15 американских лабораторий, изучавших сибирскую язву.

Но ФБР уже нацелилось на предполагаемого виновника. Это был доктор Стивен Хэтфилл, вирусолог. С 1997 по 1999 год он работал в Медицинском исследовательском институте инфекционных заболеваний армии США и изучал вирус Марбург и оспу обезьян. Он успел поработать и в Национальных институтах здравоохранения, получил медицинское образование в Университете Зимбабве, а также утверждал, что имеет докторскую степень в области микробиологии и является членом Британского медицинского общества — и то и другое было неправдой. Такие уловки вкупе со склонностью говорить загадками и носить длинные плащи, чтобы создать ореол секретного агента, явно показались фэбээровцам подозрительными, хотя Хэтфилл никогда не работал с сибирской язвой и вообще всю свою карьеру занимался вирусными заболеваниями. Повторюсь: сибирскую язву вызывают *бактерии*.

В 1999 году Хэтфилл перешел на работу в компанию Science Applications International Corporation, выполнявшую контракты для военных и ЦРУ. Там он устраивал презентации для местных сотрудников службы государственной безопасности, призывая повысить готовность к биологической атаке. Еще он написал роман (оставшийся неопубликованным), герой которого — прикованный к коляске инвалид — атаковал конгресс бактерией чумы.

Через месяц после атаки письмами со спорами сибирской язвы молекулярный биолог Барбара Хэтч Розенберг, преподаватель наук об окружающей среде и медико-санитарных дисциплин Университета штата Нью-Йорк в Перчейзе и председатель Федерации рабочих групп американских ученых по биологическому оружию, заявила на конференции по биологическому и токсинному оружию в Женеве, что сибирская язва в конвертах почти наверняка получена из американской оборонной лаборатории. Она отстаивала теорию, что рассылкой спор занимался кто-то из своих, ученый, «обладавший необходимыми навыками, опытом работы с сибирской язвой, имевший свежую прививку от этой болезни, криминалистическую подготовку и доступ к Медицинскому исследовательскому институту инфекционных заболеваний армии США и биологическому оружию [намек, но не конкретное указание на Хэтфилла] в рамках секретной, нелегальной программы США по разработке биологического оружия». Она была совершенно не права, но теория «внутренней работы» набирала обороты.

В присутствии телекамер агенты ФБР провели обыск в квартире Хэтфилла и не обнаружили там ничего примечательного. Однако в его машине лежала нарисованная от руки карта лесистой местности с несколькими родниковыми озерами всего в нескольких километрах к северо-западу от Форт-Детрика. Агенты с собаками-ищейками прочесали муниципальный лес Фредерика — массив площадью 28 квадратных километров, но нашли только прозрачную пластиковую коробку с отверстиями большого диаметра. Появилась версия, что Хэтфилл заходил на мелководье и клал споры сибирской язвы в конверты, используя эту коробку в качестве частично погружаемой герметичной камеры. Прямо скажем, немного натянуто.

Впрочем, тем же вечером ABC World News поведала об этом расследовании как о серьезном прорыве. Именно в этой передаче Хэтфилла впервые публично назвали подозреваемым. Незадолго до этого он устроился на работу в Университет штата Луизиана с зарплатой в 150 тысяч долларов в год и должен был учить сотрудников служб безопасности реагировать на терроризм. Университет быстро расторг с Хэтфиллом договор, а обвинений становилось все больше.

Николас Кристоф, колумнист New York Times, написал пять статей на тему расследования, в которых отмечал, что у подозреваемого была свежая прививка от сибирской язвы и возможность сделать сибирскую язву благодаря практическим навыкам работы с возбудителями, применяемыми в биологическом оружии, — все это было неправдой. Еще до того, как ABC News раскрыла имя Хэтфилла, Кристоф намекал, что Хэтфилл — загадочный «мистер X», применивший сибирскую язву против чернокожих граждан Зимбабве. Позже под присягой журналист признался, что многое в его репортажах было основано на слухах.

* * *

Пятого ноября я решил отдохнуть от всего этого безумия и на некоторое время поехал домой. Вернувшись 16-го числа, я встретился с представителями Агентства по охране окружающей среды — нам предстояла трудная работа по очистке здания имени Харта, уже давно закрытого и огороженного кордоном, вместе с составлением всевозможных отчетов и другой канцелярщиной. Впоследствии мы накрыли здание гигантским тентом (помните Уолтера Уайта?) и обработали его диоксидом хлора. Оно откроется лишь 22 января 2002 года.

В тот же день, 16 ноября, команда ФБР, сортировавшая 280 ящиков с попавшими на карантин письмами, обнаружила письмо с сибирской язвой, адресованное сенатору Лихи. На конверте также стоял штамп об отправке из Нью-Джерси 9 октября, но по недосмотру письмо попало в почтовое отделение Государственного департамента в Стерлинге в штате Вирджиния.

Почтовая служба США тогда начала внедрять метод электронно-лучевой обработки для обеззараживания отправлений. На первых порах с этим немного переборщили, и некоторое время система сбоила, но потом темпы сбавили и ограничились проверкой писем, адресованных в государственные учреждения.

К этому времени мы знали о 22 случаях сибирской язвы — поровну ингаляционной и кожной формы — и пяти смертях. Любопытно, что двое умерших не были напрямую связаны ни с целью атаки, ни с доставкой почты. В конце октября от ингаляционной формы сибирской язвы скончалась Кэти Нгуен, иммигрантка из Вьетнама, работавшая в кладовой больницы в Бронксе. Ей был 61 год. Следов бактерии не нашли ни на ее рабочем месте, ни в квартире. Три напряженных дня в Нью-Йорке рассматривали возможность сбора смывов в метро — подземку считали потенциальным источником контакта. Обсуждалась даже идея проведения общегородской профилактики. Мы предельно усилили мониторинг, но других случаев обнаружено не было. Однако мы ни на секунду не забывали об опасности, с которой столкнулись.

Двадцать первого ноября от ингаляционной формы сибирской язвы скончалась Оттилия Лундгрен, вдова из Оксфорда в штате Коннектикут. Ей было 94 года. Анализы выявили заражение сортировочных машин в почтовом отделении Коннектикута, где обрабатывали массовую рассылку для почтальона, обслуживавшего миссис Лундгрен. Если споры перелетали с конверта на конверт, они наверняка могли попасть кому-нибудь в легкие. Вероятно, женщина оказалась в числе тех немногих, кому для смертельной болезни достаточно всего одной споры.

В ФБР решили пойти по другому следу. В конверте, адресованном сенатору Лихи, была найдена частица отмершей кожи. ФБР попробовало применить метод полной амплификации генома к этому фрагменту. Через два года работы выяснилось, что частица кожи принадлежит технику из лаборатории ФБР: он неосторожно обращался с только что прибывшими уликами.

Однако следствие не оставляло попыток найти какую-то характерную генетическую черту, которая отличала бы бактерии сибирской язвы, убившие фоторедактора Роберта Стивенса, от исходного штамма «Эймс». (Вообще-то само название штамма вводит нас в заблуждение. В 1981 году военные биологи в Форт-Детрике отбирали для изучения новые штаммы сибирской язвы. По запросу армии ученые из Техасского университета A&M направили образец, который соскоблили с органов коровы, умершей на ранчо в округе Джим-Хогг в Техасе. На посылке стояла отметка о почтовой предоплате с обратным адресом лабораторий Национальной ветеринарной службы в Эймсе в штате Айова. Так появился штамм «Эймс».)

Надеясь найти какой-то характерный маркер, ФБР попросило Медицинский исследовательский институт инфекционных заболеваний армии США послать некоторые образцы Стивенса в лабораторию Пола Кейма в Аризоне. Кейм сумел экстрагировать ДНК из этой сибирской язвы, но оказалось, что это обычный, типовой «Эймс». Ученый знал, что, за исключением той техасской коровы, штамм не встречался в дикой природе. Своим выводом он поделился с ФБР: источник инфекции — в какой-то лаборатории.

Параллельно с этим ученый из Медицинского исследовательского института инфекционных заболеваний армии США обнаружил, что некоторые споры сибирской язвы из офиса сенатора Дэшла образовали нерегулярные колонии — так называемые морфотипы — нехарактерного для данного штамма желтоватого цвета. Это и был тот самый маркер, который искало следствие.

Однако потребовалось почти четыре года, чтобы найти настоящего виновника. Все это время он был прямо под носом у ФБР. Это был не Стивен Хэтфилл и тем более не Саддам Хусейн.

* * *

В январе, в день, когда мы планировали открыть здание имени Харта, кто-то заглянул за временную перегородку и обнаружил на цокольном этаже рядом с погрузочной площадкой девять использованных защитных костюмов. В самые первые дни расследования сотрудники там переодевались и обдували себя воздухом из шлангов — отличный способ опылить спорами все помещение!

Пришлось начинать все заново: мы взяли мазки из носа и отправили на профилактику 49 человек, пришедших на открытие, в том числе нескольких полицейских.

Если из этого эпизода можно извлечь серьезный урок, он будет таким: никогда не забывайте про закон Мерфи*.

Мы явно не умели правильно очищать здания. Сибирская язва — это оружие, способное поразить обширную территорию. Если распылить споры в Нью-Йорке или Вашингтоне, заразятся миллионы человек, но, что еще хуже, пораженное место будет опасным для любого, кто решится туда зайти. Это похоже на древний обычай посыпать солью землю захваченного города, чтобы он навсегда остался побежденным и по сути повторил судьбу острова Гринард.

Разбором полетов для нас стала встреча в Капитолии, на которой присутствовали ключевые представители местных властей, в том числе городской комиссар по здравоохранению. Мы обсуждали, что было сделано правильно, а что пошло не так, и выслушивали от наших партнеров жалобу за жалобой. Нас обвиняли в том, что мы, федералы, не держали их в курсе дела, а ведь это была большая вспышка, и люди начали спрашивать, кто, черт возьми, тут главный.

Нам заявили, что нужна региональная интеграция системы здравоохранения, больниц и населения в целом. Мы должны были учитывать существование разных групп жителей и освоить искусство межкультурной коммуникации. Другими словами, нам с самого начала следовало быть более человечными и попробовать наладить отношения.

Но главной проблемой оставалась постконтактная профилактика и вакцинация. Эти мероприятия были проведены поспешно и не очень качественно. Негативное впечатление

---

* Закон Мерфи — универсальный философский принцип, который гласит: «Если какая-нибудь неприятность может произойти, она непременно произойдет». Аналог «закона подлости» и «закона бутерброда».

усиливала путаница по поводу применения ципрофлоксацина и доксициклина. Мы оставили слишком много вопросов
на усмотрение исполнителей, в результате в разных районах
появились разные рекомендации. Это смущало людей и, откро-
венно говоря, выводило их из себя. Если Центры по контролю
и профилактике заболеваний, в которых работает 15 тысяч
лучших в мире умов, не могут составить внятную инструкцию
по лечению сибирской язвы, откуда обычному гражданину
знать, что делать?

Однако высказывались и более профессиональные рекомендации — о горизонтальной координации, о поиске лучших
практик, о коммуникациях. Главный вопрос здесь звучал так:
где начинается ответственность федеральных органов и где
она заканчивается?

Теперь межрегиональное взаимодействие в Капитолии
заметно лучше. Мы намного четче понимаем, что командует
здесь министерство внутренней безопасности, а ФБР отвечает
за все уголовные расследования. Хотя кто-то может сказать,
что главный — Белый дом. Если происходит что-то совсем
плохое, решения принимаются на уровне советника по национальной безопасности и президента США.

* * *

Четыре года спустя, в 2005-м, мы все еще пытались разобраться с этими проблемами, но произошла еще одна катастрофа — на Новый Орлеан обрушился ураган «Катрина».
Кризис потребовал мгновенных преобразований. В итоге была
полностью пересмотрена система реагирования на чрезвычайные ситуации.

Тем не менее слабые места все еще остаются.

Например, в 2014–2015 годах военнослужащие высоко-
технологичного, сверхсекретного Дагуэйского испытательного полигона в штате Юта в течение нескольких месяцев
по ошибке отправляли живые образцы сибирской язвы (иногда

через службу доставки FedEx) в 24 лаборатории в 11 штатах и в пару зарубежных государств. Был и такой случай: Центры по контролю и профилактике заболеваний отправили культуру непатогенного птичьего гриппа, перекрестно зараженного очень патогенным штаммом гриппа H5N1, в лабораторию особо опасных возбудителей Министерства сельского хозяйства США, имеющую третий уровень биологической защиты*.

Подобные вещи происходят исключительно по безалаберности. Если никого не увольняют, люди продолжают делать глупости. И вовсе не потому, что они глупые сами по себе, — все-таки диссертации защитили.

Просто когда многое сходит с рук, работу начинают делать небрежно, и это касается каждого без исключения. Единственный способ избежать таких ошибок — создать культуру внимания к вопросам безопасности и поддерживать ее с помощью строгой ответственности.

Вечной истиной является и то, что среди нас всегда будут безумцы. Поэтому правоохранительным органам следует быть бдительными и интеллектуально и психологически гибкими, чтобы избежать предвзятости и предубеждений, а также выдерживать политическое давление.

Психологи считают, что наш мозг решает проблемы двумя совершенно разными способами. Первая система — быстрая и поверхностная. Она основана на золотых правилах и легких ответах. Сюда же относятся предвзятость и предубеждения. Вторая система глубже и медленнее, она более гибкая и склонная к размышлениям. По моим наблюдениям, в деле об атаках сибирской язвой расследование слишком сильно полагалось на первую систему.

---

* Работать с опасными патогенными агентами, которые вызывают серьезные заболевания у человека и животных, следует только в лаборатории четвертого уровня биологической безопасности (это максимально изолированные лаборатории).

Отчасти сработал «штабной эффект»: вместо того чтобы проявлять инициативу и пытаться глубже понять суть происходящего, люди были вынуждены изображать бурную деятельность и заполнять чек-листы. Агенты должны были беседовать буквально с каждым и ежедневно отчитываться. Они безжалостно вторгались в жизни людей, весьма отдаленно связанных с делом; это вызывало недовольство в научном сообществе, а главное, совершенно не давало сосредоточиться на общей картине, которая, как кто-то наверняка скажет, была довольно очевидна. Все выглядело так, будто никто не потратил и 20 минут, чтобы спокойно сесть, посмотреть вокруг и связать все воедино. В конце концов, это было то самое ФБР, которое отмахивалось от предупреждений, что бен Ладен отправил в США экстремистов учиться водить самолет.

* * *

Руководить расследованием по делу о сибирской язве назначили тридцатидвухлетнего бывшего военнослужащего Вана Харпа. Кстати, именно он возглавлял неудачное следствие по результатам чудовищной операции ФБР по делу выживальщика Рэнди Уивера в Руби-Ридж в 1992 году*.

Харп доверил изучение конверта из бюро сенатора Дэшла ученому из Форт-Детрика по имени Брюс Айвинс, который работал с особо чистым штаммом «Эймс». Для своих экспериментов с сибирской язвой Айвинс обычно пользовался камерой третьего уровня биологической защиты. Но для определения плотности спор на грамм эта лаборатория не годилась — предоставленный ФБР образец мог быть испорчен.

---

* В августе 1992 года в ходе штурма фермы Рэнди Уивера в штате Айдахо погибли три человека (жена и сын Уивера, а также федеральный маршал США). Инцидент в Руби-Ридж вызвал серию общественных протестов против произвола спецслужб.

Айвинс с 1980 года был сотрудником Медицинского исследовательского института армии США. Он защитил диссертацию по дифтерийному токсину и работал с хламидиями и холерой. В 1991 году, когда началась война в Персидском заливе, он переключился на *Bacillus anthracis.* В заявлении на патент Айвинс указан как один из изобретателей вакцины следующего поколения от сибирской язвы — рекомбинантного защитного антигена, или rPA. Старую вакцину ругали за серьезные побочные эффекты, в том числе расстройства иммунной системы, но финансирование конгресса появлялось и исчезало вместе с бюджетными циклами — Айвинс мог сорвать куш, однако гарантий не было.

Если бы кто-то копнул поглубже, то обнаружил бы бесконечные электронные письма, в которых Айвинс беспокоился из-за того, что федеральное финансирование исследований сибирской язвы, в том числе его вакцины, может прекратиться. Любопытный следователь — и даже начинающий голливудский сценарист — обратил бы внимание и на подозрительный энтузиазм Айвинса по поводу страха перед биологическим оружием. Один из руководителей назвал его интерес к этому предмету и саму его манеру поведения «странноватыми».

Короче говоря, у Айвинса был классический мотив (не говоря уже о психологическом профиле) классического злодея из «Человека-паука». Похоже, в ФБР кино не смотрели.

К весне 2000 года Айвинс, который все еще надеялся на золотые горы, испытал свою новую вакцину на кроликах, опылив их аэрозолем с сибирской язвой.

Как только о деле Стивенса из Флориды сообщили в новостях, Айвинс написал письмо Арни Кауфману, своему знакомому из Центров по контролю и профилактике заболеваний, и предложил помощь в расследовании. Кауфман позже расскажет, что Айвинса очень «взбудоражила» теория «горных потоков в Северной Каролине» — он явно принял случившееся близко к сердцу. Может быть, у него был какой-то личный интерес в том, чтобы дело и дальше крутилось вокруг терроризма?

Когда ФБР прочесывало муниципальный лес Фредерика в поисках улик против Хэтфилла, одним из местных жителей, вызвавшихся помочь, стал Брюс Айвинс. Он выскакивал повсюду — как Зелиг из одноименного фильма Вуди Аллена.

Брюс Айвинс рос в Огайо и был типичным «ботаником», неловким, но жаждущим одобрения и очень умным. Он изо всех сил старался понравиться людям — даже научился жонглировать фруктами и играть на фортепиано. На крайне ответственную должность исследователя биологического оружия Айвинса наняли вообще без психологической оценки. Никто не узнал, что Айвинс проходит интенсивное лечение у психиатра. И дело было не в банальной депрессии, семейных проблемах или чувстве неполноценности: кроме всего прочего, он признался врачу, что проник в бюро университетского женского общества и подумывал об убийстве одного из своих коллег. Потом доктор сообщит властям, что Айвинс мечтал заполучить цианид, чтобы отравить соседскую собаку, и нитрат аммония, чтобы смастерить бомбу. Членам своей психотерапевтической группы он сказал, что многие годы носит с собой пистолет и надеется, что на него нападет уличный грабитель. Он говорил об одиночестве и опустошенности и представлял себя ангелом мести и смерти. Психиатр позже опишет его как жуткого, пугающего, страшного человека.

Ему назначили противотревожное средство и антидепрессант, а потом еще и антипсихотический препарат для лечения шизофрении и биполярного расстройства. При этом у Айвинса по-прежнему был круглосуточный доступ в лабораторию Форт-Детрика с повышенным уровнем защиты и к хранившимся там смертельным патогенам. На ежегодной армейской проверке он признался, что у него бывают измененные воспоминания, проблемы с принятием решений, галлюцинации и тревожность. Он сообщил и о том, что проходит амбулаторное психиатрическое лечение — якобы от стресса, связанного с работой.

Как потом выяснилось, первую угрозу Айвинс высказал еще во время учебы в Университете Цинциннати. «Я могу подсыпать кое-что тебе в воду», — заявил он соседу по комнате, который порылся в его вещах. Когда Айвинса отвергла девушка — член женского товарищества «Каппа Каппа Гамма»* (KKG), — вместо того чтобы поискать другую пассию, он стал одержим этой организацией.

В начале 1980-х годов, уже работая в Форт-Детрике, Айвинс отправился в Университет Западной Вирджинии, расположенный в трех часах езды: там он ворвался в клуб KKG и украл книгу ритуалов. До этого, еще будучи докторантом в Северной Каролине, он познакомился со студенткой магистратуры Нэнси Хейгвуд. Узнав, что девушка — член KKG, он украл у нее лабораторную записную книжку с данными, необходимыми для диссертации, и анонимно отправил ее через несколько дней с главного почтового отделения. Девушка защитилась и устроилась на работу вирусологом в Гейтерсберге в штате Мэриленд. Однажды она обнаружила, что кто-то написал краской на заборе, на тротуаре перед домом и на окнах машины ее парня буквы KKG. Как она позже сообщила, у нее было инстинктивное чувство, что это Брюс.

Попутно он устраивал жутковатые, чрезмерно интимные беседы еще с одной сотрудницей лаборатории. Он украл пароль от ее компьютера и читал электронные письма. Как позже расскажет дочь Айвинса, его невероятно захватывало дело О. Джея Симпсона, теракт в Оклахома-Сити и убийство

---

* «Каппа Каппа Гамма» (Kappa Kappa Gamma, KKG) — одна из студенческих общественных организаций США. Названия большинства таких организаций состоят из греческих букв.

Джонбенет Рэмси*. Он писал многочисленные письма в редакции газет по поводу ареста Теда Качински по прозвищу Унабомбер**.

Редактору Frederick Post, защищавшему женские товарищества, Айвинс отправил послание за подписью «Нэнси Хейгвуд». Копию письма он послал матери юноши, недавно погибшего от хейзинга*** во время посвящения в братство. Он подписался на журнал о бондаже**** и сделал так, чтобы журнал доставляли в почтовый ящик на имя мужа Нэнси Хейгвуд.

Когда ФБР обратилось к членам Американского общества микробиологов с просьбой помочь в расследовании, Нэнси Хейгвуд сразу же позвонила и указала на Брюса Айвинса. В бюро ее взяли на заметку и даже побеседовали с ней, но последовали ее совету лишь через семь лет.

Двадцать второго октября 1997 года Брюс Айвинс — тот самый психически нестабильный преследователь — получил с армейского испытательного полигона Дагуэй в штате Юта тысячу миллилитров очищенной бактерии сибирской язвы штамма «Эймс» в виде взвеси в жидкости. Он соединил их со спорами того же штамма, над которыми работали в Форт-Детрике, для предстоящих экспериментов. Споры он хранил

---

* Дело Симпсона — судебный процесс над американским футболистом и актером О. Джеем Симпсоном, которого обвиняли в убийстве бывшей жены и ее возлюбленного. Теракт в Оклахома-Сити — взрыв заминированного автомобиля 19 апреля 1995 года; до событий 11 сентября 2001 года считался крупнейшим терактом, совершенным на территории США. Джонбенет Рэмси — победительница детских конкурсов красоты в США; убита в 1996 году в возрасте шести лет, преступление так и не было раскрыто.

** Теодор Качински (р. 1942) — американский математик, социальный критик, анархист и террорист, известный своей кампанией по рассылке бомб по почте.

*** Хейзинг — современный эквивалент древних обрядов перехода и инициации, связанных с вступлением в закрытое сообщество (студенческое братство, спортивная команда, армия и пр.); проявляется в виде ритуализированного жестокого обращения с новобранцем.

**** Бондаж — эротико-эстетическая практика, связывание или иное ограничение физической подвижности одного из партнеров.

у себя в лаборатории и отметил эту партию в армейской ведомости получения образцов как RMR-1029.

К 2001 году военные поручили производство традиционной вакцины от сибирской язвы компании BioPort (позже Emergent BioSolutions). Однако для запуска проекта требовались миллионы федеральных долларов. Разработка вакцины Айвинса была приостановлена, — видимо, внимание переключили на другие патогены, связанные с биологическим оружием: оспа, сап (вызываемый буркхольдериями), туляремия и чума. Для человека, пытавшегося продать решение проблемы, более удачного момента быть не могло.

С августа 2001 года Айвинс начал засиживаться в одиночестве в своей лаборатории: он проводил там каждую ночь и все выходные. Он работал по этому беспорядочному графику до тех пор, пока образцы сибирской язвы не были созданы, упакованы и разосланы.

Позже выяснится, что почтовый ящик, в который бросили письма с сибирской язвой, был расположен по адресу Нассау-стрит, 10, в Принстоне — в непосредственной близости от бюро товарищества ККG. Это место находится примерно в 320 километрах от Форт-Детрика, то есть можно обернуться меньше чем за восемь часов.

Также было обнаружено, что федеральные конверты с орлом за 34 цента, в которых отправляли споры сибирской язвы, имели определенные дефекты и могли быть отправлены со скидкой всего в пяти почтовых отделениях в Мэриленде и в двух в Вирджинии.

Айвинс так и не смог внятно объяснить, зачем он сидел допоздна в учреждении с повышенным уровнем безопасности непосредственно перед рассылкой писем. У него не нашлось и алиби для периодов, когда он мог съездить в Нью-Джерси и бросить письма в ящик.

Но самой серьезной уликой стало то, что на посыпанных сибирской язвой письмах сенатору Дэшлу был указан обратный адрес: 4th Grade, Greendale School. Непосредственно перед атакой Брюс Айвинс начал оказывать содействие Американской семейной ассоциации — эта христианская инициативная группа участвовала в федеральном иске по поводу телесных наказаний ученика четвертого класса Баптистской академии Гриндейла в округе Милуоки.

Через шесть месяцев после начала расследования по делу об атаке спорами сибирской язвы военные направили в Форт-Детрик медицинского инспектора. Стало известно, что Брюс Айвинс не сообщил о заражении своего кабинета спорами сибирской язвы в конце 2001 года. Из 22 помещений, которые техники тщательно осмотрели, штамм «Эймс» был обнаружен только в кабинете Айвинса. Но ни Айвинс, ни кто-либо другой так и не понес наказания. Средства массовой информации не зацепились за этот случай, никто не стал заниматься нестыковками и нелепыми объяснениями Айвинса.

Примерно в то же время ФБР потребовало, чтобы все исследователи сибирской язвы направили в бюро образцы штаммов, с которыми они работали. Айвинс так и сделал, пометив свой образец как RMR-1029, однако поместил бактерии в неправильную пробирку. В бюро образец не приняли. Вскоре после этого Айвинс отправил второй образец «Эймса».

В мае 2002 года следователь, работавший в Форт-Детрике, предоставил отчет объемом в 361 страницу и заключил, что имеющаяся информация не позволяет однозначно ответить на поставленные вопросы.

Еще через шесть месяцев инспектора Харпа сменил инспектор ФБР Ричард Ламберт. В тот же период конгресс проголосовал за одобрение резолюции о войне в Ираке.

* * *

В феврале 2003 года госсекретарь Колин Пауэлл вышел на трибуну Организации Объединенных Наций, держа в руках ампулу с белым порошком. Он говорил, что сенат США закрылся из-за конверта, в котором было меньше чайной ложки сухой сибирской язвы. Он провел связь с Ираком — в 1990-х годах иракцы имели 8,5 тысячи литров жидкости с сибирской язвой.

К тому же Ирак так и не доказал, что у него нет вируса оспы, хотя болезнь была побеждена в 1980 году и оставалась всего в двух хранилищах на планете. В стране шли работы над оспой верблюдов (местное заболевание), а в ходе инспекции ООН по вопросам вооружений в 1984 году была обнаружена установка для сублимационной сушки с надписью «Оспа» на арабском языке (по словам иракцев, она использовалась для изготовления вакцины). Ирак мог приобрести какое-то количество вируса оспы на черном рынке у нечистого на руку ученого, имевшего доступ к образцам в официальном хранилище оспы или к секретной программе разработки биологического оружия. Этих неубедительных фактов и домыслов оказалось достаточно, чтобы Министерство обороны США возобновило вакцинацию военнослужащих от оспы. Центры по контролю и профилактике заболеваний тоже поучаствовали в этих приготовлениях к войне: они разрабатывали национальную кампанию прививок от оспы для работников здравоохранения (хотя болезнь можно предотвратить путем вакцинации в течение недели *после* контакта). Первые сообщения о серьезных побочных реакциях, связанных с противооспенной вакциной, — обильная сыпь, лихорадка, остановки сердца — положили конец кампании, о которой нельзя говорить.

В Ираке не нашли никаких запасов вируса оспы, а мобильные лаборатории Саддама Хусейна с боевыми микробами оказались выдумкой. Заявления Пауэлла противоречили результатам анализа, проведенного Национальной лабораторией Сандия: анализ показал, что споры сибирской язвы, использованные в атаках, не подвергались химической обработке. Уже осенью 2001 года стало известно, что они принадлежат к штамму «Эймс», а значит, наиболее вероятный источник — это Форт-Детрик или один из немногих центров биозащиты США, которые использовали этот штамм.

В марте 2003 года Айвинс получил от министерства обороны медаль за исключительную гражданскую службу — это высшая награда для гражданского персонала. Так были отмечены его усилия по возобновлению разработки злополучной вакцины от сибирской язвы.

Пять дней спустя, 19 марта 2003 года, президент Буш начал войну в Ираке.

Пятого декабря 2003 года брентвудское почтовое отделение снова открылось. Теперь оно носит имена Томаса Морриса — младшего и Джозефа Керсина — младшего, работников почтовой службы, погибших от сибирской язвы.

В марте 2004 года при поддержке вице-президента Дика Чейни было принято решение о закупке 75 миллионов доз новой вакцины от сибирской язвы — курс из трех прививок для 25 миллионов человек. Вакцину приобретали для гражданской системы стратегических национальных резервов. Этот шаг позволил поддержать производителя вакцины, чтобы при необходимости он смог нарастить объемы. В рамках этого проекта компания VaxGen получила контракт на сумму 877 миллионов долларов с оплатой сразу после начала поставок указанных объемов rPA — вакцины, которую запатентовал Айвинс.

Айвинс, как один из авторов патента, получил чеки более чем на 12 тысяч долларов.

В январе 2004 года к расследованию по делу о сибирской язве подключился агент Лоренс Александер. К концу года он пришел к выводу, что Хэтфилл не имеет к этим атакам никакого отношения и наконец-то сосредоточил внимание ФБР на Брюсе Айвинсе.

Компания VaxGen поручила проводить эксперименты на животных одному из своих подрядчиков — Мемориальному институту Баттеля в Колумбусе в штате Огайо. Айвинса вызвали в Пентагон и попросили предоставить актуальную информацию об эффективности нового продукта. Выяснилось, что Айвинс отправил в институт Баттеля споры сибирской язвы из смеси высокой степени очистки, которую он назвал RMR-1029.

Александер знал, что у Айвинса неограниченный доступ к RMR-1029 и он прекрасно умеет обращаться с сибирской язвой. Александер также подозревал, что Айвинс перехитрил ФБР, отправив в апреле 2002 года ложный образец. Ознакомившись со странными электронными письмами Айвинса, следователь пришел к выводу, что это не просто эксцентричный, как говорили его коллеги, а психически неуравновешенный человек.

ФБР перехватило пробирку с RMR-1029 летом 2004 года. Предположение, что в 2002 году Айвинс предоставил подложный образец, подтвердилось. Когда ему предъявили эту улику, Айвинс сказал, что отправлял образец не он сам, а старший лаборант.

Данные об отправке образца также не сходились. Судя по книге учета, куда-то пропали 220 миллилитров сибирской язвы RMR-1029. Айвинс объяснил это проблемами с математикой.

Вскоре после этого Айвинс начал избавляться от компромата, в том числе выбросил список адресов филиалов общества «Каппа Каппа Гамма».

В 2006 году правительство расторгло многомиллионный контракт с VaxGen из-за проблем со стабильностью новой вакцины. Надежды, которые Айвинс на нее возлагал, были разбиты.

Осенью того же года Айвинс приобрел прибор для выявления телефонных «жучков», а также устройство, позволяющее видеть, когда его электронные письма были получены, открыты и кому их пересылали.

В мае 2007 года Айвинса вызвали в Вашингтон на заседание большого жюри присяжных. Он сразу же нанял бывшего прокурора штата в качестве своего адвоката.

Следователи по делу Amerithrax проверили более тысячи образцов сибирской язвы из четырех стран и определили, что только восемь из них совпадают с сибирской язвой в письмах — все восемь явно восходили к колбе с RMR-1029. Институт геномных исследований доказал, что геномные сигнатуры RMR-1029 и спор в письмах совпадают.

В апреле 2008 года, спустя почти семь лет после атак Капитолия спорами сибирской язвы, Айвинса задержали, а у него дома был проведен обыск. Среди приспособлений для жонглирования была найдена сумка с реквизитом, который он использовал для переодеваний. Позже у него в компьютере обнаружат изображения бондажа, а дома — большой тайник с короткоствольным оружием, бронежилет и броню домашнего изготовления. Свой подвал он использовал в качестве тира.

Той же весной федеральные прокуроры составили уведомление о начале уголовного преследования — первый шаг к тому, чтобы перед большим жюри обвинить Айвинса в пяти убийствах, совершенных с помощью сибирской язвы. Армия уже лишила его доступа в лабораторию. Состояние Айвинса тем временем явно ухудшалось: он все больше и больше пил.

В июне 2008 года министерство юстиции и ФБР согласились выплатить Стивену Хэтфиллу 5 миллионов 820 тысяч долларов компенсации. Хэтфилл подал иск против Кристофа, журналиста из New York Times, но проиграл дело. Суд исходил из того, что Хэтфилл в тот момент времени был публичной персоной.

* * *

Из-за странного поведения (в том числе на сеансах групповой терапии) Айвинса арестовали и отправили в Мемориальную больницу Фредерика для оценки психического состояния.

Вскоре после выписки он заполнил три рецепта: на антидепрессант, антипсихотик и препарат от мании и мигрени.

Он также взял упаковку из 70 таблеток парацетамола. Его нашли дома, холодного и в луже мочи.

Сенатор Лихи тем временем продолжал настаивать, что, даже если Айвинс и виновен, он никак не мог действовать в одиночку — в заговоре должен участвовать кто-то еще. Пятого августа 2008 года Ричард Шперцель, в прошлом заместитель руководителя Медицинского исследовательского института инфекционных заболеваний армии США и инспектор ООН по биологическому оружию, написал редакционный комментарий в Wall Street Journal, в котором доказывал, что сибирская язва в письмах была изменена для повышения летальности и вообще это слишком сложный продукт для ученого-одиночки из американской лаборатории.

Создание биологического оружия пока еще остается непростой задачей для потенциальных биотеррористов. В 1995 году апокалиптической секте «Аум синрикё» удалось применить зарин в токийском метро, но, несмотря на значительные ресурсы, сектанты не смогли заполучить в качестве оружия сибирскую язву. К сожалению, после терактов 11 сентября угроза биотерроризма никуда не исчезла, и террористы продолжают активно искать талантливых микробиологов с черными душами.

6

МИГРАЦИИ

Так говорит Господь, Бог Евреев: отпусти народ Мой, чтобы он совершил Мне служение; ибо если ты не захочешь отпустить народ Мой и еще будешь удерживать его, то вот, рука Господня будет на скоте твоем, который в поле, на конях, на ослах, на верблюдах, на волах и овцах: будет моровая язва весьма тяжкая.

ИСХОД (9:1–3)

В ноябре 2002 года в нью-йоркскую больницу Mount Sinai Beth Israel поступила супружеская пара средних лет. Они едва держались на ногах. После терактов 11 сентября и рассылки писем с сибирской язвой прошло чуть больше года, но в городе все еще чувствовалось напряжение. Супруги жаловались на головную боль, высокую температуру, боль в суставах и крайнюю усталость — типичные симптомы, с которыми обращаются в кабинет неотложной помощи. Но внимание докторов привлекла одна деталь: загадочные, болезненные, похожие на воздушные шарики вздутия в паховой области, так называемые бубоны. Такие же вздутия появляются при бубонной чуме.

Несколько часов спустя в посевах крови были обнаружены типичные бактерии (по форме они напоминают английскую булавку), а на супругов набросились доктора с антибиотиками и репортеры с телевизионными камерами. Больше века в Нью-Йорке не было ни одного случая бубонной чумы.

Больница оказалась в эпицентре чрезвычайной ситуации национального масштаба. Везде кружили агенты ФБР, пытаясь понять, кто эти двое: террористы, которые заразили себя сами, или безобидные жители, зараженные террористами. В 2001 году, когда произошла атака письмами с сибирской язвой, вывод, что это биотерроризм, сделали не сразу. Теперь все было совсем по-другому. Обжегшись на молоке, дуют на воду.

В рамках программы по реагированию на биотерроризм Центры по контролю и профилактике заболеваний уже обучали нью-йоркские службы оперативного реагирования работе с чумой. Вопрос стоял так: следует ли разворачивать центр по управлению чрезвычайными ситуациями и отправлять на профилактику сотни тысяч человек, которые могли быть намеренно подвержены воздействию возбудителя?

Заражение бубонной чумой происходит через кожу. Когда бактерия проникает в организм, она отправляется в лимфоузлы паховой, шейной и подмышечной областей, размножается там и вызывает иммунную реакцию, которая и приводит к появлению характерных опухолевидных образований. При отсутствии лечения бубонная чума убивает в 60 процентах случаев. Две другие формы чумы при отсутствии лечения летальны почти всегда: это легочная форма, развивающаяся при вдыхании возбудителя, который затем размножается в легких и вызывает пневмонию, и септическая форма, когда микробы попадают в кровоток, а затем проникают в головной мозг и вызывают менингит.

К счастью, медицинским властям потребовался всего один день, чтобы исключить версию биотерроризма. Как оказалось, заболевшие — Люсинда Маркер и Джон Талл — приехали из Санта-Фе (штат Нью-Мексико) и почувствовали себя плохо в гостиничном номере. В США ежегодно отмечается в среднем семь случаев чумы, половина из которых регистрируется в штате Нью-Мексико.

Чтобы выяснить, как эти люди могли столкнуться с возбудителем, департамент здравоохранения Нью-Йорка провел собственное расследование. Позвонили и доктору Полу Эттестэду, эпидемиологу и сотруднику департамента здравоохранения Нью-Мексико. Тот был удивлен: в этом году ни одного случая чумы не наблюдалось, а сезон уже подходил к концу. Однако кто-то из коллег Пола вспомнил эту пару и сказал, что на земельном участке супругов площадью два гектара нашли зараженного лесного хомяка. Оказалось, что на хомяке были блохи, переносившие *Yersinia pestis* — бактерию, которая вызывает чуму. Блохи-то и перебрались на Люсинду Маркер и Джона Талла.

Нью-йоркскую службу здравоохранения в то время возглавлял доктор Том Фриден (впоследствии он станет директором Центров по контролю и профилактике заболеваний). По его мнению, предотвратить возможные акты биотерроризма помогла городская система надзора через кабинеты неотложной помощи. Качественная информация позволяет замечать как наличие тенденций, так и их отсутствие.

Люсинда Маркер быстро поправилась, однако у Джона Талла — мужчины спортивного телосложения, адвоката, члена добровольных поисково-спасательных отрядов в горах Сангре-де-Кристо близ Санта-Фе — развилась септическая форма болезни. Инфекция начала циркулировать по всему организму. Бубоны у Джона были меньше по размеру, чем у его жены, — видимо, ее лимфоузлы лучше справлялись с отражением атаки. Давление упало до 78 на 50 (в норме 120 на 80), температура поднялась до 40,2 °C. Началась почечная недостаточность. Тромбов стало так много, что почернели ладони и стопы, — это одна из причин, почему в Средние века чуму называли черной смертью.

Возможно, его случай был осложнен наличием диабета второго типа. По другой версии, Люсинду Маркер и Джона Талла укусила одна и та же блоха, но мужчине при этом досталось больше бактерий.

Джона Талла на три месяца погрузили в искусственную кому. Впоследствии ему ампутировали обе ноги ниже колен.

Чума, как и оспа, давно преследует человечество. Нередко она меняла ход истории, оказывая влияние на политику и культуру. В XIV веке вторая пандемия чумы по Великому шелковому пути попала из Азии на Ближний Восток, в Европу и в Северную Африку. Страшная болезнь так сильно опустошила эти земли, что европейское общество полностью преобразилось.

Согласно одной из гипотез в Европу инфекцию занесли итальянские моряки, бежавшие из осажденного войсками Золотой Орды города Каффы*: монголы перебрасывали через крепостные стены трупы умерших от чумы, чтобы заразить жителей. Это одно из самых ранних свидетельств применения биологического оружия. А зараженные крысы могли перемещаться и без посторонней помощи**.

Волны эпидемии одна за другой прокатились по континенту и погубили около 100 миллионов человек — треть населения Старого Света. Это привело к резкому уменьшению численности крестьян, вынужденных заниматься принудительным трудом в феодальном обществе. Выжившие получили возможность требовать за свой труд больше — может быть, не один грош, а полтора. В дальнейшем эта неожиданно появившаяся маленькая личная свобода станет основой формирования среднего класса.

---

* Каффа — город, располагавшийся на месте города Феодосии на территории Крымского полуострова, одна из важнейших генуэзских факторий.

** Именно крысы являются основным резервуаром возбудителя чумы в городах; блохи — переносчик возбудителя.

Третья пандемия чумы добралась и до Нового Света. Она началась в Китае в 1855 году и распространилась через портовые города, такие как Гонконг. Пандемия чумы охватила все населенные континенты. Только в Индии и Китае она унесла как минимум 12 миллионов жизней. В Сан-Франциско крысы с переносившими болезнетворную бактерию блохами спрыгнули с парохода «Австралия», пришедшего в январе 1900 года из Гонолулу, где уже бушевала вспышка. Судно разгружали рядом с выходом канализации Чайна-тауна — в тот момент проживавшие в городе китайцы как раз готовились отпраздновать наступление года Крысы.

А потом последовала катастрофа системы здравоохранения, послужившая прообразом реакции на СПИД в 1980-х годах. Причиной стал самый обыкновенный расизм. Огонь расовой ненависти разжигала вера в то, что китайцы более уязвимы для чумы, поскольку едят в основном рис. Их подвергли двойному карантину: сначала окружили Чайна-таун веревочным кордоном, через который белым разрешалось покинуть китайский квартал, а затем огородили квартал колючей проволокой, чтобы защитить принадлежавшие белым компании и церкви.

Надеясь спасти экономику штата, губернатор Калифорнии всячески отрицал существование вспышки, а также обвинял федеральное правительство, Морскую службу здравоохранения и Совет здравоохранения Сан-Франциско в поддержании эпидемии — много лет спустя подобная тактика будет применена во время пандемии ВИЧ. Местные газеты помалкивали.

Новый губернатор и новый федеральный представитель по вопросам здравоохранения начали действовать более активно и сосредоточились на дератизации* и дезинфекции. К 1904 году вспышка в китайском квартале пошла на убыль.

---

* Дератизация — комплексные меры по уничтожению и контролю численности грызунов (крыс, мышей, полевок и др.)

Но в 1906 году произошло землетрясение, которое вызвало масштабные разрушения в области залива Сан-Франциско. Во время восстановления территории возникла еще одна вспышка чумы — на этот раз преимущественно среди белого населения. Реакция была немедленной и бурной, и все же принятые меры оказались недостаточными и слишком запоздалыми. Первоначально к болезни относились безразлично, поскольку считали, что чума поражает в основном презираемое меньшинство. Скорее всего, эти просчеты сыграли свою роль — блохам удалось перейти на других грызунов и распространиться по всему западу США.

В сельских районах Китая естественным резервуаром чумы считаются большие песчанки, сурки и бурундуки. Черные крысы и живущие на них блохи распространяют заболевание в городах и между странами (по морским путям). Неспроста на швартовые тросы стоящих в доке кораблей навешивают противокрысиные щитки, а Служба здравоохранения США раньше занималась дератизацией прибывавших в страну судов.

На американском Западе новым природным резервуаром возбудителя чумы стали луговые собачки, хотя переносчиками блох могут быть бурундуки и лесные хомяки. Недавно к ним присоединились и кошки.

Луговые собачки служат амплифицирующим («усиливающим») хозяином — они заносят болезнь в свои норы, откуда распространяют ее во все стороны. Существует настоящая «чумная линия» — она идет по сотому меридиану на север и на юг через Центральный Техас. Примерно так же проходит граница популяции луговых собачек. Так что, если вы когда-нибудь решите завести себе домашнего питомца, не советую брать пылесос и высасывать его из норы.

Чума — весьма показательная модель многоэтапного процесса перехода зоонозов в новые экологические ниши. Бактерия должна попасть на новое место и внедриться в нового хозяина, например луговую собачку или комара. Когда заболевание закрепится в новом резервуаре или переносчике, оно станет для данной экосистемы эндемическим. Правда, совершить такой переход удается не всем болезням — в этом всегда есть какая-то тайна и, безусловно, элемент случайности. Когда человек — единственный хозяин, а инфекция передается только между людьми, все гораздо проще: достаточно, чтобы люди путешествовали. Большинство крупных эпидемий Нового Света — оспа, корь, полиомиелит, туберкулез — были завезенными через Атлантику «подарками» из Старого Света. Чума отличается только тем, что прибыла она через Тихий океан.

Умение приспосабливаться — важное свойство всех живых организмов нашей планеты. Любая форма жизни будет распространяться везде, где только сможет найти для себя подходящие условия. Мы точно знаем, что болезни, которыми болеют люди, не бывают статичными. Нельзя позволять себе думать, что болезнь «где-то далеко» и для беспокойства нет причин. Очень часто новые инфекции приходят к нам «издалека» и закрепляются в новой среде — особенно сейчас, в условиях меняющегося климата и глобального потепления. Именно так чикунгунья и денге из тропиков попали в США и закрепились благодаря флоридским комарам из рода *Aedes*.

ЛИХОРАДКА ЗАПАДНОГО НИЛА

За несколько лет до того, как чума перепугала Нью-Йорк, мне позвонила Марси Лэйтон, моя подруга и бывшая сотрудница Службы расследования эпидемий. В то время она возглавляла эпидемиологический отдел департамента здравоохранения Нью-Йорка.

«У нас необъяснимый кластер. Неврологические симптомы, в том числе паралич, затрудненное дыхание, в некоторых случаях поражены черепно-мозговые нервы. Мы предположили, что это ботулизм, и запросили в Центрах по контролю и профилактике заболеваний антитоксин, но что-то не сходится. Вы нам поможете?»

Для борьбы с новыми инфекциями нужны проницательные клиницисты, которые скажут: «Все это выглядит как-то необычно. Стоит присмотреться повнимательнее. Я должен позвонить специалистам и поднять тревогу». И конечно, в системе здравоохранения должны работать столь же проницательные сотрудники, которые примут слова этого проницательного клинициста всерьез.

Марси была в этом отношении «золотым стандартом». Она понимала свое сообщество, эпидемиологию и здравоохранение достаточно хорошо, чтобы заметить зебру среди обычных лошадей. Она проверила звонок от врача из Куинса, у которого было два пациента с параличом. Проверка выявила кластер из восьми тяжелых случаев энцефалита (воспаление головного мозга), все на площади в 41 квадратный километр на северных окраинах этого городского района. Если бы она подумала: «Ничего страшного» — и занялась бы другими делами, она не выявила бы одну из крупнейших эпидемий последнего десятилетия. Вирус быстро покинул Краун-Пойнт и начал двигаться по территории США в Канаду, а затем появился в Мексике и Южной Америке.

Мы соединили нью-йоркскую команду Марси с отделом трансмиссивных болезней* Центров по контролю и профилактике заболеваний в Форт-Коллинсе в штате Колорадо. Там быстро диагностировали энцефалит Сент-Луис — как оказалось, ошибочно, но, по крайней мере, в правильном направлении.

---

* Трансмиссивные болезни — инфекционные и паразитарные заболевания, передающиеся от больного человека или животного здоровому через членистоногих переносчиков, в основном кровососущих.

Как и энцефалит Сент-Луис, неизвестную болезнь вызывали флавивирусы, переносчиками которых являются комары, а «усиливающим» хозяином служили птицы. Однако энцефалит Сент-Луис редко вызывает у человека тяжелые неврологические заболевания — в год в США обычно регистрируется всего несколько таких случаев, причем не в Нью-Йорке. И он не вызывает болезней у птиц. Последнее обстоятельство и стало решающей уликой.

Еще до начала вспышки среди людей сотрудники системы здравоохранения заметили, что с неба падает много мертвых птиц, особенно ворон.

Заболевшая птица не может обратиться в кабинет неотложной помощи, и никто не принесет ей куриный бульон, когда она будет не в силах покинуть гнездо. Чтобы самой не стать чьим-то обедом, птица вынуждена сохранять активность до последней секунды. Смерть иногда наступает посреди полета, именно поэтому мертвые птицы в самом буквальном смысле падали с неба.

Ветеринар в зоопарке Бронкса отметила гибель пары чилийских фламинго, баклана и фазана. Она не стала обращаться в Центры по контролю и профилактике заболеваний, но отправила биоматериал этих птиц и ворон в лаборатории Министерства сельского хозяйства США в Эймсе. Анализы на обычные для птиц вирусы и на энцефалит Сент-Луис оказались отрицательными. Эти же образцы были переданы в Центры по контролю и профилактике заболеваний в Форт-Коллинсе. Через месяц после звонка Марси мы узнали правильный диагноз.

Система надзора за мертвыми птицами стала одной из нескольких систем долгосрочного контроля, которые мы создали в Нью-Йорке. Мы собрали пернатых жертв нью-йоркской эпидемии и обнаружили поражение множества органов, в том числе признаки поражения головного мозга. Биоматериал нью-йоркских птиц и зараженных комаров из Коннектикута, а также ткани человеческого мозга, взятые у пациента, скончавшегося от энцефалита, были проанализированы с применением тестирования на наличие нуклеиновых кислот и секвенирования генома. Все маркеры указывали на вирус Западного Нила — флавивирус, входящий в антигенный комплекс японского энцефалита. Как оказалось, в Западном полушарии никогда прежде не выявляли этот патоген Старого Света.

Заболевание названо по району Западный Нил в северной части Уганды, где в 1937 году вирус впервые определили у пациента с лихорадкой. Анализы сыворотки позволили изолировать вирус с физическими и патологическими свойствами, аналогичными двум другим флавивирусам — вирусу энцефалита Сент-Луис и вирусу японского энцефалита типа B. Кроме того, все три вируса имели перекрестные иммунологические реакции*. Основными переносчиками вирусов энцефалита Сент-Луис и японского энцефалита являются комары из рода *Culex*.

Первая подтвержденная эпидемия лихорадки Западного Нила произошла в Израиле в 1951 году, в деревне с населением чуть больше 300 человек неподалеку от Хайфы. У 123 жителей деревни были отмечены характерные симптомы: лихорадка, головная боль, мышечные боли, потеря аппетита, боли в брюшной полости, сыпь и рвота.

Серологические исследования** показали, что данная лихорадка эндемична для районов, расположенных вдоль

---

* Автор имеет в виду перекрестную иммунологическую реакцию при серологическом тестировании сывороток больных. То есть при тестировании стандартными наборами реагентов на антитела к вирусу энцефалита Сент-Луис в сыворотке пациента могут дать положительный результат антитела к лихорадке Западного Нила. *Прим. науч. ред.*

** Серологическое исследование (тесты) — лабораторные методы исследований, основанные на выявлении антител или антигенов в биологическом материале пациента.

Нила. В последовавшие три года несколько крупных вспышек произошло в Египте. По всей видимости, среди взрослых и детей старшего возраста уровень серопревалентности* был выше, в то время как у маленьких детей отмечалось больше клинических проявлений болезни, а значит, это заболевание в основном было характерно для детей раннего возраста.

Изучение животных показало, что вирус поражает широкий спектр видов — в том числе птиц, особенно ворон, и млекопитающих, в частности лошадей и ослов.

В 1957 году в израильском доме престарелых произошла еще одна вспышка этого заболевания, сопровождавшаяся тяжелыми неврологическими проявлениями. В 1962 году во Франции и в 1974 году в ЮАР у пациентов наблюдался менингит и энцефалит. Аналогичные вспышки время от времени происходили в России, Испании, ЮАР и Индии.

В 1996 году крупная вспышка лихорадки Западного Нила произошла в Бухаресте. Вероятно, у болезни изменилась эпидемиология и клинический спектр: впервые были вовлечены преимущественно городские районы и впервые в большинстве случаев отмечались поражения центральной нервной системы. Скорее всего, этому поспособствовала изношенная городская инфраструктура Бухареста: запущенные места, где размножались комары, отсутствие защитных сеток на окнах и дверях, обилие домашней птицы, которая считается «усиливающим» хозяином.

Столь же высокий уровень поражения центральной нервной системы, а также высокая смертность наблюдались во время вспышек в Марокко в 1996 году, в Тунисе в 1997 м, а также эпидемий 1998 года в Италии и Израиле. В целом неврологические осложнения возникали лишь в одном проценте случаев.

---

* Серопревалентность — наличие антител к конкретной инфекции. Уровень серопревалентности — доля серопозитивных людей, имеющих в крови антитела к конкретному заболеванию. *Прим. науч. ред.*

У большинства заболевших (от 70 до 80 процентов) выявлялись легкие симптомы или вовсе бессимптомное течение болезни, у остальных были умеренные проявления лихорадки.

Что касается штамма NY-99, выявленного в Нью-Йорке, то аналогичные эпизоотии* среди домашних гусей были зафиксированы в Израиле в предыдущие два года. У вируса, который вызвал случаи заболевания в августе 1999-го в Куинсе, была та же геномная последовательность.

Летом 2000 года закрепившийся в Нью-Йорке вирус начал распространяться по всей стране: в 10 округах северо-восточных штатов произошел 21 случай заражения человека.

Через год вирус расширил свой ареал вплоть до Западного побережья: 66 случаев были зафиксированы в 44 штатах, округе Колумбия и 5 канадских провинциях.

Почему же вирусу удалось зацепиться? Дело в том, что подходящий комар и подходящая птица (все из семейства воробьиных) в сочетании создали подходящий энзоотический цикл**.

Вирус почти всегда смертелен для ворон и их близких родичей, а также довольно опасен для грифов и кондоров. Поэтому еще до того, как он добрался до запада США, всю популяцию охраняемых кондоров — как содержащихся в неволе, так и выпущенных в природу — привили новой ДНК-вакциной, чтобы предотвратить их массовую гибель.

Следующим летом в Северной Америке произошла крупнейшая в мировой истории вспышка так называемого менингоэнцефалита Западного Нила: 4156 случаев заражения вирусом Западного Нила, в том числе 2354 случая менингоэнцефалита

---

* Эпизоотия — широкое распространение заразной болезни животных, значительно превышающее уровень обычной заболеваемости на данной территории.

** При энзоотическом цикле циркуляции вируса животные являются основными хозяевами возбудителя инфекции, а передача вируса от больного хозяина к здоровому осуществляется специфическими переносчиками (например, насекомыми).

и 284 смерти. Сильнее всего пострадали Чикаго, штаты Луизиана и Миссисипи.

Тяжелые случаи поражения центральной нервной системы, как и раньше, наблюдались в основном в старшей возрастной группе, однако умеренные лихорадочные симптомы отмечались у многих пациентов младшего возраста. Неизвестно, почему эпидемия 2002 года стала такой мощной, но вот что любопытно: тем летом в нескольких областях США погодные условия были очень похожи на 1975 год, когда произошла крупная вспышка родственного флавивируса — вируса энцефалита Сент-Луис. Кроме того, появились новые способы передачи от человека к человеку, включая переливание крови и пересадку органов.

Так вирус Западного Нила прошел путь от диковинки почти до мировой пандемии.

Это наглядный пример того, что заболевание может куда угодно перемещаться и по-разному передаваться. Что еще хуже, никогда точно неизвестно, почему это происходит. Обычно у зараженных людей и большинства животных вируса в крови недостаточно, чтобы поддержать заболевание, поэтому либо полностью инфицированный комар пробрался из Израиля в США и кого-то укусил, либо тот же путь проделала гипотетическая зараженная птица. Кроме того, всегда остается вариант с торговлей экзотическими домашними животными и версия намеренного выпуска.

С 2002 года в пригородах и даже в городах стало модно держать кур — на «свободном выпасе», и чем больше у птичек свободы, тем лучше. Так вот, я хочу вам напомнить, что дикие птицы — естественный резервуар не только для вируса лихорадки Западного Нила, но и для вирусов гриппа. В Азии вероятность заражения намного выше, поскольку свободно пасущиеся утки и куры контактируют не только с дикими птицами, но и со свиньями и утками, которых содержат на заднем дворе. Однако даже в странах с высоким уровнем санитарии нужно сохранять бдительность и следить, чтобы любительская ферма не стала домашней фермой новых патогенов.

ЭБОЛА — РЕСТОН, 1996 ГОД

В Демократической Республике Конго продолжали происходить вспышки Эболы. Бывало, что их долгое время не выявляли, и они либо угасали незамеченными, либо распространялись до тех пор, пока игнорировать ситуацию становилось невозможно.

В 1996 году мы снова встретились с Эболой. У макак-крабоедов, импортированных из Филиппин для исследований и находившихся на карантинной базе в техасском городке Алис, произошла вспышка вируса Рестон. Обезьян поставила компания Ferlite — тот же импортер, который был вовлечен в первую вспышку в Рестоне в штате Вирджиния. После той вспышки филиппинский вирус стали называть по названию американского города вирусом Эбола — Рестон. Мы подозревали, что поставщик проигнорировал требование ввозить только выращенных в неволе животных и добавил в партию из шести особей одну дикую обезьяну с острова Минданао. В пользу нашей версии говорил тот факт, что заболевание эндемично для этого второго по величине острова Филиппинского архипелага — места обитания диких обезьян. Нас пригласили провести расследование, но это никак не прояснило ситуацию с источником заражения в США (не считая ряда положительных результатов у собак и других животных). Минданао контролировали партизаны-сепаратисты, поэтому возможности для средовых исследований там были ограниченны. Зато я узнал, что, во-первых, у макак чудовищные резцы и, когда вставляешь им в пах иглу для забора крови, обезьянья пасть находится всего в нескольких сантиметрах от тебя, а во-вторых, Эбола не такая страшная, как вирус герпеса В, который заражает всех этих обезьян и вызывает воспаление головного мозга со смертельным исходом.

Загадка вируса Эбола — Рестон раскрылась в 2008 году, когда к северу от столицы Филиппин Манилы, расположенной на крупнейшем в архипелаге острове Лусон, от очень тяжелой формы репродуктивно-респираторного синдрома начали массово умирать свиньи. Диагноз был подтвержден в США с помощью нового генного чипа, который — совершенно случайно и весьма неожиданно — показал, что свиньи заражены еще и вирусом Эбола. Экологическое расследование в районе пострадавших ферм выявило вирус Эбола — Рестон у летучих мышей. Вероятно, именно они стали причиной распространения вируса Эбола по территории Филиппин и источником заражения обезьян, которых отправили в США. Это подтверждает, что появления Эболы следует ожидать по всему ареалу летучих мышей, являющихся природным резервуаром вируса.

ПТИЧИЙ ГРИПП, 2002 ГОД

Можете мне не верить, но, когда птицы заболевают, у них появляются признаки депрессии, — по крайней мере, у кур и индеек все именно так. Еще они начинают кашлять и чихать, у них слезятся глаза, они теряют аппетит. От людей птицы отличаются тем, что у них (то есть у птиц) появляется отечность головы и, конечно, они начинают хуже нестись.

Шестого марта 2002 года, когда лихорадка Западного Нила набирала обороты для своего большого летнего турне, в Вирджинии, в небольшом городке Харрисонбург, расположенном в округе Рокингем, недалеко от границы с Западной Вирджинией, стадо племенных индеек перевели с одного участка на другой для принудительной линьки. Через несколько дней фермеры начали замечать у этих птиц, а также у птиц в других стадах, принадлежавших той же компании, симптомы гриппа.

Ветеринары взяли у птиц мазки из трахеи и отправили их в лаборатории Национальной ветеринарной службы в Эймсе. Двенадцатого марта был подтвержден диагноз: низкопатогенный птичий грипп H7N2. К счастью, он поражал только птиц, хотя некоторые виды птичьего гриппа вызывают болезнь и у человека — так, необычный штамм H5N1 заразил в 1997 году в Гонконге и птиц, и людей. Тем не менее легкость, с которой грипп может передаваться от человека к человеку, а следовательно, породить глобальную пандемию, заставляет специалистов по расследованию заболеваний держать руку на пульсе. Чтобы грипп H7N2 стал для человека смертельным, достаточно простой перетасовки генов, которые кодируют его оболочку. Но и без этого кошмарного сценария Вирджиния столкнулась с огромными проблемами. Погибшую птицу надо было убрать — а речь шла о пяти миллионах голов — и при этом не допустить заражения подземных вод.

Естественный хозяин для птичьего гриппа — водоплавающие и береговые птицы, однако вирус десятилетиями циркулирует среди домашней птицы, которая, вероятно, заражается от экскрементов диких пернатых. С 1994 года свой вклад в распространение вируса вносит и система торговли живой птицей — так было в случае нескольких вспышек в США.

Когда заражается домашняя птица, вирус распространяется и через дыхательные пути, и через пищеварительный тракт. Это позволяет инфекции очень успешно передаваться воздушно-капельным путем и с зараженными экскрементами, а также непрямым способом — при контакте с загрязненным инвентарем и предметами, испачканными птичьим пометом.

Грипп этого рода бывает двух разновидностей: низкопатогенный и высокопатогенный. Высокопатогенная форма крайне заразна, летальна и может вызывать внезапную, часто стопроцентную смертность домашней птицы. Низкопатогенные штаммы птичьего гриппа тоже бывают весьма заразными, но инфекция часто протекает субклинически*, и это позволяет вирусу незаметно распространяться долгое время. Беспокойство у специалистов вызывает то, что низкопатогенный вирус может эволюционировать в высокопатогенную форму.

Когда думаешь о заражении человека от птиц, обычно приходит в голову Азия. Но и в США куры и индейки, прежде чем доберутся до потребителя, иногда переходят из рук в руки до пяти раз — через розничные рынки, аукционы по продаже птицы, оптовых дилеров, фермерские стада. При этом каждый контакт повышает вероятность распространения инфекции посредством яиц, лотков с яйцами и другого оборудования.

Во время вспышки в Вирджинии вирус начали выявлять и на других фермах в округе Рокингем. Все они находились в радиусе трех километров друг от друга и были связаны между собой: один и тот же грузовик каждый день по кругу объезжал фермы, собирая мертвых птиц.

Молекулярные «отпечатки пальцев» показали, что этот штамм, в сущности, идентичен штамму, который циркулировал в течение последних восьми лет на рынках живой птицы на северо-востоке США, хотя прямой связи между этими случаями выявлено не было.

Двадцать первого марта вспышка произошла на ферме по выращиванию индеек, принадлежавшей другой компании и расположенной в 48 километрах к северу от индексной фермы (места, где предположительно возникла инфекция). Стало очевидно, что это уже не просто локальное событие. Через неделю положительный результат анализов на вирус был получен в 20 стадах.

Округ Рокингем расположен в долине Шенандоа в северо-западной части Вирджинии, между Голубым хребтом на востоке

---

* При субклинической форме развитие инфекционного процесса не сопровождается яркими клиническими проявлениями. *Прим. науч. ред.*

и горами Шенандоа на западе. Долина имеет от 30 до 50 километров в ширину и вытянута приблизительно на 160 километров с севера на юг.

В этом округе находится большинство птицеводческих ферм штата (950 из 1300 ферм). Округ занимает первое место в стране по производству индейки: ее выращивают 213 местных ферм, почти все — семейные, но связанные контрактами с крупными производителями птицы, например: с Pilgrim's Pride, Perdue Farms и Tyson Foods. Число птиц на конкретной ферме может варьировать: например, в случае с курами — от 8 до 25 тысяч голов, в случае с индейками — до 40 тысяч.

Во время вспышки H7N2 в долине Шенандоа действовало более тысячи птицеводческих ферм, а поголовье коммерческой птицы превышало 56 миллионов штук. На этих фермах насчитывалось почти 400 стад бройлеров и мясных индеек, 175 племенных стад бройлеров, 50 племенных стад индеек, а также 3 стада несушек. Идеальное место, чтобы устроить катастрофическое заражение домашней птицы.

Индустрия приносит экономике штата миллиарды долларов и обеспечивает более 12 тысяч рабочих мест. Из-за эпидемии гриппа 1983–1984 годов местные фермеры потеряли около двух миллионов птиц.

Весной 2002 года были все основания полагать, что экономический ущерб окажется сопоставимым. С точки зрения здравоохранения более важной проблемой — наряду с вопросом, куда девать всю эту массу птичьих трупов, — было научное понимание заболевания. Как оно передается от птицы к птице и с фермы на ферму? Что нужно сделать, чтобы остановить передачу?

К 12 апреля 2002 года инфицированными были признаны уже свыше 60 стад, и доктор Уильям Симс, ветеринар штата, отменил все выставки и публичную продажу пернатых и запретил посещать птицеводческие фермы, а также ввел в практику обязательное тестирование птицы перед убоем.

Фермеры, чьи стада оказались инфицированными, должны были организовать карантин, а птицеводческим компаниям, работавшим с этими фермерами, предписывалось в течение 24 часов уничтожить птицу. Однако вспышка уже достигла таких масштабов, что власти штата запросили помощь у Министерства сельского хозяйства США.

Четырнадцатого апреля была сформирована объединенная рабочая группа со штаб-квартирой в Харрисонбурге. Когда я вошел в тесную комнатушку (здешний конференц-зал) в маленьком одноэтажном здании, там уже сидели представители местных агентств, ответственных за сельское хозяйство и качество окружающей среды, а также представители департамента здравоохранения и множества федеральных ведомств, включая министерство сельского хозяйства и ветеринарный корпус. И что удивительно, там были люди из пяти крупных компаний, занимающихся домашней птицей.

Такого я еще не видел: лиса в буквальном смысле сторожила курятник. Это вызвало у меня определенное беспокойство. Если ты пришел поговорить о защите общественного здравоохранения — в данном случае конкретно о ветеринарном здравоохранении, — бизнес-интересы следует оставить за порогом. Естественное желание бизнеса защитить свои финансовые вложения должно уступить медицинской необходимости как можно быстрее подавить вспышку и заставить всех коммерческих партнеров действовать максимально честно и прозрачно.

— Вы просто еще один счетовод. Надеюсь, вы не будете меня ни о чем спрашивать, — по-дружески поприветствовал меня человек, отвечавший за эпидемиологию.

Департамент сельского хозяйства Вирджинии использовал свою структуру управления чрезвычайными ситуациями, чтобы привлечь к решению вопроса департамент здравоохранения, департамент транспорта и правоохранительные органы. Они также попросили министерство сельского хозяйства изучить антитела в крови пораженных птиц, провести тестирование на наличие нуклеиновых кислот и изолировать вирус. Служба здравоохранения США прислала своих эпидемиологов и сотрудников ветеринарной службы. А я был там потому, что... Наверное, потому, что — как бы там ни звучала официальная версия — им нужен был счетовод, или, точнее говоря, эксперт по системам данных и мониторингу заболеваний.

Поскольку необходимо было в том числе заблокировать зараженные фермы, к работе привлекли сотрудников правоохранительных органов. Фермеры могли начать сбрасывать умерших птиц в ближайший овраг или попытаться тайком вывезти кур и продать их на другую ферму. В Службе здравоохранения США нет своей правоохранительной компоненты, а у отдельного штата есть.

Чтобы разводить пернатых на коммерческой основе, придется в буквальном смысле заложить себя индустрии домашней птицы. Дело и в предварительных расходах, и в том, что отрасль выработала бизнес-модель, которая позволяет ей оградить себя от ответственности за свои действия. Скажем, ферма имеет примерно тысячу кур в секции, в птичнике — от семи до восьми тысяч кур. Фермер должен вложить в строительство такого птичника — металлического здания с кондиционированием — примерно 150 тысяч долларов. Именно на этом этапе приходится в буквальном смысле себя закладывать — обычно на 15 лет, — и все финансовые риски будет нести только фермер.

Когда птичники готовы, компании, которые занимаются птицей, начинают присылать тебе кур или индеек. При этом птички остаются в собственности компании. Водители, которые доставляют пернатых, также работают в крупных птицеводческих компаниях. Куры вырастают всего за шесть недель — потом их надо отправить обратно в компанию на убой. Фермерам платят за вес и премируют, если птица более здорова, чем в среднем. Несколько недель спустя прибывает новая партия курочек. За год получается шесть-семь партий. Если куры умрут, вероятнее всего, это произойдет в первую же неделю.

Спихивая всю возможную ответственность на фермеров, крупные компании, работающие в отрасли, пытаются избежать не только убытков, но и политического давления. Если произошла вспышка птичьего гриппа — что ж, виноват старый добрый фермер Джонс, а не бездушный сельскохозяйственный бизнес, хотя очень может быть, что именно грузовики птицеводческой компании развезли болезнь по фермам. И даже если куры у фермера Джонса сдохнут, ему все равно придется первого числа платить по закладной. (И кстати, если вам не нравится, что куриные отходы уничтожают Чесапикский залив или загрязняют подземные воды поблизости, все вопросы к старому доброму Джонсу.)

Куры приходят и уходят. Когда они уходят, нужно вычистить птичник, а затем все начнется сначала. С индейками немного другая ситуация. Они обычно находятся на ферме примерно четыре-пять месяцев, но некоторых отправляют раньше и заменяют новыми, а другим индейкам дают больше времени, чтобы как следует их откормить.

И в том и в другом случае, если начинается распространение заразы и мор, птиц нужно уничтожить. А что потом? Здесь выходят на первый план вопросы денежных компенсаций, а также уровня грунтовых вод и качества воздуха.

Губернатор штата Марк Уорнер и делегация конгресса Вирджинии попросили министра сельского хозяйства США Энн Венеман запустить федеральную программу возмещения ущерба за уничтожаемую птицу. Собственность птицеводческих компаний пострадала вовсе не по вине правительства страны — птиц нужно было уничтожить просто потому, что они были больны и заразны. Однако министерство согласилось выплатить производителям около 37 миллионов долларов — сумму, эквивалентную рыночной стоимости подлежавших уничтожению стад, а также компенсировать затраты на удаление трупов птиц и очистку помещений и территории. Думаю, это была плата за сотрудничество и желание птицеводческих компаний делать правильные вещи со своими стадами, а также своеобразная поддержка отрасли. Интересно, если бы властям всегда приходилось возмещать убытки семьям, сообществам и корпорациям, затронутым какой-либо вспышкой, нашу работу по контролю и профилактике заболеваний финансировали бы лучше?

На Ближнем Востоке мы беспокоились из-за того, что производители мяса относились к гастарбайтерам как к расходному материалу. В Вирджинии беспокойство вызывало то, что компании начнут скрывать случаи гибели пернатых и будут избавляться от мертвой птицы так, как им заблагорассудится.

Конечно, в заботе о фермерах нет ничего предосудительного. Но как найти баланс между разумным удовлетворением требований охраны общественного здоровья и экономических потребностей сообщества и потаканием индустрии, которая держит общество в заложниках и, по сути, говорит: «Выкладывайте деньги, иначе мы не будем вести себя должным образом»? Программа возмещения убытков была купленным сотрудничеством, причем отнюдь не дешевым.

Двадцать второго мая наша рабочая группа приступила к надзорной деятельности. Мы должны были раз в неделю тестировать мертвую птицу на всех фермах, раз в две недели все племенные стада, а также проводить тестирование перед перемещением пернатых.

Одной из наших самых успешных методик стал «надзор с помощью бочки». Мы обязали сотрудников каждой фермы раз в неделю помещать в опломбированную бочку по 10 птиц из каждого птичника. Бочку следовало герметично закрыть и поставить у въезда на ферму. Затем мы объезжали фермы, собирали эти бочки и брали у птиц мазки из трахеи для лабораторного тестирования. Так нам удалось достигнуть стопроцентного охвата всех коммерческих стад, не нарушая процедуры биологической безопасности на фермах.

Я должен был подсчитать всех умерших на фермах и в птичниках кур и индеек, собрать данные и сопоставить их с результатами лабораторных анализов. Полученные сведения я передавал нашей команде. Легче легкого, правда? Эта занудная работа была нужна, чтобы понять, как развиваются события. Где наблюдается заболевание? Как оно распространяется? Как изменить стратегии профилактики, чтобы исправить ситуацию?

Для обеспечения работы системы «надзора с помощью бочки», анализа эффективности стратегий профилактики и поиска путей их совершенствования я взял в прокате машину и несколько недель колесил по долине Шенандоа.

Я болтал с рабочими на фермах, советовал им, как защитить себя и свои стада. Я старался сделать так, чтобы данные собирались надлежащим образом, однако отчеты были в основном ситуативные, и качество базы данных, которую мы составляли на их основе, оставляло желать лучшего. У нас было восемь основных бланков: сводный бланк по расследованию, бланк обследования стада, вопросник для контроля случаев, бланк подачи образцов и бланк с примером заполнения, бланк лабораторного тестирования, а также лист отслеживания происхождения птицы и отчет об эвтаназии. Кроме того, были бланки очистки и дезинфекции, лист инфекционного контроля, карта прививок и бланк оценки. Все эти бланки разработали специально для данного расследования.

По возвращении в штаб-квартиру я объединял все эти данные так, чтобы они были информативны для рабочей группы. Нам необходимо было разобраться, какие действия до вспышки могли привести к распространению заболевания и как люди ведут себя в текущий момент. Я анализировал собранные данные: местонахождение ферм по GPS, отрицательные и положительные результаты анализов, дату появления инфекции и продолжительность пребывания инфицированных птиц на ферме. Я фиксировал, какая компания поставила птиц, индейки это или куры, а также записывал их возраст, плотность стада, число птичников. Нужно было посмотреть, сколько людей и грузовиков перемещается внутри ферм и между ними. Эти данные представляли для нас особый интерес, так как мы полагали, что машины могут подцепить заразу во время рейса. И еще один крайне важный вопрос: как на фермах избавляются от мертвых и умирающих птиц?

Согласно принятому требованию фермеры должны были немедленно сообщать о каждом факте захоронения мертвой птицы на своей территории и указывать точное расположение могильника. Кроме того, необходимо было организовать продолжительный мониторинг колодцев на предмет заражения воды. Разумеется, такие требования воспринимались в отрасли с недовольством.

Простое компостирование погибшей птицы признали неподходящим вариантом, так как весь процесс занимал около восьми недель и на этот период ферму приходилось полностью закрывать. Тогда птицу попробовали сжигать за пределами ферм: опломбированные, герметично закрытые грузовики забирали ее и по пути усыпляли углекислым газом (даже угарный газ не нужен — достаточно лишить птичек доступа кислорода, и дело сделано). Однако этот метод оказался непомерно дорогим, а еще было много дыма, и повсюду распространялся отвратительный запах.

Наконец мы нашли отличный способ утилизации — с помощью простых сельскохозяйственных мешков. Кладешь мертвую птицу в мешок, вывозишь на огромную свалку за пределами фермы, подальше от глаз, и компостируешь. Это требовало определенных трудозатрат, но выхода не было. При этом нужно было следить, чтобы транспортные средства опрыскивали дезинфицирующей жидкостью при въезде на ферму и при выезде с нее.

Последний положительный случай был отмечен в Вирджинии 2 июля, спустя четыре месяца после первого диагноза, а 9 октября с последней зараженной фермы сняли карантин. Эпидемия поразила 197 стад — примерно 20 процентов всех коммерческих птицеферм в этом регионе. Чтобы сдержать вспышку, из 56 миллионов птиц, находившихся в группе риска, было уничтожено почти 4 миллиона 700 тысяч голов, или 8,4 процента. По некоторым оценкам вспышка обошлась отрасли в 120 миллионов долларов.

К счастью, за все время заболел только один работник птицефермы — у него были легкие респираторные симптомы. В крови заболевшего обнаружили небольшое количество антител, но сам вирус не нашли, так что доказать, заразился он от больных птиц на ферме или до этого, было невозможно.

Однако наше беспокойство по поводу птичьего гриппа отнюдь не закончилось.

В 2003 году меня, как исполняющего обязанности заместителя директора Центров по контролю и профилактике заболеваний по глобальному здравоохранению, попросили, чтобы наши полевые команды оценили, насколько Европа готова к борьбе со вспышкой H5N1. Нам предстояло определить, как усовершенствовать надзор, способы выявления заболеваний и лабораторные системы.

В Европе очень нервничали — заболевание человека, связанное с этим штаммом птичьего гриппа, появилось впервые со времен гонконгской вспышки 1997 года. Летальность у заразившихся была очень высокой. Например, семья из трех человек ездила в провинцию Фуцзянь в Китайской Народной Республике и подхватила вирус. Двое из них умерли.

Из-за расхождений в отчетах было не вполне ясно, что происходит, но к середине года вспышки этого заболевания у домашней птицы отмечались по всей Азии, хотя этому и не придали тогда значения. В декабре в одном из зоопарков Таиланда умерли животные, которых накормили зараженными куриными тушками. Вскоре после этого инфекция была выявлена в трех стаях птиц в Южной Корее. Я узнал все о птичьих маршрутах и о том, как пути миграции влияют на передачу вируса между континентами.

H5N1 быстро мутирует — это высокопатогенный штамм птичьего гриппа, который продолжает эволюционировать, меняя свои антигенные свойства, расположение генов и расширяя спектр хозяев (хозяевами этого штамма считаются лебеди, сороки, утки, гуси, голуби и орлы, а также куры и индейки на фермах). Антигенный дрейф очень быстро привел к появлению высокопатогенных вариантов, от которых был низкий перекрестный иммунитет.

Азиатский вирус H5N1 был впервые выявлен в 1996 году в китайской провинции Гуандун, где от него погибли гуси. Вирус не привлекал особого внимания до тех пор, пока на следующий год не перешел на людей через гонконгские рынки домашней птицы — заразились 18 человек, шесть из них умерли.

В течение восьми последовавших лет вирус в основном ограничивался Юго-Восточной Азией. К 2005 году он охватил больше половины городов и провинций Вьетнама и погубил почти 1 миллион 200 тысяч особей домашней птицы. Считается, что всего погибло около 140 миллионов пернатых, включая дикие виды.

По путям миграции диких птиц мор распространился из озера Цинхай в Центральном Китае в Казахстан, Монголию и Россию, а оттуда в Турцию, Румынию, Хорватию и Кувейт.

Эта вспышка птичьего гриппа прославилась настолько, что дважды попала на обложку журнала Time — в 2004 и в 2005 годах. Кроме того, она заметно повысила глобальную готовность к гриппу. Она также вызвала напряженные дискуссии о распространении вирусов в международном масштабе и о том, как обеспечить доступность новых мер противодействия (например, разработанных вакцин) для изначально зараженных популяций.

К 2006 году заболевание стало панзоотией (пандемией среди животных) и охватило Индию и Северную Африку. Больше всего птиц умерло в Камбодже, Китае, Лаосе, Нигерии, Таиланде, Египте, Судане, Южной Корее, Вьетнаме и Индонезии. В Индонезии произошла также вспышка среди людей — 55 случаев, в том числе восемь умерших членов одной семьи на Суматре. ВОЗ сообщила, что, по всей видимости, это первый отмеченный случай ограниченной передачи вируса от человека к человеку.

В 2008 году в центре китайской провинции Хунань умер двадцатидвухлетний мужчина. В феврале умер школьный учитель из Северного Вьетнама, еще трое человек скончались в Китае. Через месяц умерла женщина из Египта. Тем летом вирус обнаружили у птиц на рынке в Гонконге. Было введено правило, согласно которому живые куры, не проданные до восьми часов вечера, подлежали умерщвлению.

В 2014 году от вируса H5N1 умер житель канадской провинции Альберта, который вернулся из Пекина. Это был первый известный случай смерти от птичьего гриппа H5N1 в Северной Америке.

С 2003 года птичьим гриппом H5N1 заразились 638 человек, 379 из них скончались. Подавляющее большинство случаев произошло в Египте, Индонезии и Вьетнаме.

Звучит невероятно, но в 2011 году ученые из Висконсинского университета и Университета имени Эразма Роттердамского провели очень похожие эксперименты: путем генетического инжиниринга они сделали этот смертельный вирус более заразным для человека и улучшили его способность передаваться воздушно-капельным путем. Несмотря на исключительно благородную цель — выявить у этих зоонозных вирусов критически важные генетические маркеры, которые могут стать предпосылками возникновения пандемии среди людей, — угроза для человеческого здоровья была налицо.

По крайней мере, следовало установить более строгие правила проведения подобных экспериментов и обеспечить надлежащий контроль, прежде чем позволять ученым публиковать в медицинской литературе «инструкцию» по созданию опасного вируса, который способен убить половину населения планеты.

* * *

В 2015 году возник другой высокопатогенный штамм H5N2, вызвавший массовую гибель домашней птицы на американском Среднем Западе и повсеместный взлет цен на яйца. Вспышка началась с вируса H5N8 в Азии. Он поменялся генами с североамериканскими вирусами гриппа и быстро распространился среди диких птиц по путям миграции. Пострадали производители кур и индеек из 15 штатов. Встал вопрос о пересмотре всей концепции промышленного фермерства. Крупные игроки отрасли, в том числе Tyson Foods и Cargill, повысили меры безопасности: трехметровая ограда по периметру ферм, обязательный душ для рабочих в начале и в конце рабочего дня, мытье грузовиков. В Миннесоте на помощь позвали даже Национальную гвардию.

В пострадавших штатах уничтожили 48 миллионов птиц, в том числе почти 30 миллионов в Айове, которая была крупнейшим в США производителем яиц. Устранение всех последствий обошлось в миллиард долларов — по счетам заплатили американские налогоплательщики. Надеюсь, теперь понятно, почему я занимаюсь профилактикой: починить дверь в конюшню гораздо дешевле, чем ловить разбежавшихся лошадей.

Миллионов кур и индеек, погубленных на американском Среднем Западе, вирусу H5N2 оказалось мало. Он поразил Францию — крупнейшего европейского производителя домашней птицы.

ЛИХОРАДКА РИФТ-ВАЛЛИ

Лихорадка Рифт-Валли — или лихорадка долины Рифт — еще одно заболевание, переносчиками которого являются комары и которое веками оставалось привязано к определенной географической области, а потом начало путешествовать по миру.

Эта болезнь похожа на описанную в Библии пятую казнь египетскую, но возникает каждые несколько лет в подходящих климатических условиях. Она вызывает выкидыши и падёж домашнего скота — лежащие на полях и по обочинам дорог мертвые животные действительно напоминают библейские картины. Болеют и пастухи, хотя и не так часто. У них возникает воспаление головного мозга, воспаление глаз, слепота и геморрагическая лихорадка.

В 1998 году в Восточной Африке я удостоился большой чести — работать с народом масаи. Эти высокие, гордые воины живут на юге Кении и в северной части Танзании и пьют коровью кровь (не самая удачная идея, если кровь заражена лихорадкой Рифт-Валли). Мы путешествовали по национальному парку Серенгети и брали кровь у животных и у людей, чтобы оценить масштаб заболевания. Когда дети масаи собирались вокруг нас и наблюдали за процессом, мы говорили им, что эти трубочки с кровью мы увезем с собой, чтобы было чем перекусить в полночь.

Лихорадка долины Рифт, много веков встречавшаяся только в Тропической Африке, в 1977–1978 годах совершила прыжок в Египет и заразила около 200 тысяч человек.

В 2000 году вирус снова отправился в путь и нашел себе подходящих переносчиков в Тихаме — эта пустынная равнина на побережье Красного моря в южной части Аравийского полуострова простирается до Йемена. Сначала болезнь ошибочно приняли за желтую лихорадку, и мы оказались в гуще обычных политических противоречий между теми, кто отвечает за здоровье людей, и теми, кто отвечает за здоровье животных.

Прошло несколько месяцев, прежде чем мы совместно с ВОЗ и министерством здравоохранения сумели взять вспышку под контроль. На прощание министр здравоохранения подарил мне настоящий меч палача. (Правда, из плексигласа.)

Есть еще ряд передаваемых комарами заболеваний, которые в XXI веке резко расширили свой ареал: это денге, чикунгунья (вызывает артрит с лихорадкой) и болезнь, вызванная вирусом Зика (инфекция со слабо выраженными симптомами, которая, поражая беременных, может приводить к рождению детей с микроцефалией — эта аномалия развития характеризуется уменьшением размеров головного мозга и обычно сопровождается умственной отсталостью).

Переносить заболевание на новое место могут грызуны, птицы, летучие мыши, комары, клещи и другие животные. Микробу очень удобно иметь в своем распоряжении мобильный резервуар или переносчика. Бывает, что и люди привозят микроорганизмы на новое место. И тогда последние разворачивают свою деятельность среди местных насекомых и других животных. Паспорт для таких путешествий не требуется. Вот почему для защиты от множества новых заболеваний необходим глобальный подход. Даже если все решается на местном уровне, усилия в области здравоохранения должны быть общемировыми.

ПРЯМО ИЗ ОТЕЛЯ «МЕТРОПОЛЬ»

Зеленые волны, лазурные горы —
Все это ничто, все пустое, поверь.
Ведь врач Хуа То был не в силах (о горе!)
Убить очень маленьких мерзких червей!

И сёла пустели, травой зарастая:
Дворы вымирали один за другим.
А демоны песни свои распевали:
Смерть тысяч людей была радостна им.

Сижу неподвижно, но вместе с Землею
Я восемь десятков тыщ ли прохожу,
Блуждаю по небу и вижу, не скрою,
Путь Млечный вдали, я его узнаю.

Звезда Альтаир задает мне вопросы,
Ей хочется знать все о боге чумы,
Она разделяет все наши заботы,
И горе и радость ей сверху видны.

МАО ЦЗЭДУН.
Прощай, бог чумы!*

Расследовать вспышку — все равно что собирать мозаику. Или даже десятки перемешанных мозаик. Какие-то детали можно поместить во множество мест. Каких-то деталей

---

* Цит. по: *Цзэдун М.* Облака в снегу : стихотворения в переводах Александра Панцова. М. : Вече, 2010. С. 70.

не хватает. Иногда приходится складывать картинку, которую ты никогда раньше не видел. А на кону стоят жизни людей. Они будут болеть и умирать, пока ты не справишься с задачей. Удачи — часы тикают.

Согласно официальной версии вспышка тяжелого острого респираторного синдрома, который пронесся по Азии и затронул Северную Америку, началась со случая в китайской провинции Гуандун. В ноябре 2002 года в Первую народную больницу Фошаня поступил больной крестьянин, который вскоре скончался.

Первые признаки связи этой смерти с какой-то более крупной тенденцией появились в тот же месяц, когда канадская Глобальная информационная сеть общественного здравоохранения — система интернет-мониторинга, входящая в состав Глобальной сети оповещения о вспышках болезней и ответных действий при ВОЗ, — обнаружила в гуандунских новостях сообщения о вспышке «необычной болезни дыхательных путей». Эту информацию отправили в ВОЗ, но текст был на китайском языке — в переводе имелся лишь небольшой фрагмент. Английская версия сообщений появится только в конце января, и даже тогда «необычную» вспышку продолжали считать рядовым случаем — каждый день из этой страны с населением почти полтора миллиарда человек поступает не одно предупреждение.

Нельзя сказать, что власти Китая горели желанием сотрудничать с нами. Согласно местному закону о профилактике и лечении инфекционных заболеваний любая такая болезнь являлась государственной тайной до тех пор, пока о ней не «объявит министерство здравоохранения или уполномоченные министерством органы». Таким образом, информация, по сути, замалчивалась. Но еще хуже было то, что власти страны не сумели оценить размеры вспышки и провести тщательное расследование.

Лишь 10 февраля Китай раскрыл карты и сообщил в ВОЗ, что в стране зарегистрировано 305 случаев заболевания (в том числе 105 случаев среди медицинских работников) и пять случаев смерти от атипичной пневмонии — предположительно той самой загадочной болезни. Однако никто не мог подтвердить эту информацию, поскольку не было ясно, с чем конкретно мы имеем дело.

В начале февраля из Гуанчжоу* начали поступать СМС-сообщения о «смертельном гриппе». Пытаясь погасить панику, местные СМИ признали существование заболевания и перечислили рекомендуемые «меры профилактики», например проводить дезинфекцию воздуха парами уксуса. Граждане моментально смели с полок аптек антибиотики, противогриппозные средства и уксус.

Позже чиновники заявили, что вспышка в Гуанчжоу достигла пика, но оказалось, что они выдают желаемое за действительное. По их мнению, заболевание было обычной незначительной инфекцией — чем-то банальным вроде заражения микоплазмами**. Вскоре появятся сообщения еще о 806 зараженных и 34 смертях. Пройдет много времени, прежде чем эту вспышку свяжут с надвигавшейся бурей.

Девятнадцатого февраля появилась информация о кластере птичьего гриппа H5N1 в Гонконге. Вирус был изолирован у девятилетнего мальчика, отец и сестра которого умерли по неизвестным причинам. Эти случаи заслуживали пристального внимания, поскольку представляли собой заражение зоонозным вирусом, но не были связаны с более крупной вспышкой. Медицинское сообщество пришло к заключению, что разгорается новая пандемия гриппа.

Двадцать первого февраля в Гонконг на свадьбу племянника приехал врач Лю Цзяньлунь, 64 лет, работавший с заболевшими в провинции Гуандун. Он обратился в кабинет неотложной

---

* Город в Южном Китае, административный центр провинции Гуандун.
** Микоплазмы — микроорганизмы, обладающие признаками, свойственными бактериям и вирусам; некоторые виды являются возбудителями заболеваний дыхательной и мочеполовой систем.

помощи гостиницы «Метрополь». Симптомы респираторного заболевания отмечались у него на протяжении недели, но он чувствовал себя достаточно хорошо для поездки. Вместе с шурином они ходили по магазинам и осматривали достопримечательности. Двадцать второго февраля Лю Цзяньлунь поступил в больницу Куон Ва и был направлен в отделение интенсивной терапии. Врачам он сообщил, что, вероятно, заразился болезнью, которую лечил в Гуандуне, и, скорее всего, не выживет.

На следующий день Джонни Чэнь, сорокасемилетний американский бизнесмен китайского происхождения из Шанхая, покинул свой гостиничный номер, располагавшийся напротив номера доктора Лю на девятом этаже «Метрополя», и отправился в Шанхай и Макао, а затем сел в самолет и улетел во Вьетнам. Двадцать шестого февраля он заболел и поступил во Французскую больницу в Ханое. Мистером Чэнем занялся доктор Карло Урбани, специалист по инфекционным заболеваниям и сотрудник ВОЗ. Он был первым, кто понял, что это не грипп и не простая пневмония, а что-то новое. Доктор Урбани сообщил о необычном респираторном заболевании в ВОЗ и убедил вьетнамских чиновников начать проведение скрининга авиапассажиров.

Тем временем в больнице принца Уэльского в Гонконге стали появляться пациенты — многие из них были медицинскими работниками — с аналогичными симптомами: одышка, лихорадка, изменения на рентгенограмме грудной клетки. Их легкие были заполнены жидкостью, из-за чего воздух не мог поступать в альвеолы — маленькие мешочки, где происходит обмен кислорода воздуха на углекислый газ крови.

Ситуация осложнялась тем, что новая болезнь существенно отличалась от большинства известных нам серьезных заболеваний, таких, например, как Эбола, где инфекция очевидна с первого взгляда, и для распространения нового вируса не требовался близкий контакт. Жертвы занимались своими делами, селились в гостиницах, как Лю Цзяньлунь, летали международными авиарейсами, как Джонни Чэнь. Симптомов еще не было, а люди уже становились носителями вируса и передавали его другим. В результате кластеры начали появляться по всей Азии. Заболевшие люди страдали от лихорадки, сухого кашля и мышечных болей; кроме того, в их крови отмечалось снижение уровня тромбоцитов и лейкоцитов*. Затем начиналась двусторонняя пневмония.

Тяжесть симптомов и заражение больничного персонала встревожили международные медицинские организации, опасавшиеся эпидемии новой пневмонии, но по-прежнему не было ясно, связаны ли эти случаи между собой.

К тому времени в четырех больницах Гонконга находились уже 53 пациента с новой инфекцией, из них 37 человек с пневмонией. Заболевшие принимали рибавирин (противовирусный препарат) и гормоны, однако вторичная передача среди медицинских работников, членов семей и других посетителей не прекратилась. Начали поговаривать, что случаи появляются в Сингапуре, на Тайване и даже в далеком канадском Торонто.

Неделю спустя Джонни Чэня, уже подключенного к аппарату искусственной вентиляции легких, эвакуировали в Гонконг. Пока он лечился в Ханое, у семерых сотрудников больницы, которые за ним ухаживали, появились симптомы. Заразились как минимум 38 медиков.

Первого марта в гонконгскую больницу Куон Ва поступил пятидесятитрехлетний шурин доктора Лю Цзяньлуня. В тот же день домой на Тайвань вернулся бизнесмен, посещавший Гонконг и провинцию Гуандун. С собой он привез вирус.

---

* Тромбоциты играют ключевую роль в процессе свертывания крови, низкий уровень тромбоцитов повышает риск кровотечения. Основная функция лейкоцитов — борьба с инфекциями и повреждением тканей. Лейкоциты участвуют в иммунной защите организма, поэтому снижение их уровня ослабляет защиту.

Четвертого марта умер доктор Лю — нулевой пациент, через которого болезнь попала из провинции Гуандун в Гонконг. В тот же день в больницу принца Уэльского поступил двадцатисемилетний мужчина, который проживал на девятом этаже гостиницы «Метрополь» одновременно с доктором Лю. Пока он находился на лечении, заразились как минимум 99 больничных работников, в том числе 17 студентов-медиков.

Но, по всей видимости, даже после этого персонал больницы пренебрегал простейшими мерами предосторожности — надевать маску и постоянно мыть руки.

Одиннадцатого марта доктор Карло Урбани, специалист ВОЗ по инфекционным заболеваниям, который первым идентифицировал этот возбудитель как что-то новое, отправился на медицинскую конференцию в Бангкок. Он почувствовал себя неважно, поэтому сразу предупредил встречавшего его товарища, чтобы тот не дотрагивался до него, и попросил вызвать скорую помощь. Доктора Урбани доставили в больницу. Его изолировали в отделении интенсивной терапии, где им занялся доктор Скотт Дауэлл из Центров по контролю и профилактике заболеваний, руководитель местной программы новых инфекций. Доктор Дауэлл собрал крайне важные образцы биоматериала — мазок из носоглотки, кровь и сыворотку крови — и отправил их в штаб-квартиру Центров по контролю и профилактике заболеваний.

Двенадцатого марта ВОЗ издала глобальное предупреждение. Некоторое время спустя сообщения об аналогичных вспышках начнут приходить из Торонто, Оттавы, Сан-Франциско, Улан-Батора, Манилы и Сингапура, а также со всего Китая — из провинций Цзилинь, Хэбэй, Хубэй, Шаньси, Цзянсу, Шэньси, из города Тяньцзинь и из Внутренней Монголии.

В тот же день в Атланте Центры по контролю и профилактике заболеваний опубликовали собственное медицинское предупреждение, и Нэнси Кокс, руководитель группы, занимавшейся гриппом, захотела со мной побеседовать. Чиновники из Гонконга и ВОЗ обратились к ней по поводу ранее изолированного вируса H5N1, связанного с двумя смертями в Гонконге. Дело в том, что, когда врачи видят пациента с заразным заболеванием с симптомами вроде лихорадки и тяжелых респираторных проявлений, они часто думают, что это простой грипп. Доктор Кокс была одной из моих первых наставниц и знала, что я люблю рыться в эпидемиологии необычных случаев.

Она ввела меня в курс дела, рассказала о докторе Лю и других возможных случаях и кластерах. Безусловно, мы предполагали, что все эти события как-то связаны между собой, но без лабораторного диагноза у нас были только очень больные люди с быстро развивавшейся дыхательной недостаточностью, которые ездили в Китай и, возможно, уже умерли.

Тринадцатого марта скончался Джонни Чэнь — мужчина, который жил в номере напротив доктора Лю и позже лечился у доктора Урбани в Ханое. Две недели спустя в Бангкоке умрет и сам доктор Урбани. Болезнь подхватили еще семеро постояльцев с девятого этажа, всего же в гостинице «Метрополь» инфицированными оказались 16 человек. Выяснилось, что к доктору Лю восходит примерно 80 процентов случаев в Гонконге, — это идеальный пример сверхраспространителя (я говорил об этом явлении в контексте Эболы).

Четырнадцатого марта мы узнали о кластере из 13 пассажиров рейса 112, которые летели самолетом авиакомпании Air China из Гонконга в Пекин. После этого появится столько вспышек на самолетах и так много зараженных членов экипажей, что возникнет даже угроза прекращения авиационного сообщения. На следующий день доктор Дэвид Хейман из ВОЗ выпустил особую рекомендацию по поездкам, которая призывала к глобальной реакции и уведомляла отдельные страны, что им следует проявлять бо́льшую прозрачность в отношении того, что происходит на их территории. Это было смелое и крайне важное решение. Вероятно, именно принятые меры не позволили заболеванию закрепиться в широких слоях общества за пределами больниц.

Доктор Хейман дал загадочной болезни имя — тяжелый острый респираторный синдром (SARS*) — и объявил ее «всемирной угрозой здоровью населения».

Через два дня пришел отчет из Французской больницы в Ханое: зарегистрирован 31 пациент с новым заболеванием, трое находятся на аппаратах искусственной вентиляции легких, один человек умер. Ханойская больница Бать Мая сообщила о 12 пациентах и одном умершем. Пациентов, подключенных к аппаратам искусственной вентиляции легких, там не было. Вспышка в этой больнице несколько отличалась, поскольку у многих зараженных наблюдалось улучшение состояния после терапии антибиотиками и гормонами. Однако здесь нет ничего необычного. В хаосе, который неизменно сопровождает вспышку неизвестной болезни, можно услышать о всевозможных необъяснимых случаях и смертях.

В Центрах по контролю и профилактике заболеваний мы постоянно пытаемся понять: почему одних болезнь убивает, а другие выздоравливают? Можно ли вообще сказать, что это случаи одной и той же болезни? Кто те люди, которые становятся сверхраспространителями? Почему именно они, а не кто-то еще?

Клинические характеристики говорят не так много, поэтому до поступления результатов лабораторных анализов мы точно не знаем, с чем имеем дело. Лихорадка, головная боль, гриппоподобные симптомы — тысячи людей по всему миру каждый день испытывают подобные проявления, при этом большинство из них не умирает внезапно и не передает заболевание тем, кто за ними ухаживает.

---

* Аббревиатура от англ. severe acute respiratory syndrome.

Шестнадцатого марта в нашем Центре по управлению чрезвычайными ситуациями в Атланте мы провели совещание с доктором Джулией Гербердинг. Джулия была тогда директором Центров по контролю и профилактике заболеваний. Таинственная болезнь приближалась к США. В Канаде уже заболел один медицинский работник: у него была лихорадка и кашель, хотя рентген грудной клетки нарушений не выявил. Еще один пациент с подозрением на новую инфекцию был госпитализирован в Вирджиния-Бич в штате Вирджиния после поездки в Гонконг и Малайзию.

Момент, когда вспышка достигает США, часто становится отправной точкой распространения паники. Нельзя сказать, что американцев не интересует происходящее в других странах и заботит исключительно собственное здоровье. Скорее это определенный сигнал: если болезнь сумела пройти столько защитных мер, она наверняка очень серьезная.

Правда заключается в том, что методы контроля инфекций, которые применяют в США, не лучше тех, что действуют в хороших больницах Гонконга, Китая, Вьетнама, Сингапура или Канады. Америке просто повезло, что сверхраспространитель не попал в какую-нибудь американскую больницу. В США по-прежнему бывают случаи заражения в медицинских учреждениях из-за того, что сотрудники повторно используют инфицированные медикаменты, или от многократного применения должным образом не продезинфицированных эндоскопов. В этом отношении Америка столь же уязвима, как и большинство примитивных африканских больниц. Полученное в таких условиях заражение крови, мочевыводящих путей, хирургических ран или легких может выглядеть не так ужасно, как SARS или Эбола, но от этого тоже умирают.

К счастью, после сообщения о предполагаемом случае в Вирджинии последовало всего 12 телефонных звонков, — значит, ситуация еще не вышла из-под контроля.

На следующее утро мы встретились в Вирджинии с представителями департаментов здравоохранения города, округа и штата, однако реагировать следовало на общенациональном уровне, и нам необходимо было собрать команду для содействия расследованию. Кто в нее должен войти? Кого назначить руководителем? Требовалось вычислить все случаи и контакты и свести данные в таблицу, опубликовать определения (чтобы врачи могли выявлять подозрительные случаи), разработать лабораторные тесты, как только будет найден возбудитель, а затем разослать эту информацию по всей стране через сеть лабораторного реагирования. Затем Центры по контролю и профилактике заболеваний издадут десятки инструкций о возможном лечении, мерах профилактики в больницах, процедурах скрининга в аэропортах. Но не менее тяжелая работа шла и на местном уровне, где инструкции превращались в детально проработанную политику и практику, призванные защитить местное население.

* * *

Семнадцатого марта была создана международная сеть из 11 ведущих лабораторий для определения причины вспышек и разработки методов лечения болезни. Представители Центров по контролю и профилактике заболеваний провели первый брифинг и заявили, что в США в данный момент расследуется 14 подозрительных случаев.

На следующий день мы провели селекторное совещание с лабораториями и узнали новые сведения о человеке, который стал источником глобальной тревоги. Это был врач, который лечил пациента в Сингапуре. Он поехал в США на конференцию, там заболел, но его все равно допустили на борт самолета. Он вылетел в Германию, где его госпитализировали и поместили в изолированный бокс. В Марбурге у него взяли образцы биоматериала и уже провели некоторые исследования с применением электронного микроскопа. Немецкие специалисты предположили, что это может быть парагрипп — болезнь, вызванная семейством близких к гриппу вирусов.

В нашем распоряжении был образец, взятый у доктора Урбани, — его прислал из Бангкока Скотт Дауэлл, — и один мазок из зева дал положительный результат на пикорнавирус, вызывающий кишечную инфекцию. Мы продолжали проверять: риновирус, генипавирус, парамиксовирус, хламидии, микоплазмы, легионелла, респираторно-синцитиальный вирус, вирус герпеса, различные виды гриппа, риккетсии, геморрагические лихорадки, вирус Эпштейна — Барр и тому подобное... Чтобы хоть как-то сузить круг поиска, можно было сосредоточиться только на умерших пациентах. Но и это не очень-то помогало.

К вечеру наша лаборатория исключила вирус Эпштейна — Барр и массу других инфекций, однако затем из Торонто поступили новые образцы, и все началось сначала.

Далее 20 марта ВОЗ сообщила, что в нескольких вьетнамских и гонконгских больницах осталась лишь половина персонала, так как многие сотрудники боятся заразиться и не покидают свои дома. Организация выразила беспокойство, что недостаточно качественный уход за уже заболевшими людьми может способствовать распространению эпидемии.

К тому моменту выяснилось, что у четырех тайваньцев, которых мы считали заразившимися 14 марта во время рейса 112 авиакомпании Air China, симптомы проявились в период пребывания в Пекине. Они уже вернулись на Тайвань, и теперь власти Гонконга искали пассажиров и экипаж, которые летели с ними 21 марта рейсом 111 авиакомпании Air China из Пекина в Гонконг и рейсом 510 авиакомпании Cathay Pacific из Гонконга в Тайбэй.

Наша лабораторная команда пришла к выводу, что можно попробовать выделить из образцов вирусную частицу и применить полимеразную цепную реакцию (ПЦР) — метод молекулярной биологии. Одна или несколько копий участка ДНК умножаются на несколько порядков — получаются тысячи миллионов копий этой последовательности. Это не посев, а настоящая копировальная машина.

При культивировании клеток приходится ждать, пока они вырастут. Используя ПЦР, можно снова, снова и снова копировать молекулу, пока не получишь столько материала, что можно будет увидеть полоску на геле или применить ДНК-зонд. Чтобы все сработало, нужны реагенты, очень близкие к тому, что ты пытаешься скопировать. Они называются «вырожденными праймерами» и, как «заплатки», соединяются с молекулой, чтобы ее реплицировать.

Пытаясь разобраться в большом объеме данных, мы разработали шкалу для оценки пациентов и определения вероятности того, что у них именно эта болезнь. Мы выбрали пять клинических критериев. Предполагалось, что те, у кого подтвердятся все пять критериев, будут признаны больными. Однако нам попалась супружеская пара, которая набрала пять пунктов, но их случай не был признан случаем заболевания. Мы по-прежнему пытались нащупать что-то в темноте, но основываться на допущениях — самая плохая стратегия. Она может привести к ошибке: когда думаешь, что ты что-то нашел, начинаешь идти по определенному пути и игнорируешь другие улики. Да, все настолько запутанно. При этом буквально на твоих глазах разворачивается наихудший сценарий: по всему миру распространяется смертельная болезнь, которая способна очень быстро и эффективно передаваться.

Летальный исход — серьезное происшествие, поэтому информация о загадочных смертях в больницах быстро попадает в СМИ. Труднее заметить не столь драматичные последствия. Поэтому нам — специалистам по расследованию заболеваний — приходится тратить много времени на мониторинг социальных сетей и самого интернета, чтобы как можно быстрее заметить первые сигналы приближения новой вспышки. Это одна из ключевых идей, лежащих в основе таких систем, как

Global Public Health Intelligence Network (Глобальная информационная сеть общественного здравоохранения), ProMed, HealthMap и Operation Dragon Fire.

Пока не будет собрана максимально подробная и качественная информация, нужно использовать все доступные инструменты. Поэтому в ключевых регионах мира есть представители Центров по контролю и профилактике заболеваний, которые помогают взаимодействовать с местными службами здравоохранения. В США, где информация довольно доступна, они ищут ранние признаки заболевания в больницах, аптеках, кабинетах врачей. За рубежом все бывает далеко не так просто, особенно если местные чиновники стараются скрыть факты или в стране отсутствуют соответствующие системы.

Важна любая информация, из любого источника. В каком-то смысле ты зависишь от аналитических способностей медицинского персонала учреждений, где лечат пациентов, а также от надлежащего учета и качественного обмена данными. Именно благодаря этому приходит озарение. Ты думаешь: «Интересно, заразу подхватила дочь того парня, а она работает на одном этаже с этим пациентом. Вряд ли это совпадение — больше похоже на передачу инфекции». Все это крайне важно для Центров по контролю и профилактике заболеваний, ВОЗ и других организаций, поэтому у нас выработалось почти благоговейное отношение к данным.

Очевидно, что мы имели дело с респираторной инфекцией, из-за которой в легких появлялась жидкость и развивалась пневмония. Когда в легкие поступает жидкость, нужно измерить их диффузионную способность, чтобы узнать, какое количество кислорода может попасть из альвеол в кровь.

На рентгеновском снимке грудной клетки слева и справа мы видим два больших черных профиля — это легкие. Когда альвеолы начинают наполняться гнойным содержимым, эти черные области светлеют. Если человек заболевает вирусной пневмонией, то инфекция — прежде всего в начале болезни — поражает не сами альвеолы, а окружающее пространство*. Это пространство заполняется инфицированными клетками и на рентгеновском снимке становится более пестрым. В итоге болезнь переходит в острый респираторный дистресс-синдром, и тогда альвеолы и окружающие ткани выглядят одинаково.

В Атланте я возглавлял группу эпидемиологического реагирования и по крупицам собирал информацию, пытаясь составить целостную картину происходящего. В результате появился первый отчет Центров по контролю и профилактике заболеваний, в котором масштабная вспышка связывалась с отелем «Метрополь», а доктор Лю был признан сверхраспространителем. Тогда мне не разрешили использовать этот термин — мы старались не допустить возникновения паники, в том числе из-за ассоциаций с нашей более ранней работой с Эболой, но теперь он стал общепринятым.

На основе данных, собранных со всего мира множеством неутомимых специалистов по расследованию заболеваний, мы нарисовали диаграмму, нанесли на карту первые случаи в каждой стране, а затем провели линию к месту, где эти люди предположительно заразились. Все линии сошлись в Гонконге — и конкретно в гостинице «Метрополь»! Это был именно тот случай, когда лучше один раз увидеть, чем сто раз услышать.

В этот важный момент мы провели секретное совещание с Джимом Хьюзом, директором Национального центра инфекционных заболеваний. Джим задал вопрос, над которым многие из нас тогда уже думали: «Возможно, мы имеем дело с актом биотерроризма?»

Прошло всего полтора года после атак сибирской язвой на Вашингтон и Нью-Йорк. США начинали второй этап

---

* Речь идет об интерстиции — пространстве между клетками, которое представляет собой неклеточную структуру. Этот феномен так и называется интерстициальный отек. *Прим. науч. ред.*

операции в Ираке. Администрация президента Буша постоянно подогревала страхи и обвиняла Саддама Хусейна в том, что у него есть оружие массового уничтожения, в том числе биологическое. По этой же причине Центры по контролю и профилактике заболеваний выпускали еженедельные отчеты о ходе кампании по вакцинации против оспы среди медицинских работников и сотрудников системы здравоохранения, а также отмечали число выявленных побочных эффектов.

С точки зрения террориста вспышка в Гонконге выглядела как идеальный сценарий судного дня. Зараженные люди выходят из популярной международной гостиницы, садятся в самолеты и разлетаются по разным странам. Микробы могут добраться в любую точку планеты менее чем за трое суток — инкубационный период почти всех заболеваний занимает больше времени. Когда человек достигает места назначения, он выглядит здоровым, хорошо себя чувствует и даже не подозревает, что привез с собой смертельную заразу. В аэропортах проводят скрининг, чтобы найти оружие, иногда также стараются выявить больных людей, но никто не проводит скрининг на наличие микробов в организме и окружающей среде. А в гостиницах и торговых центрах скрининга нет вообще.

На тот момент мы все еще не знали, приходилось ли нам ранее сталкиваться с болезнью, вызвавшей эту вспышку. Это была не очередная вспышка Эболы, когда известно, с чем нужно бороться. Мы работали в тумане войны, только окутывал он систему здравоохранения.

Двадцать седьмого марта Гонконг объявил о временном закрытии всех образовательных учреждений. Министерство образования Сингапура тоже решило приостановить занятия в начальных и средних школах и колледжах.

В тот же день Центры по контролю и профилактике заболеваний направили 12 специалистов в пять стран, чтобы помочь в расследовании пандемии.

Двадцать восьмого марта состоялась первая телеконференция ВОЗ. Присутствовали медицинские чиновники со всего мира, в том числе из Китая, где было зарегистрировано 792 случая в провинции Гуандун, 10 случаев в Пекине и несколько в Шанхае. При этом 25 процентов заболевших в стране составляли работники системы здравоохранения.

Мы получили сводку данных по Вьетнаму. Ситуация стабильная, 90 случаев, 23 человека выписаны, но при этом есть указания на бессимптомную передачу: люди заражаются какой-то болезнью с обычными симптомами, но нельзя сказать точно, от кого именно и связано ли это вообще с данной вспышкой. Заражение происходило примерно у 50 процентов контактировавших. Это очень плохой показатель.

В Гонконге из 370 случаев было 11 смертей; 149 заболевших были медицинскими работниками. Они передавали инфекцию членам своих семей, посетителям и другим контактировавшим лицам. Группа «Роллинг Стоунз» отменила два своих концерта в этом городе.

Тридцатого марта власти Гонконга ввели карантин в одном из корпусов гигантского жилого комплекса Amoy Gardens. Сообщалось, что там выявлено более 200 случаев. Жителей временно разместили в пансионатах Lei Yue Mun Holiday Camp и Lady MacLehose Holiday Village, также под карантином, потому что Amoy Gardens был признан опасным для здоровья местом. Большинство случаев было отмечено в квартирах, выходивших на северо-запад и соединенных общей канализационной трубой. По мнению чиновников, вирус принес в здание один из гостей, который до этого находился на лечении в больнице принца Уэльского. Он заразил своего старшего брата, проживавшего в квартире на седьмом этаже. Вирус распространился по трубам, вероятно через сухие U-образные сифоны, а морской бриз занес его в вентиляционный блок балкона и лестничных пролетов. Балконы теперь были закрыты и находились под охраной полиции. Уже было подтверждено, что вирус может распространяться с капельками жидкости, однако ситуация в Гонконге заставила задуматься, не распространяется ли он и по воздуху. Как бы то ни было, стандартный подход к профилактике в данном случае не работал.

Нам повезло, что министром здравоохранения Гонконга в то время была Маргарет Чен, — через 12 лет на посту директора ВОЗ она будет бороться с лихорадкой Эбола. Она охотно согласилась привлечь дополнительных экспертов по инфекционным заболеваниям. Это, безусловно, очень порадовало нас после тех проволочек, с которыми мы столкнулись в материковой части Китая, где были выявлены первые случаи. В итоге министра здравоохранения КНР и мэра Пекина отправили в отставку за эти просчеты.

Первого апреля правительство США отозвало весь вспомогательный персонал консульств в Гонконге и Гуанчжоу. ВОЗ и правительство США рекомендовали американским гражданам воздержаться от посещения данного региона.

Второго апреля китайские медицинские власти изменили тактику и начали предоставлять более точную информацию о развитии вспышки. Из провинции Гуандун сообщали, что зафиксирован 361 новый случай заражения и девять человек скончались. Случаи заболевания также были отмечены в Пекине и Шанхае. Китайские чиновники разрешили международным представителям провести расследование, хотя и ограничили их свободу действий. В течение восьми дней после прибытия делегацию не пускали в Гуандун и лишь 9 апреля позволили проинспектировать военные госпитали в Пекине.

Шестого апреля был обнаружен случай в Маниле: заболел гражданин Филиппин, только что вернувшийся из Гонконга.

Девятого апреля в больнице северного района Гонконга скончался американец Джеймс Солсбери, преподаватель Шэньчжэньского политехнического института. Примерно месяц назад у него диагностировали «пневмонию». Его шестилетний сын Майкл тоже заразился, но, к счастью, выжил. Солсбери оказался важным человеком, и его смерть заставила китайских чиновников действовать более прозрачно.

Одиннадцатого апреля ВОЗ выпустила новое глобальное предупреждение. Она еще раз подтвердила, что болезнь распространяется по международным авиалиниям, едва не разорив своим заявлением Cathay Pacific — флагманскую авиакомпанию Гонконга.

* * *

За день до выхода этого предупреждения я покинул Атланту и 24 часа летел в Сингапур, где должен был стать консультантом по линии ВОЗ. Организовать мой визит помогла доктор Лин Ай И, прекрасный медик, руководитель и старший консультант вирусологической лаборатории отдела патологии Сингапурской многопрофильной больницы.

Прибыв на место, я мгновенно погрузился в череду совещаний — даже душ не успел принять, не говоря уже о том, чтобы выспаться. На меня обрушился шквал новой информации о положении в стране и ворох вопросов о ситуации в глобальном масштабе. Я смотрел на происходящее на макроуровне, сингапурцы — на микроуровне. Как обычно, нужно было понять, что мы можем друг другу рассказать.

Сингапур — необычное место. Это независимое государство возникло там, где для создания страны не было особенных предпосылок. Нет единой национальности, общего языка и культуры, да и земли не так много. И тем не менее в Сингапуре живет 5 миллионов 600 тысяч человек — китайцы, малайцы и индусы. Население этой многолюдной и многонациональной страны одержимо, как говорят некоторые критики, пятью вещами: наличными, квартирами, машинами, кредитками и загородными клубами. Я часто называю Сингапур самым приятным торговым центром в мире.

Сингапурский комфорт и удовлетворенность стали возможны потому, что государство, которое еще недавно причисляли к странам третьего мира, в рекордно короткие сроки превратилось в экономический центр силы. Прыжок занял всего одно поколение и произошел благодаря превосходному руководству Ли Куан Ю, хотя жителям и пришлось заплатить за это некоторыми своими свободами. Выскользнув в 1959 году из-под британского владычества, Сингапур расцвел, проводя политику «мягкого» авторитаризма, и прославился общенациональными кампаниями, заставлявшими людей смывать за собой в туалете, не плеваться и никогда не жевать жвачку. Нарушителей публично били палками. Создавая государственное брачное агентство, нацеленное в особенности на состоятельных китайцев, Сингапур пытался справиться с падением рождаемости. Чтобы подавить критику, Ли Куан Ю, долгие годы занимавший пост премьер-министра страны, неоднократно подавал иски о клевете, в том числе против иностранной прессы. Так что Сингапур был совсем не тем местом, где легко мирились с дурной славой — включая вспышку смертельной болезни, из-за которой оживленный деловой центр уже превратился в город-призрак.

Я встречался с сотрудниками ВОЗ и ребятами из местного департамента здравоохранения, обрабатывал горы информации, набрасывал заметки, пытался учесть все детали в надежде, что это поможет мне осмыслить информацию. Когда вспышка закончится, получится красивая линия событий, но в самый разгар никакой нити не видно вообще — особенно если ты только что появился на сцене.

Сингапурцы были порядком напуганы. Поскольку на остров никто не приезжал и цены на номера в отеле «Ритц» упали до уровня, который покрывает правительство США, я смог побаловать себя по-настоящему приятной гостиницей. Правда, находиться там было все-таки страшновато, если учесть, что наши первые пациенты заразились как раз в очень приятной гостинице.

Сингапур как очень богатая меритократия* имеет превосходную систему здравоохранения. Медики, с которыми я работал, были преимущественно этническими китайцами; они прошли подготовку в элитных университетах по всему миру и говорили по-английски лучше меня.

Они рассказали мне, что первый пациент поступил в Сингапурскую многопрофильную больницу 10 марта с грамотрицательным сепсисом, то есть с заражением крови. До этого он лечился в больнице Тан Ток Сена, где заразился и получил осложнения. С ишемической болезнью сердца и диабетом в анамнезе его положили в отделение для больных с коронарной недостаточностью, где он тут же заразил всех остальных пациентов и медперсонал.

Кластер был крупный, поэтому власти провели расследование и выявили в больнице Тан Ток Сена упущенную тлевшую вспышку. Она началась из-за трех сингапурских стюардов, которые устроили себе в Гонконге «веселенькие» выходные и останавливались в гостинице «Метрополь». Все трое были госпитализированы с атипичной пневмонией, а один из них стал очередным сверхраспространителем и первопричиной почти всех случаев в Сингапуре.

Местные чиновники поняли, что это совсем не та вспышка, которую они ожидали. Они предполагали, что болезнь придет с материка, будет сопровождаться лихорадкой и кашлем, а также изменениями в легких, которые покажет рентген грудной клетки. Пациент выживет (или умрет), заразит нескольких работников здравоохранения, а потом болезнь будет успешно подавлена.

Однако вспышка уже охватила систему здравоохранения, и распространители заражали не только тех, кто за ними ухаживал, но и других пациентов и даже посетителей больницы.

---

* Меритократия («власть достойных») — форма правления, в основу которой положен принцип индивидуальной заслуги. К управлению обществом приходят наиболее достойные, компетентные, талантливые люди из различных социальных слоев.

Я приехал именно потому, что все пошло не по плану. Как теперь справиться с возникшей проблемой?

Чтобы сохранить здравомыслие, очень важно уметь фильтровать информацию. Если не отсеивать не относящиеся к делу подробности, можно заработать шизофрению: ты слышишь тысячу голосов, на тебя сыплются тысячи элементов мозаики, льются целые потоки данных. Какие-то данные не имеют смысла, какие-то, наоборот, бросаются в глаза, и разобраться, что к чему, совсем не просто.

Чтобы установить критерии и определения, позволяющие понять, кого необходимо отслеживать, мы выделили три группы случаев: наблюдаемые случаи и два вида подозрительных — вероятные и маловероятные. Если у больного была просто лихорадка, его относили к «подозрительным, но маловероятным»; если больной контактировал с носителем вируса и была подходящая история болезни — к «подозрительным и вероятным».

Также мы выделили шесть импортированных случаев, в том числе еще троих постояльцев гостиницы «Метрополь», а также две несвязанные группы по два заболевших, где имела место простая передача вируса от человека к человеку. А еще оставалась загадка сверхраспространителей. В обычном случае больной заражал еще одного. Сверхраспространители могли заразить десятки людей.

Многие из заболевших и умерших были медицинскими работниками, и люди боялись обращаться в больницу даже при необходимости. Вирус явно передавался от одного человека к другому с пугающей легкостью — как минимум один таксист успел заразиться, пока вез пациента. Мы вынуждены были закрыть рынок, когда выяснилось, что там произошли многочисленные заражения. Наступил самый мрачный момент в расследовании вспышки — нам пришлось рассматривать вероятность того, что массовая передача охватила все общество.

Департамент здравоохранения подыскал мне рабочее место в своем центральном офисе, где я работал с Суок Кай Чоу, руководителем местной службы эпидемиологии и контроля заболеваний. Этот прекрасный, очень вдумчивый человек оставался невозмутимым на протяжении всей чрезвычайной ситуации.

К сожалению, такая выдержка — это скорее исключение, а не правило.

Когда в Сингапурской многопрофильной больнице заболел гастроэнтеролог, все медсестры в отделении начали паниковать: а вдруг они тоже контактировали? Они судорожно просматривали документацию, пытаясь выяснить, когда у гастроэнтеролога появилась лихорадка и кто работал с ним в смене.

Заболевший врач проводил эндоскопию двум пациентам, которые ранее лечились в больнице Тан Ток Сена. Потребовалось целых два дня, чтобы в Сингапурской многопрофильной больнице сказали: «Стоп! Эти ребята поступили из больницы Тан Ток Сена, следовательно, у них может быть SARS. Их необходимо сейчас же изолировать».

Позже тестирование показало положительный результат у четырех сотрудников радиологического отделения больницы Тан Ток Сена. Затем появился кластер в отделе вирусологии, где заболела даже штатная медсестра. Снова началась паника. Через отделение радиологии прошло 5758 пациентов! Господи! Где теперь все эти люди?! Как их вообще найти?

Как мы ни старались остановить эпидемию, новые случаи неизменно продолжали возникать, поэтому избрали другую тактику, решив изолировать медицинский персонал, сотрудников системы здравоохранения и студентов-медиков и наблюдать за ними. Чтобы упростить задачу, мы направляли все подозрительные случаи — за исключением беременных женщин, которые готовились к родам, — в одно учреждение.

Расследуя вспышку смертельной болезни, мы пытались разобраться, почему она так быстро распространяется и каким образом это происходит. Мы ощущали очень сильное давление. Однако медперсонал держался здесь весьма достойно — вероятнее всего, благодаря налаженной коммуникации. Например, на Тайване врачи и медсестры массово отказывались выходить на работу. В какой-то момент сотни пациентов, обслуживающий персонал и посетители оказались запертыми в больнице, где не хватало медицинских халатов и масок и не было ни одного ответственного лица. Министру здравоохранения Тайваня пришлось уйти в отставку из-за своих действий прямо во время вспышки.

Двенадцатого апреля доктор Марко Марра и его коллеги по Центру геномных наук имени Майкла Смита в Британской Колумбии совместно с вирусологами Центров по контролю и профилактике заболеваний объявили, что раскрыли генетический код возбудителя. Они пришли к выводу, что это коронавирус: размер каждого из четырех исследованных под электронным микроскопом образцов составлял 24 нанометра, вирус имел шаровидную форму. Коронавирусы обычно вызывают заболевания у свиней и кур, но связаны и с обычной простудой у человека. Высказывалось также альтернативное мнение, что SARS вызван метапневмовирусом, однако ученые из Университета имени Эразма Роттердамского в Нидерландах ввели образцы вируса макакам и подтвердили, что возбудителем действительно является новое подсемейство коронавирусов. Слабое утешение, но, по крайней мере, теперь мы знали, с чем имеем дело.

Шестнадцатого апреля в своем пресс-релизе ВОЗ заявила, что пандемия SARS вызвана новым коронавирусом. Больше не нужно было гадать, кого из больных следует считать случаем. Появилась возможность ставить точные лабораторные диагнозы и на основе подтвержденных случаев и паттернов передачи корректировать стратегию профилактики.

В больнице нам пришлось вспомнить медицину в стиле 1980-х — это когда у тебя вовсе не обязательно будет четверо или шестеро сотрудников, которые постоянно занимаются каждым пациентом. Нам необходимо было максимально ограничить контакты персонала.

Мы создали шесть больничных команд реагирования — в каждой был врач, инфекционист и специалисты по гигиене окружающей среды — и вооружили их компьютерной программой под названием Link для поиска общих контактов у больших групп людей. Кроме этого у нас действовало восемь команд по отслеживанию контактов.

Мы отправляли новые бюллетени, санитарно-гигиенические предостережения для тех, у кого диагностирован SARS, инструкции для больниц по выписке лиц с подозрением на заболевание. Нужно было позаботиться, чтобы люди, которые возвращались домой, не начали разносить болезнь. То же самое касалось и умерших: мы рекомендовали использовать двойные мешки, чтобы отвозить трупы в крематорий. По опыту работы с Эболой мы знали, как сложно убедить людей хоронить близких в чем-то вроде герметичного пакета для еды. Однако страх был настолько силен, что придал нашим словам убедительности: скорбящие смирились, и их желание войти в положение помогло нам остановить вспышку.

На второй день своего пребывания в стране я посетил американское посольство, чтобы рассказать нашим дипломатам о заразном периоде болезни, скорости поражения человека и продолжительности инкубационного периода. Они спросили, насколько я сам рискую заразиться.

Вообще-то в отделениях я проводил совсем немного времени, но, если учесть, что этой болезнью можно заразиться и начать заражать окружающих еще до того, как ты сам осознаешь, что болен, риск был довольно велик. Я неизменно соблюдал все процедуры мониторинга — чтобы подать личный пример и защитить других людей. Однако я был настолько занят, что нередко забывал о самой возможности заразиться смертельной болезнью и умереть. Если бы я начал по ночам трястись в уголке и строить эпидемиологические модели собственного профиля риска, это вряд ли помогло бы здравоохранению. Тем не менее, когда я узнал о случае с таксистом и о заражении людей на рынке, я позвонил жене и велел ей отложить все дела и сделать трехмесячный запас еды, воды и других необходимых вещей на случай, если SARS закрепится в США. Я действительно считал эту болезнь очень страшной угрозой.

Но сохранять открытость мышления гораздо полезнее, чем бояться. Даже когда начинаешь складывать факты и находишь многообещающий, на первый взгляд, путь, приходится спрашивать себя: что мы могли упустить? Как еще можно это интерпретировать? В чем еще может быть дело?

Не менее важно сохранять открытость и годы спустя — когда видишь третью, четвертую, пятую вспышку уже, казалось бы, давно знакомой болезни. Говоря молодежи: «Отойдите в сторонку — я знаю, что делать», ты можешь глубоко заблуждаться. В худшем случае это приведет тебя к гибели.

В итоге мы обратились к медицинскому инструменту, который вышел из моды еще пятьсот лет назад, — к карантину. Во времена чумы изоляция больных была последним словом в практике здравоохранения, однако теперь медицинское сообщество карантином в основном пренебрегало. Он казался устаревшим и неэффективным средством, не говоря уже о возможных экономических последствиях его применения.

Однако сегодня в квартирах у людей, которых надо изолировать, можно поставить подключенные к интернету видеокамеры и отслеживать происходящее, совершая звонки трижды в день в произвольное время. Если человек дома, он возьмет трубку или включит камеру, чтобы сказать «привет». Вот и все. Сингапурское правительство применило эти меры и грамотно использовало эпидемиологические данные, чтобы предельно точно выявить по-настоящему высокие риски и тем самым свести контроль к минимуму. Власти позаботились и о том, чтобы находившиеся на карантине люди могли получить весь спектр услуг — не умерли с голоду и по-прежнему имели возможность платить по счетам. (В Торонто нашлись тысячи сознательных людей, которые добровольно ушли на карантин: они на целых 10 дней самоизолировались, причем никто их к этому не принуждал и не заставлял.)

Многое зависит от местных норм. Если объяснять людям риск заражения и важность карантина, они, как правило, прислушиваются. В Сингапуре тех, кого во время карантина ловили в пабах, подвергали общественному порицанию. Но власти полагались и на чувство гражданского долга. Во время своего первомайского обращения заместитель премьер-министра и министр финансов Ли Сяньлун в характерной для сингапурцев прямолинейной манере предупредил граждан страны, что нельзя лечиться шарлатанскими средствами, такими как алкоголь, курение (!) и воздержание от свинины. После того как из-за волны слухов закрылся торговый центр, руководство страны применило местный закон о телекоммуникациях, чтобы наказывать распространителей слухов в социальных сетях штрафом в 10 тысяч сингапурских долларов и трехлетним тюремным сроком.

* * *

В конце мая у нас появилась зацепка. На рынке в провинции Гуандун были взяты образцы тканей диких животных, которых местные жители употребляют в пищу. Анализ показал, что коронавирус может быть изолирован у гималайских циветт*, хотя клинические признаки болезни появлялись не всегда. В результате было убито более 10 тысяч гималайских циветт. Позже вирус был обнаружен у енотовидных собак, хорьковых барсуков и домашних кошек.

В 2005 году два исследования выявили у китайских летучих мышей целый ряд коронавирусов, похожих на вирус SARS. Летучих мышей держали на китайских рынках живых животных, и именно оттуда могло начаться заражение.

Если все вышеизложенное вплоть до бастующих медицинских работников — к сожалению, без Марион Котийяр** —

---

  * Циветты (или виверры) — род хищных млекопитающих, внешне напоминают кошек.

 ** Французская актриса, сыгравшая в фильме «Заражение» роль доктора Леоноры Орантес.

кажется вам отдаленно знакомым, возможно, дело в том, что режиссер фильма «Заражение» Стивен Содерберг, по сути, показал именно эту вспышку.

СДЕРЖИВАНИЕ

Двадцать четвертого апреля правительство Гонконга объявило о выделении пакета помощи в размере 11 миллиардов 800 миллионов гонконгских долларов для пострадавшей из-за эпидемии SARS индустрии туризма, развлечений, розничной торговли и кейтеринга. Вплоть до июня Гонконг будет оставаться в списке «пораженных зон».

В Пекине по-прежнему росло число смертей, и власти Китая продолжали закрывать театры, дискотеки и другие места отдыха по всей материковой части страны. Некоторые министерства и крупные государственные банки максимально сократили число сотрудников. Но со временем Китаю удалось взять вспышку под контроль. На борьбу с эпидемией встали не только медицинские работники, но и власти Китая, в том числе бо́льшая часть высшего политического руководства страны. Были выделены значительные ресурсы. После вспышки было построено много новых больниц, проведены реформы местной системы здравоохранения и мониторинга заболеваний. Теперь Китай — образец прозрачности во время вспышек инфекционных болезней и важный новый участник системы глобального реагирования.

Двадцать восьмого апреля ВОЗ объявила о завершении вспышки во Вьетнаме: в течение 20 дней оттуда не поступало сообщений о новых случаях. Французская больница Ханоя была закрыта, и теперь встал вопрос о том, как ее вычистить для возобновления работы.

Тридцатого апреля ВОЗ сняла предупреждение об ограничении поездок в Торонто в связи с атипичной пневмонией. Через три недели на ежегодной встрече организации в Женеве представители Гонконга старались продавить снятие предупреждения на въезд туристов для своей страны. После некоторого сопротивления чиновники ВОЗ пересчитали госпитализированных с SARS пациентов и смягчились. Впервые с момента, когда в марте вспышка поразила город, не было сообщений о новых заражениях. Однако в то же время новый кластер обнаружился в Торонто — около 20 пациентов с подозрением на SARS — и более пяти тысяч канадцев оставались на карантине.

Тридцать первого мая ВОЗ исключила Сингапур из списка зараженных регионов, и я начал собираться домой в Атланту. Правда, этот город-государство я вспоминал еще не раз. Несколько лет подряд мне писала одна женщина, которая читала о моей работе и решила, что я вестник, которого она видела в своих снах. Она даже приезжала в Атланту. Разумеется, в прекращении сингапурской вспышки не было ничего сверхъестественного. Это был результат самой лучшей организации борьбы с эпидемией, какую я когда-либо видел.

Двадцать третьего июня из списка ВОЗ исключили Гонконг. В перечне «пораженных зон» оставались города Торонто и Пекин, а также Тайвань.

Пятого июля список покинул Тайвань: сообщений о новых случаях не поступало в течение 20 дней, хотя около 200 пациентов все еще находились в больницах.

Девятого июля 2003 года ВОЗ объявила о победе над эпидемией. Шесть месяцев спустя в Китае было отмечено четыре новых случая, — вероятно, люди заразились от цивett, которых держали в клетках на рынке и в ресторанах. Еще три случая стали результатом лабораторных происшествий и инцидентов в Китае, Сингапуре и на Тайване.

Только 19 мая 2004 года, через 15 месяцев после первых сообщений о болезни, ВОЗ объявит Китай свободным от SARS. За время пандемии было выявлено 8096 случаев заболевания и 774 смертельных случая в 37 государствах. По некоторым оценкам пандемия нанесла всему мировому сообществу ущерб в размере 40 миллиардов долларов. В США было отмечено 36 вероятных случаев, в том числе медицинский работник и член семьи, которые предположительно заразились от одного больного, вернувшегося из Азии. Восемь случаев было подтверждено.

Если перенестись на 10 лет вперед, в 2015 год, вспышка ближневосточного респираторного синдрома (MERS) — двоюродного брата SARS, вызванного родственным коронавирусом, — унесла в Южной Корее жизни 38 человек. Всего заразилось 187 человек. Причиной вспышки стал путешественник, который побывал в разных странах Ближнего Востока, включая Саудовскую Аравию. Вернувшись, он запустил цепочку заражений в двух десятках учреждений здравоохранения. Правительство Южной Кореи критиковали за повторение большинства ошибок пандемии SARS, в том числе за отсутствие быстрого информирования и просвещения населения и халатное отношение к карантинным мерам. Сейчас, когда я пишу эти строки, пандемия MERS охватила уже 16 стран Ближнего Востока.

Большинство случаев наблюдается в Саудовской Аравии и связано с зараженными верблюдами — дромадерами (которые, вероятно, заразились от летучих мышей). Однако у 40 процентов пациентов не обнаружена связь ни с верблюдами, ни с инфекциями в медицинских учреждениях. Эти случаи обозначены как первичные. Закрепилась ли MERS в этом пустынном королевстве настолько, чтобы стать местной причиной пневмонии и постоянной угрозой для медицинских учреждений и туристов? Вызовут ли дромадеры вспышки в Африке? Был ли SARS тем редким джинном, которого удалось загнать в бутылку, и не представляет ли MERS еще большей глобальной угрозы? Ответы мы вскоре получим*.

---

* По информации ВОЗ в результате вспышки MERS было зафиксировано свыше 180 случаев инфекции, более 30 из которых оказались с летальным исходом. В июле 2015 года ВОЗ сообщила о ликвидации вспышки. *Прим. науч. ред.*

Доказанные случаи SARS с начала эпидемии 1 ноября 2002 года по 31 июля 2003 года

Страны и регионы	Общее число случаев			Средний возраст (возрастной диапазон заболевших)	Число умерших[a]	Летальность, %
	женщины	мужчины	итого			
Австралия	4	2	6	15 (1–45)	0	0
Великобритания	2	2	4	59 (28–74)	0	0
Вьетнам	39	24	63	43 (20–76)	5	8
Германия	4	5	9	44 (4–73)	0	0
Индия	0	3	3	25 (25–30)	0	0
Индонезия	0	2	2	56 (47–65)	0	0
Ирландия	0	1	1	56	0	0
Испания	0	1	1	33	0	0
Италия	1	3	4	30,5 (25–54)	0	0
Канада	151	100	251	49 (1–98)	43	17
КНР	2674	2607	5327[b]	Нет данных	349	7
Гонконг, КНР	977	778	1755	40 (0–100)	299	17
Макао, КНР	0	1	1	28	0	0
Тайвань	218	128	346[c]	42 (0–93)	37	11
Кувейт	1	0	1	50	0	0
Малайзия	1	4	5	30 (26–84)	2	40
Монголия	8	1	9	32 (17–63)	0	0

Страны и регионы	Общее число случаев			Средний возраст (возрастной диапазон заболевших)	Число умерших[a]	Летальность, %
	женщины	мужчины	итого			
Новая Зеландия	1	0	1	67	0	0
Россия	0	1	1	25	0	0
Румыния	0	1	1	52	0	0
Сингапур	161	77	238	35 (1–90)	33	14
США	13	14	27	36 (0–83)	0	0
Таиланд	5	4	9	42 (2–79)	2	22
Филиппины	8	6	14	41 (29–73)	2	14
Франция	1	6	7	49 (26–61)	1	14
Швейцария	0	1	1	35	0	0
Швеция	3	2	5	43 (33–55)	0	0
ЮАР	0	1	1	62	1	100
Южная Корея	0	3	3	40 (20–80)	0	0
Итого			8096		774	9,6

[a] Только случаи, официально связанные с SARS.

[b] В 46 случаях пол больных неизвестен.

[c] С 11 июля 2003 года на Тайване было отозвано 325 случаев. В 135 из них, в том числе у 101 умершего, лабораторные данные были недостаточными или неполными.

Источник: www.who.int/~sr/sars/country/table2004_04_21/en/.

Цепочка передачи вируса среди гостей отеля «Метрополь» (отель «М»), Гонконг, 2003 год

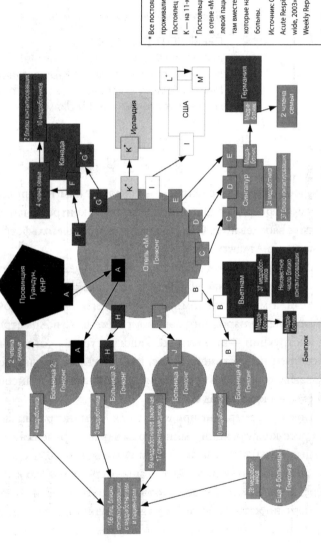

* Все постояльцы, за исключением G и K, проживали на 9-м этаже гостиницы. Постоялец G проживал на 14-м этаже, K — на 11-м.

* Постояльцы L и M (супруги) не были в отеле «М» в тот же период, что и нулевой пациент A, однако находились там вместе с постояльцами G, H и I, которые на тот момент уже были больны.

Источник: CDC. «Outbreak of Severe Acute Respiratory Syndrome — Worldwide, 2003». Morbidity and Mortality Weekly Report. 2003. 52 (12): 241–248.

8

ПОСЛЕ ПОТОПА

Брауни, ты делаешь кучу работы.

ПРЕЗИДЕНТ ДЖОРДЖ БУШ —
директору Федерального агентства
по управлению в чрезвычайных ситуациях
Майклу Брауну во время поездки по опусто-
шенным ураганом территориям

«Поработайте как следует», — сказала нам на прощание Джулия Гербердинг, директор Центров по контролю и профилактике заболеваний. Она села на борт нашего «гольфстрима» и улетела в Атланту.

Сентябрь 2005 года. Прошла примерно неделя после того, как ураган «Катрина» обрушился на Новый Орлеан. Джулия улетела, а мы вчетвером остались на взлетно-посадочной полосе Международного аэропорта имени Луи Армстронга. Ее инструкции — и почти все наши ресурсы — ограничивались этим напутствием. У нас, как и у тысяч других людей, оказавшихся тогда в этом регионе, не было ни транспорта, ни еды, ни крыши над головой.

Доктор Гербердинг прилетала для «демонстрации флага» на пресс-конференции с министром здравоохранения и социальных служб Майком Ливиттом. А мы остались: специалист по системам связи Дэйв Дэйгл, инженер-эколог (по крайней мере, я так думал) Терренс Мэннинг, ветеринар и опытный эксперт по катастрофам из нашей группы центра гигиены окружающей среды доктор Кэрол Рубин и я — руководитель

237

команды. Мы должны были помочь укрепить инфраструктуру здравоохранения, которая пострадала от урагана и наводнения.

Но сначала нужно было как-то добраться до города.

Нам повезло. Руководитель отдела безопасности Центров по контролю и профилактике заболеваний был знаком с майором Гидри из Национальной гвардии Джорджии, и тот направил в Новый Орлеан два армейских внедорожника и четырех солдат под командованием капитана Дэвида Смита. Они должны были перевозить нас, охранять и помогать в нашей работе. Появились они лишь поздним вечером, но мы все равно были в восторге, что можем продолжить свой путь. Время, проведенное в аэропорту, показалось нам вечностью.

Мы хотели разобраться, что происходит, однако первой задачей для нас стал поиск жилья и какой-нибудь еды. Жилье удалось найти в двух часах езды от города. На следующее утро, поспав всего несколько часов, мы сели в машины и помчались в Новый Орлеан по захламленным и усеянным трупами дорогам.

Нашей первой остановкой стал городской департамент здравоохранения, но работников буквально смыло из офисов, как и всех в городе. Здание было брошено. Мы решили пробираться в Гарден-дистрикт, где ситуация была немного лучше. Собор Святого Людовика и особняки рядом с парком Одюбона были разрушены ураганом, но не затоплены. Спустя некоторое время мы поймем, что в этом городе между социально-экономическим уровнем жизни и высотой над уровнем моря есть определенная связь.

В Гарден-дистрикте мы нашли больницу сети Kindred для хронических пациентов. Здание пустовало. Внутри мы встретили солдат из армейского резерва, но они в основном просто слонялись без дела, пили и ели все, что могли найти. Я попросил их помочь привести учреждение в рабочее состояние. Они моментально испарились.

Больница находилась в запущенном состоянии. Были сообщения о мародерстве и насилии. Когда сопровождавшие нас гвардейцы услышали стрельбу, мы погрузились в джипы и уехали. Однако на следующий день Центры по контролю и профилактике заболеваний провели переговоры с центральным офисом компании, которой принадлежало учреждение, и нам официально разрешили его реквизировать. Наши специалисты наладили там беспроводную связь и превратили здание в полноценную оперативную базу, которую мы назвали Федеральным центром медицинских ресурсов.

Во все районы, больницы и импровизированные клиники мы направили оперативные группы, чтобы собрать информацию. Сколько человек осталось? Кого и от чего лечат? Как нам предоставить необходимую помощь? Что нужно сообщить этим группам людей?

В здравоохранении постоянный круговорот данных: они стекаются в центр принятия решений и превращаются там в руководство к действию. Как кровь, которая от органов поступает в сердце, а из сердца возвращается в органы. Мы должны были хорошо потрудиться, чтобы восстановить этот живительный кровоток в разрушенном бурей Новом Орлеане.

* * *

Ураган «Катрина» стал самым масштабным природным катаклизмом в истории США и седьмым по силе атлантическим ураганом за всю историю наблюдений. Всего через несколько недель за ним последуют ураганы «Рита» и «Вилма». Эти катастрофы и вызванное ими затопление погубят до 1800 человек. Совокупный материальный ущерб оценивали в 108 миллиардов долларов — в два раза больше, чем после урагана «Эндрю» в 1992 году.

Конечно, на побережье Мексиканского залива ураганы не редкость. Когда бушевал их «дедушка», Галвестонский ураган 1900 года, скорость ветра достигала 54 метров в секунду (потом измерительные приборы просто сдуло). Ураган поднял пятиметровую штормовую волну и унес жизни от 6 до 12 тысяч человек. Разрушения были настолько масштабные, что точно подсчитать число погибших оказалось просто невозможно.

С тех пор было много страшных ураганов — «Карла», «Камилла», «Эндрю», но в последние десятилетия они не являлись без предупреждения. О приближении «Катрины» объявили в общенациональных новостях. Было много разговоров о возможном ущербе, особенно если прямой удар придется по Новому Орлеану. Позже Национальный центр по наблюдению за ураганами и Национальную метеорологическую службу США будут хвалить за своевременную и точную информацию о серьезности ситуации и за отслеживание надвигавшегося шторма.

«Катрина» сформировалась над Багамскими островами в последнюю неделю августа 2005 года, пронеслась по югу Флориды как ураган первой, минимальной категории, сбросила 450 миллиметров осадков и оставила без электричества полмиллиона человек. Ветер переворачивал жилые прицепы, срывал крыши, несколько человек утонуло. Был и другой ущерб, но не катастрофических масштабов. Флоридцы привыкли встречать трудности — и при поддержке Федерального агентства по управлению в чрезвычайных ситуациях, предоставившего автоцистерны с водой, лед и медицинские принадлежности, благополучно справились с последствиями стихии.

«Катрина» тем временем направилась на северо-запад. Теплые воды Мексиканского залива придали ей сил и превратили в полноценный ураган пятой, высшей категории с постоянными ветрами скоростью до 67 метров в секунду — в два раза больше, чем скорость ветра при урагане первой категории. Если такой мощный ветер ударит по суше, он разнесет небольшие строения в щепки, а те, что устоят, накроет волной из осколков этой шрапнели. Джефф Хингл, шериф прихода

Плакеминс, предупредил, что, если «Катрина», достигнув материка, сохранит пятую категорию, дамбы не выдержат. Вода сметет их или просто зальет.

Власти девяти прибрежных приходов (так в Луизиане называют округа), расположенных за пределами Нового Орлеана, издали распоряжение об обязательной эвакуации населения. Людям приказали покинуть район и двигаться на север, на возвышенную местность. Даже луизианское общество защиты животных проявило предусмотрительность и за несколько дней до урагана отправило своих беспризорных питомцев в Хьюстон — эту историю подробно описал Дуглас Бринкли в книге The Great Deluge («Великий потоп»), исчерпывающем повествовании об урагане «Катрина» и его последствиях. К сожалению, никто не позаботился о простых людях. У самых бедных жителей города не нашлось защитника, который обладал бы политической волей, ресурсами и способностью планировать.

Большинство приказов об эвакуации вступили в силу к субботе, 27 августа, почти за двое суток до урагана. В тот же день руководство атомной электростанции «Уотерфорд-3», расположенной к западу от города, привело в действие собственный план на случай чрезвычайных ситуаций. Станция была остановлена, а дизельные генераторы начали вырабатывать энергию для защиты реактора.

В этой ситуации заверения городских властей, что низинные районы не зальет, а если и зальет, то воду быстро откачают, выглядели в лучшем случае стремлением выдать желаемое за действительное, а в худшем невообразимой халатностью.

В ту субботу на закрытом совещании в городской ратуше мэр Рэй Нейгин излучал необъяснимую уверенность, что ураган изменит курс и не затронет город. Годом раньше ураган «Иван», о приближении которого кричали все местные телевизионщики, свернул на восток, и катастрофы не произошло.

Но, как говорят финансисты, прошлые успехи не повод ставить все на кон.

У Нейгина были полномочия, чтобы распорядиться об обязательной эвакуации жителей, но в тот день на пресс-конференции он сказал, что должен сначала посоветоваться со своими юристами. По мнению местной газеты Times-Picayune, мэр опасался, что гостиницы и другие компании подадут на него в суд, если потеряют клиентов, а угроза в итоге окажется дутой. В конце концов, туристическая отрасль приносит Новому Орлеану пять миллиардов долларов в год.

В пять вечера в субботу мэр появился с губернатором Луизианы Кэтлин Бланко. Оба политика принадлежали к демократической партии, но отношения между ними были натянутые. Бланко, бывшая учительница, заняла пост губернатора всего год назад. Во время предвыборной кампании Нейгин, вопреки партийной дисциплине, поддерживал ее соперника — республиканца Бобби Джиндала. Возникшая из-за этого взаимная неприязнь не сулила ничего хорошего с точки зрения сотрудничества мэра и губернатора в период кризиса.

Результатом этой пресс-конференции стало нечто вроде приказа об эвакуации города. Эвакуация была добровольной: власти лишь «настоятельно рекомендовали» жителям уехать, но не настаивали. Некоторые люди восприняли это как сигнал, что ничего страшного не произойдет, хотя тем же вечером Национальный центр по наблюдению за ураганами допустил возможность, что «Катрина» ударит по городу в течение 48 часов всей силой урагана пятой категории.

В тот момент у людей еще были шансы на спасение — если бы они знали, что делать, и располагали хоть какими-то ресурсами. К сожалению, даже приказ об обязательной эвакуации не смог бы волшебным образом перенести население в безопасное место. В Новом Орлеане, одном из самых бедных городов в стране, каждая четвертая семья зарабатывала в год меньше 15 тысяч долларов. Официальные сообщения, включая приказы об эвакуации, передавали главным образом в телевизионных новостях, хотя у многих обитателей города не было телевизора. Люди, которые не могут купить телевизор, как правило, не могут позволить себе и автомобиль.

В субботу жители начали покидать город. К воскресенью все шоссе оказались забиты настолько, что путь в соседний Батон-Руж — 130 километров — занимал не меньше семи часов. Но стоявшие в пробке люди хотя бы уезжали. А 20 процентов населения оставалось в городе — преимущественно в беднейших районах, которые как раз находились в самых низинных местах.

Мэр Нейгин и другие муниципальные чиновники словно напрочь забыли о том, что более сотни тысяч взрослых жителей города, которыми они руководят, не имеют ни автотранспортных средств, ни 50 долларов на автобусный билет, ни какой-либо возможности забрать с собой домашних животных, с которыми многие не хотели расставаться. Ситуация усугублялась тем, что было прекращено автобусное сообщение — единственный способ спасения для людей без машины.

Муниципальная полиция, наверное, могла бы помочь беднякам выбраться, но многие полицейские сами бежали из города вместе со своими семьями, наплевав на свои обязанности и долг перед обществом.

К трем часам утра в воскресенье 28 августа передний край урагана находился на расстоянии примерно 500 километров от побережья и двигался на север со скоростью 16 километров в час. По данным авиаразведки, проведенной над Мексиканским заливом подразделением «охотников за ураганами» с базы военно-воздушных сил имени Кислера рядом с городом Билокси в штате Миссисипи, «Катрина» достигла колоссальных 800 километров в диаметре, а максимальная скорость ветра — невообразимых 90 метров в секунду. Это был один из самых яростных штормов за всю историю наблюдений в США.

В десять утра в воскресенье, когда до побережья урагану оставалось меньше суток пути, мэр Нейгин наконец осознал всю полноту происходящего и издал первое распоряжение об обязательной эвакуации Нового Орлеана. К сожалению, это было сделано слишком поздно и крайне бездумно.

В то же воскресенье в штаб-квартире Федерального агентства по управлению в чрезвычайных ситуациях Майкл Браун провел видеоконференцию с участием президента Буша, министра внутренней безопасности Майкла Чертоффа и специалистов по управлению чрезвычайными происшествиями из всех штатов, расположенных на побережье Мексиканского залива. Все присутствовавшие дружно заявили, что готовы оказать помощь, если их об этом попросят. Президент не задавал никаких вопросов и быстро отключился. Вероятность того, что огромная штормовая волна пробьет дамбы Нового Орлеана и на несколько недель затопит бо́льшую часть города, даже не обсуждалась.

В понедельник 29 августа в три часа утра метеорологический буй в Мексиканском заливе примерно в 80 километрах к востоку от реки Миссисипи зарегистрировал двенадцатиметровые волны. Вскоре после этого огромная масса воды прорвала защитные бетонные дамбы вдоль канала Семнадцатой улицы в северной части Нового Орлеана.

Этот канал отводил через город воду из расположенного чуть выше озера Понтчартрейн. Поначалу прорыв был небольшим, но в последующие часы увеличился. Стало очевидно, что самые низинные, самые уязвимые районы города будут затоплены.

К счастью, когда тем утром «Катрина» достигла суши, она уже не была ураганом пятой категории. Однако это была полноценная третья категория с устойчивым ветром скоростью от 50 до 60 метров в секунду. К югу от города в рыбацкой деревушке Бюра в приходе Плакеминс ветер достигал 72 метров в секунду. Тим Джонс, корреспондент газеты Chicago

Tribune, сообщал, что масштабы разрушений были такими, словно территория оказалась «на передовой климатической войны». Уничтожено было все: дома, скот, природа. К счастью, жители успели эвакуироваться и никто не погиб.

Неудивительно, что под натиском шторма, который низвергал потоки ливня на слабые дамбы, вода в Миссисипи поднялась до новых высот. В конце концов протяженная система земляных валов, благодаря которой город вообще существовал, окончательно сдалась, и мощная река стремительно начала отвоевывать низины, десятилетиями для нее закрытые.

Устаревшие дамбы Нового Орлеана оказались бессильны перед стихией. Многие специалисты считают это происшествие крупнейшей катастрофой гражданской инженерии в истории Соединенных Штатов. Системой дамб управлял Корпус инженеров армии США, который разработал и построил ее после принятия закона о борьбе с наводнениями 1965 года. В 2005 году, когда ударила «Катрина», только в бюро корпуса в Новом Орлеане работали 1300 сотрудников. Впоследствии против корпуса были поданы судебные иски, однако другой закон о борьбе с наводнениями, принятый конгрессом в 1928 году, освобождал корпус инженеров от финансовой ответственности.

Даже в свои лучшие времена городская система борьбы с наводнениями представляла собой изношенную, сделанную наспех сеть каналов, дамб, насосов и шлюзов, а стальные сваи, которыми корпус укреплял валы, явно были слишком короткими.

Новый Орлеан похож на блюдце. По краю расположены дамбы высотой от трех до пяти метров. Постоянное чувство беспокойства, возникающее из-за весьма опасного положения этого города, особенно усиливается, когда ты стоишь на вершине такого вала и видишь, что уровень реки по одну сторону от тебя выше уровня улиц по другую сторону дамбы.

Когда город строился, он был слегка приподнят над уровнем моря. Лет через сто он вполне может оказаться в Мексиканском заливе, причем довольно далеко от берега.

Вода может поступать в город как с юга, из Мексиканского залива, так и с севера, из озера Понтчартрейн. Некоторые жилые районы после каждого сильного ливня превращались в небольшие озерца. Во время штормов вода переливалась через дамбы так часто, что в городе построили сложную сеть из 22 насосных станций. Разумеется, строители исходили из предположения, что вода, которую откачивают за дамбы, не будет течь обратно сквозь дыры и трещины.

Все началось еще в 1719 году, когда Луизиана была жемчужиной в короне французской колониальной империи. Губернатор Луизианы Жан-Батист Ле Муан де Бьенвиль приказал поднять и укрепить берега реки, чтобы основать город. Всего через три года по Новому Орлеану ударил ураган и город оказался залит водой — глубина доходила до трех метров. Когда вода отступила, строительство дамб возобновилось. Историки позже не раз замечали, что Ле Муан поступил бы куда разумнее, если бы выбрал для города место в 130 километрах выше по реке, там, где сейчас располагается Батон-Руж. Излишняя самоуверенность, выраженная в девизе Laissez les bons temps rouler* («Наслаждайся хорошими временами»), оставила глубокий отпечаток в характере этого города.

Задолго до того, как Томас Джефферсон в 1803 году приобрел Луизиану у Франции, отцы-основатели Нового Орлеана постановили, что небольших инженерных усилий будет вполне достаточно, чтобы избежать затопления и обеспечить

---

* Эта фраза широко распространена среди каджунов (субэтническая группа, проживающая в основном в южной части Луизианы, по происхождению франкоканадцы) и часто употребляется в Луизиане и на побережье Мексиканского залива. Это своеобразный девиз языческого праздника Марди Гра — аналога славянской Масленицы, который сопровождается карнавалом и ежегодно проводится в Новом Орлеане.

городу процветание. По обе стороны реки возвели еще километры дамб, но дно заиливалось и повышалось, с ним рос уровень воды, и валы приходилось периодически наращивать. Сам город — как и очень многие прибрежные районы Мексиканского залива — тем временем продолжал понижаться (точнее, погружаться) в среднем на 90 сантиметров за последнее столетие. Улицы города регулярно заливали дожди, и воду приходилось постоянно откачивать, кроме того, разрушались отдаленные заболоченные земли и барьерные острова. Все это и приводило к понижению уровня города относительно уровня реки.

Оптимистичные расчеты не оправдались. В 1849 году в престижном жилом районе рухнула дамба. Двести городских кварталов оказались затоплены, и больше месяца город оставался под водой.

В 1927 году Великое наводнение на Миссисипи опустошило всю дельту этой реки вплоть до Арканзаса. Больше сотни прорывов дамб и бесчисленные человеческие жертвы. Двести тысяч человек остались без крова. Многие пострадавшие были неграми из прихода Сен-Бернар, находившегося к югу от Нового Орлеана, — инженеры там специально взорвали дамбу динамитом, чтобы снизить уровень воды и спасти богатые районы, расположенные выше по течению. Неудивительно, что сегодня большинство местных афроамериканцев почти не верят в честность и справедливость людей, которые управляют дамбами.

Помимо ураганов, дельта страдала и от медленной, но непрерывной деградации прибрежных маршей*. Эти болотистые участки не только являются домом для морских обитателей, без которых немыслима богатая луизианская кухня, но и действуют как буфер, защищая берег от штормов. За последние 100 лет четыре с лишним тысячи квадратных километров

---

* Марши — низменные полосы равнинного морского побережья, которые оказываются затопленными во время высоких приливов или нагонов морской воды. На маршах формируются богатые гумусом почвы.

маршей было утрачено в результате эрозии. Свой вклад в разрушение маршей внесли и нефтяные компании, которые производили выемку грунта и строили каналы для прокладки трубопроводов и обслуживания морских буровых установок. Часто говорят, что по статистике Мексиканский залив каждые 38 минут отвоевывает у штата площадь суши размером с футбольное поле.

Новый Орлеан в среднем на метр и 80 сантиметров ниже уровня реки. Некоторые участки, в особенности в Девятом районе, ниже уровня реки на три с лишним метра. Основной удар пришелся на низинные, бедные районы. Большинство людей, ставших жертвами стихии, погибли сразу после прорыва дамб. В некоторых местах еще несколько недель стояла мутная, грязная вода. В конце концов воду откачали.

В этих низинных районах традиционно жили негры. До «Катрины» две трети населения города составляли афроамериканцы. В Нижнем Девятом районе более половины жителей владели своими домами, однако улицы, на которых были расположены эти дома, не имели твердого покрытия, а по обочинам иногда были прорыты дренажные канавы, как в азиатских или африканских деревнях. Для сравнения: особняки на Сен-Шарль-авеню и в Гарден-дистрикте, а также дома в Лейквью, Центральном и Складском районах и бо́льшая часть Французского квартала были расположены на возвышенности, а население там было преимущественно белым.

Ужасная смерть постигла многих из тех, кто забрался на жаркие, душные чердаки своих домов, чтобы спастись от поднимавшейся с нижних этажей воды. Кое-кому удалось пробить дыры в крышах и дождаться помощи. Некоторые прямо на крышах писали: «Помогите!»

* * *

Люди, отвечавшие в Новом Орлеане за подготовку к чрезвычайным ситуациям, выстрелили себе в обе ноги еще до прихода «Катрины». Вместо того чтобы стратегически рассредоточить лодки и автомобили повышенной проходимости по всему городу, Национальная гвардия Луизианы перед приближением шторма собрала все транспортные средства в казармах имени Джексона на Сен-Клод-авеню в Девятом районе — на старой армейской базе, построенной в 1830-х годах и ставшей затем штаб-квартирой национальных гвардейцев. Когда дамбы прорвало, казармы затопило — они ведь находились в Девятом районе, — и очень нужное спасательное оборудование вышло из строя.

У городской пожарной службы было в общей сложности пять лодок на случай подъема уровня воды. Но в момент удара стихии исправными оказались только три лодки. Гражданам, которые попали в беду и отчаянно нуждались в помощи, не повезло.

В городе был свой «мобильный командный центр» — перепрофилированный тягач с прицепом, набитый оборудованием для связи. Однако никому даже в голову не пришло разместить его за пределами зоны затопления. «Мобильный» центр перестает быть мобильным, если он не движется, и не слишком полезен, когда находится под водой.

Командный центр всех аварийно-спасательных служб — полиции Нового Орлеана, полиции штата, пожарных, Национальной гвардии, береговой охраны и так далее — столь же бездумно разместили в городской ратуше. Тот факт, что штаб по чрезвычайным ситуациям находился на девятом этаже здания, не имел никакого значения. Когда здание затопило, в нем отключилось электричество, не было ни персонала, ни связи, и от командного центра осталось одно название. Стоит ли удивляться, что мэр Нейгин спешно покинул тонущий корабль и устроил себе личный центр управления в гостинице «Хаятт Риджэнси», на одном из ее верхних этажей.

Единственным местным органом власти, который, кажется, имел хоть какое-то представление о планировании в случае чрезвычайной ситуации, был департамент дикой природы и рыболовства. По указанию губернатора сотрудники этого департамента разместили в разных точках вдоль побережья более 200 лодок для проведения поисково-спасательных работ.

При этом нельзя сказать, что масштаб катастрофы, поразившей Новый Орлеан, было так сложно себе представить. Менее чем за год до «Катрины» журнал National Geographic в номере за октябрь 2004 года опубликовал подробный сценарий удара сильного урагана по Новому Орлеану с катастрофическим затоплением целых районов города. Журнал предлагал читателям представить себе Французский квартал, залитый водой по самые кованые балконы.

За несколько месяцев до этого сотни чиновников из различных правительственных ведомств приняли участие в симуляции возможных сценариев, организованной Федеральным агентством по управлению в чрезвычайных ситуациях. Что будет, если ураган третьей категории ударит прямо по Новому Орлеану? Учения продолжались неделю. В них были использованы подробнейшие компьютерные модели, разработанные в Университете штата Луизиана. По мнению ученых, наиболее вероятный сценарий выглядел так: три метра стоячей воды по всему городу; полмиллиона жителей, попавших в трудное положение и не способных или не желающих выбраться из города; 23 миллиона кубометров сырого, зловонного мусора; поднятые водой из-под земли гробы, которые плавают по улицам; а также стаи диких собак, бродящие везде, где осталось сухое пространство. Согласно сценарию симуляции число жертв только в городе достигнет 24 250 человек. Еще 37 тысяч погибнет в близлежащих районах.

Однако, когда 29 августа 2005 года сценарий National Geographic с поразительной точностью воплотился в жизнь, в городе не нашлось ни единого сертифицированного Красным Крестом аварийного убежища в школе или общественном здании. Организация отказалась одобрить какие-либо укрытия. По оценке Красного Креста, весь город расположен слишком близко к уровню моря и безопасных мест там просто не может быть.

Позже мы узнали, что план эвакуации все-таки существовал. Точнее, нечто похожее на план эвакуации. Он занимал полторы страницы в четырнадцатистраничном буклете о «всеобъемлющей» городской программе по управлению в чрезвычайных ситуациях. Там упоминались официальные «эвакуационные зоны» — якобы защищенные от наводнения площадки, где жители смогут собраться для того, чтобы их организованно вывезли из города. Но эти зоны так и не были определены — вопрос отложили как требующий «дальнейшей проработки».

В разгар спасательных работ связь была ужасной — даже с Центрами по контролю и профилактике заболеваний. Я помню записку, написанную от руки на салфетке из Dunkin' Donuts, которую по факсу отправили в наш Центр по управлению чрезвычайными ситуациями:

Кому: Центр по управлению чрезвычайными ситуациями / Центры по контролю и профилактике заболеваний
От кого: ESF8, Новый Орлеан

Просим срочно отправить в Батон-Руж, штат Луизиана, стадион имени Питера Маравича:

жидкости для внутривенных инъекций
пробирки для крови
парацетамол в таблетках
внутривенные катетеры
азитромицин
ибупрофен, 800 мг
подушки
простыни одноразовые

Это называется управлять на ходу. Когда я стал директором программы подготовки, я шутил, что мы выделяем стратегические национальные резервы по запросу на обратной стороне салфетки.

После вспышки сибирской язвы в 2001 году Фил Нейвин, отставной полковник армии США и глава нашего Центра по управлению чрезвычайными ситуациями, совместно с доктором Ричем Бессером, главным редактором телеканала ABC по здравоохранению и медицине, который будет исполнять обязанности директора Центров по контролю и профилактике заболеваний, полностью пересмотрел всю структуру отчетности Центров по контролю и профилактике заболеваний в период катастроф. За день до того, как «Катрина» обрушилась на город, Рича назначили руководителем нашего координационного бюро по терроризму, готовности и чрезвычайному реагированию. Некоторое время мы действовали хаотично, и каждый хотел пообщаться именно со мной. Но по мере того, как центры разворачивали на побережье Мексиканского залива крупнейшую на тот момент спасательную операцию и организовывали убежища по всей стране, ситуация под руководством Рича стабилизировалась.

Каким бы отвратительным ни было планирование до «Катрины», реакция на случившееся была еще хуже, и это усугублялось характером катастрофы, нехваткой информации и стычками властей на местном уровне, уровне штата и федеральном.

Главной проблемой была испорченная коммуникация между мэром и губернатором. Связь между губернатором и президентом была чуть лучше. Было много пустой болтовни, разговоров о том, что мы все должны работать вместе. «Все прекрасно», — слышалось отовсюду, а на самом деле не было ни координации действий, ни сотрудничества. Поговаривали, что мэр Нейгин отправился в Лас-Вегас или уехал на неделю в Даллас, хотя в тот момент он должен был находиться в Новом Орлеане и пытаться поддерживать жизнь в своем городе.

Практически все линии связи перестали действовать, поэтому, чтобы узнать, что происходит в каком-то районе, приходилось идти туда пешком — это нередко было опасно, а иногда и просто невозможно. Прошло несколько дней, прежде чем власти осознали, до какой степени разорены некоторые низинные районы, например Нижний Девятый.

Даже те горожане, у кого телефон продолжал работать, обнаружили, что из-за урагана отключилась бо́льшая часть местной системы 911. Вместо нее срочные вызовы начала принимать радиостанция Нового Орлеана — WWL. Люди из Нижнего Девятого района постоянно звонили и просили прислать спасательные лодки. Даже если радио было не в силах помочь им, оставалась надежда, что кто-то из слушателей узнает по голосу близкого человека.

В целом главной медицинской проблемой во время ураганов и других природных катаклизмов является риск инфекционных заболеваний, причем исходит он не от мертвых. Разлагающиеся тела жертв таких катастроф не представляют большой опасности (в отличие, например, от трупов людей, умерших от Эболы) — хотя, конечно, немного мешают и, несомненно, заслуживают уважительного обращения. Еще одной серьезной проблемой становятся респираторные и диарейные заболевания, возникающие в местах скоплений людей, особенно в укрытиях: важно прежде всего поддерживать гигиену и мыть руки. К счастью, в США практически нет тифа и холеры, эндемичных в других странах, и крайне редко случаются вспышки кори, характерные для лагерей беженцев. Иногда приходится иметь дело со столбняком и лептоспирозом — случаи этого заболевания отмечаются после наводнений (болезнь передается с мочой грызунов). После «Катрины» мы действительно наблюдали в Луизиане и Миссисипи небольшие кластеры заражения ран вибрионами (средовой патоген) через паводковую воду — около двух десятков случаев, диарейные заболевания в укрытиях и кластер респираторных инфекций среди сотрудников министерства обороны, которые занимались ликвидацией последствий урагана. В целом самой серьезной инфекционной угрозой, которую мы видели, стала плесень в затронутых наводнением домах.

В Новый Орлеан, как и в Нью-Йорк после терактов 11 сентября, на помощь приехали пожарные и спасатели со всей страны, не говоря уже об обычных гражданах. Однако система реагирования на чрезвычайные ситуации оказалась не способна управлять этой массой волонтеров. Когда человек просто приходит в Центр по управлению чрезвычайными ситуациями и заявляет: «Здравствуйте, я хочу помочь», пользы от него мало. Фактически это скорее проблема: кому-то надо сортировать таких помощников, думать, что с ними делать. Были и «добровольцы без документов». Например, приходит человек и говорит: «Добрый день, я врач». Хорошо. Просто замечательно. Но как это проверить?

В случае катастроф нам гораздо удобнее работать с волонтерами, которых направляет Красный Крест или Армия спасения, — эти организации заранее проводят аттестацию.

По иронии судьбы «инженер-эколог», которого мы привезли с собой из Атланты, оказался просто инженером, поэтому было бессмысленно просить его отметить на карте источники воды и провести оценку риска потенциального заражения. Однако мы все его полюбили: он оказался полон положительной энергии и очень полезен, особенно когда надо было добыть информацию от коммунальщиков.

Перед ураганом мэр советовал всем, у кого нет средств для эвакуации, отправиться на стадион «Супердоум», называя его последним безопасным местом в городе. Это было единственное в городе убежище большой вместимости, и стадион «Супердоум» уже использовали во время двух прошлых ураганов. Однако даже Майкл Браун считал это неудачной идеей. Мэр уверенно заявил, что эвакуируемые должны ждать там автобусов, которые их вывезут. Маленькой загвоздкой было то, что он так и не договорился о выделении автобусов для транспортировки людей. Все плюсы «Супердоума» сводились к заметному расположению и обширному внутреннему пространству. Стадион так и не снабдили необходимыми принадлежностями на случай стихийного бедствия, не говоря уже о том, что его основание было расположено на три с половиной метра ниже уровня моря.

На игровом поле этого крытого стадиона спаслись почти 10 тысяч человек. Многие застряли там на неделю. Едва ли это было идеальное укрытие: ураганный ветер проделал в куполе стадиона большие дыры, через которые внутрь попадал дождь и зловонный воздух. Там не было света, не было киосков, где люди могли бы купить еду и напитки, не было кондиционеров. В огромном внутреннем пространстве было душно, темно и тесно.

Я побывал на этом стадионе через неделю после урагана и увидел массу людей, которые ждали спасения, а оно никак не приходило. Там все еще не было электричества и еды. Нам было больно все это видеть. Почему федеральное правительство не смогло взять на себя ответственность и отвезти людей туда, где о них позаботятся? Почему о том, что происходит внутри, мы узнавали от репортеров CNN?

Без сомнения, в «Супердоуме» были смерти и преступления. Смерти были и в домах, где люди остались один на один со страшной бедой. Виновны в этом исключительно политики и их приближенные. Их ответственность не становится меньше от того, что на разрушенной ураганом территории кто-то занимался мародерством и грабежами.

Причиной прорыва дамб стала крупная системная ошибка. Причиной боли и страданий людей стала бессердечность других людей, а также неумение руководить. Невероятно, но в 2006 году Рэя Нейгина переизбрали на следующий срок — впрочем, голосование проходило в тот момент, когда большинство жителей Нового Орлеана еще не вернулись домой после урагана. Еще сильнее меня поразило то, что мэр нанял консалтинговую компанию, которая сосредоточилась на подготовке к чрезвычайным ситуациям.

Как многие лидеры третьего мира, которые грабят своих граждан, Нейгин так и не понес ответственности за свои действия. Правда, в 2014 году ему предъявили обвинения по 20 эпизодам (электронное мошенничество, коррупция и отмывание денег — ни один эпизод не был связан с «Катриной») и приговорили к 10 годам тюрьмы.

Начальник полиции Эдди Компасс, чей департамент проявил во время кризиса черствость и профессиональную непригодность, вынужден был уйти в отставку. В книге The Great Deluge историк Дэвид Бринкли рассказывает, что полицейские в техасском Хьюстоне устроили конкурс фотографий патрульных машин из Нового Орлеана, «немного» — всего на 560 километров — отклонившихся от места несения службы. Ходили слухи, что начальник полиции перестал отвечать на звонки и исчез сразу после начала урагана (Бринкли описывает этот факт в своей книге, хотя сам Компасс все отрицает).

Уволили и раскритикованного в пух и прах директора Федерального агентства по управлению в чрезвычайных ситуациях Майкла Брауна, юриста, который занял эту невероятно сложную должность только потому, что до этого работал комиссаром по вопросам судей и стюардов в Международной ассоциации арабского коневодства.

Я видел, что ребят из Федерального агентства по управлению в чрезвычайных ситуациях серьезно огорчает вся эта политика, выставляющая их не в лучшем свете. Несмотря на некомпетентность руководства, на передовой работали настоящие профессионалы. На Джексон-сквер во Французском квартале они с помощью одной некоммерческой организации обеспечили питание для сотрудников служб экстренного реагирования (я тоже был в их числе). В первые дни в Новом Орлеане нам приходилось довольствоваться армейскими сухими пайками, но, как только эти ребята все устроили, мы выстроились в очередь к палаткам. Безусловно, это был позитивный сдвиг.

Самым крупным просчетом Федерального агентства по управлению в чрезвычайных ситуациях стало то, что они не заняли позиции заранее. Они знали, что надвигается ураган, и не надо было ждать, пока губернатор объявит чрезвычайное положение, чтобы делать то, что необходимо делать в таких случаях. Они должны были подготовить школьные автобусы, автомобили реанимации, наборы еды. Что касается вывоза людей, не имевших возможности эвакуироваться, то в городе на тот момент было 360 свободных автобусов. Если бы каждый взял по 50 пассажиров, за один раз можно было бы вывезти 18 тысяч человек. Но об этом никто даже не подумал.

«Катрина» стала коллективным провалом руководства города, штата и федеральных властей (никто из них, похоже, не знал, чем занимаются остальные). Кроме всего прочего, оказалось, что у социальных служб не было адресных списков лиц с ограниченными возможностями, хотя в Новом Орлеане очень много пожилых людей и инвалидов.

Позже я узнал, что в воскресенье, 28 августа, когда ураган уже бушевал, Майкл Браун, как и мэр Нейгин, просто «отслеживал ситуацию» и работал над планом перевода реагирования на федеральный уровень, который в итоге был отвергнут губернатором.

Губернатор Кэтлин Бланко потом все же запросила федеральную помощь, но без какой-то особой срочности. В пятницу она объявила по всему штату чрезвычайное положение, а в субботу формально попросила президента Буша объявить чрезвычайное положение на государственном уровне. Запрос был не только запоздалым, но еще и невыразительным и неконкретным и мало чем отличался от небрежно заполненного формуляра. Все что угодно, только не крик о помощи, обращенный к Вашингтону. Если ответственные лица не общаются друг с другом, страдают простые люди.

Правительство США, в том числе Федеральное агентство по управлению в чрезвычайных ситуациях, больше не повторит этих ошибок. Уроки «Катрины» останутся в памяти навсегда и будут ярким напоминанием о том, что важнейшей обязанностью своего правительства граждане считают обеспечение их безопасности.

После «Катрины» были полностью пересмотрены принципы подготовки и реагирования на федеральном уровне. Была внедрена новая общенациональная система готовности, которая включала программы защиты, профилактики, ликвидации последствий, реагирования и восстановления; была сформулирована новая цель национальной подготовки, и, самое главное, был сделан акцент на том, что совершенствованием подготовки и реагирования должно заниматься все общество. Результаты этой работы мы увидели во время урагана «Сэнди» в 2012 году.

* * *

Но не менее важна и связь с обществом. Еще во время вспышки Эболы в Африке я понял: слухи могут серьезно помешать нашей работе. Поэтому один из наших сотрудников, Скотт Харпер, занимался исключительно опровержением слухов.

В Новом Орлеане гуляли слухи, что собака-спасатель зашла в воду, заболела и умерла. Эта история сообщалась в контексте рассказов про «ядовитый суп», которые отчасти были связаны с отчетом о проведенной в 2004 году симуляции урагана третьей категории. В нем говорилось, что, если вода не будет спадать в течение нескольких недель, ил превратится в нечто похожее на густой местный суп гумбо, приправленный химией и потому опасный для жизни.

В этом самом уязвимом для наводнений городе («дурдом на выезде на огромном болоте» — вот как однажды назвал его романист Джеймс Ли Берк) действительно было 31 место, определенное Агентством по охране окружающей среды как источник возможного загрязнения. Расчистку этих светившихся в темноте свалок токсичных отходов взяли на себя федеральные власти.

Я дал интервью CNN. Мы шли по улицам Нового Орлеана, и я показывал, что химикаты в воде не более опасны, чем обычная бытовая химия, которая попадает в городскую канализацию. Пить эту воду не стоит, но ходить по ней не смертельно. Самой серьезной обнаруженной нами средовой опасностью была плесень.

Все эти слухи были абсолютно беспочвенными, однако они подкосили моральный дух людей, которые первыми отреагировали на удар стихии. Многие из них вообще не доверяли властям. Видя бесконечные промахи на официальном уровне, они думали: «Господи, одна из наших собак погибла. Если мне суждено умереть, я не хочу умереть вот так!» Мы, специалисты по общественному здравоохранению, должны были опровергнуть эти безумные слухи. Несмотря на все старания, мы так и не нашли ни источника истории про собаку, ни отчета о вскрытии, ни каких-либо других данных, которые могли бы помочь нам разоблачить ложь. Но мы обязаны были пытаться. Такие вещи следует принимать всерьез.

Вскоре появилась история о том, что подопытные обезьяны выбрались из вивария в Тулейнском университете и разбежались по Новому Орлеану, распространяя Эболу. По другой версии, оттаявший вирус Эбола из лабораторных морозильников проник в популяцию. Чтобы положить конец массовой истерии, нам снова пришлось собрать много фактов (правда, в данном случае это было несложно). Тулейнский виварий находится вовсе не в Новом Орлеане, а замороженный вирус погибает после оттаивания.

* * *

Дэйв Дэйгл, наш главный специалист по связи, раньше служил в армии командиром танка. Он знал город еще со времен учебы на старших курсах университета. Дэйв отлично умел работать со СМИ, даже несмотря на отсутствие нормальных механизмов связи. Он был моим старшим помощником, а однажды стал соучастником «преступления».

На Бурбон-стрит мы обнаружили украденную кем-то и брошенную коробку совершенно неуместных в той ситуации туристических футболок, и я попросил Дэйва забрать их. Сам я не мог этого сделать, поскольку был в мундире Службы здравоохранения США — теперь я носил его с особым чувством. В новостях показывали, как вертолеты и лодки береговой охраны, Национальной гвардии и службы дикой природы штата забирали пострадавших жителей Нового Орлеана с крыш или прямо из грязной воды. Разумеется, сотрудники этих служб были в униформе. В тот момент я осознал, что не ценю должным образом значение своего мундира.

Служба здравоохранения США была создана в 1798 году для лечения моряков, а позже занялась обеспечением карантина во время инфекционных заболеваний. Все сотрудники «офицерского корпуса» организации — а это шесть тысяч врачей, медсестер, фармацевтов, стоматологов, ученых, ветеринаров и других медицинских специалистов — должны носить униформу. Формально мы подчиняемся главе ведомства — главному хирургу США, однако наше непосредственное руководство представляет разные государственные ведомства, например: Центры по контролю и профилактике заболеваний, Федеральное бюро тюрем, Национальные институты здравоохранения и Индейскую медицинскую службу. С того момента, как мое заявление на участие в программе Службы расследования эпидемий было одобрено, я автоматически стал официальным лицом. Все, чем я отличался от моих коллег, пришедших работать в Центры по контролю и профилактике заболеваний как гражданские служащие, — это альтернативная система оплаты и требование по средам надевать мундир. Наше отношение к этой последней обязанности начало меняться уже после атак сибирской язвой, когда мы увидели, что служим народу и первыми реагируем на чрезвычайную ситуацию. После Нового Орлеана я с гордостью носил свою форму каждый день до тех пор, пока не вышел в отставку в должности заместителя главного военного хирурга.

Мы пытались взаимодействовать с местной системой управления чрезвычайными ситуациями, но для этого потребовалось некоторое время. Мы ходили туда почти каждый день.

В те непростые времена мы фактически заменили собой департамент здравоохранения, взяв на себя решение рабочих вопросов. Медицинская документация оказалась в полнейшем беспорядке, благотворительная больница ушла под воду, однако женщины по-прежнему рожали детей, которых надо было обследовать и прививать, больных туберкулезом по-прежнему надо было лечить, а людей с ВИЧ/СПИД по-прежнему надо было выявлять и оказывать им помощь. Команды, которые всем этим занимались, возглавила невозмутимая доктор Никки Песик.

Наши команды работали также во всех кабинетах неотложной помощи и многих импровизированных клиниках, где активно собирали данные о каждом пациенте, отслеживая число и тип травм и заболеваний. На основе этой информации мы выпустили ряд предупреждений, например: не включать домашние генераторы (из-за риска отравления угарным газом) и не подниматься на крышу с цепной пилой (тут всех опасностей и не перечислишь). Кроме того, некоторые спасатели (в том числе из категории «Я пришел вам помочь») не надевали защитного снаряжения, поэтому мы обратились за помощью в Национальный институт охраны труда и попросили их позаботиться, чтобы эти горе-спасатели не убили самих себя или еще кого-нибудь.

Доктор Джонатан Филлинг, директор Лос-анджелесского окружного департамента здравоохранения, который прибыл на помощь вместе с другими специалистами из этого города, придумал отличную вещь: сделать сайт, на который люди смогут зайти и быстро сориентироваться, что происходит в городе в этот день.

Мы разработали сайт под названием New Orleans Dashboard* с кратким объяснением важнейших медицинских вопросов.

Тем временем мы сами по-прежнему кочевали с места на место в поисках жилья. Некоторое время мы жили в гостинице рядом с Медицинским центром имени Ошнера, но потом нас попросили оттуда съехать. Тогда мы пошли на крайние меры — поселились на борту «Гарри Трумэна», авианосца типа «Нимиц». Я пробыл на корабле всего одну ночь. Я не смог там спать — кажется, что ты лежишь в гробу: расстояние от твоего лица до койки верхнего яруса не более 15 сантиметров.

После этого мы переехали в гостиницу «Омни». Там не было питьевой воды — приходилось пить бутилированную, — но, с другой стороны, было аварийное электроснабжение. В этой гостинице мы оставались до тех пор, пока нам не пришлось эвакуироваться из-за урагана «Рита».

Когда это произошло, мы уехали в Батон-Руж и сняли там на несколько дней дом, а затем вернулись в Новый Орлеан. Ураган «Вилма» оказался не столь страшен — от него мы просто спрятались и не покидали город.

Выезжая за пределы города, мы видели колоссальную разницу между Новым Орлеаном и другими районами. В городе царила разруха и люди все еще ютились на стадионе «Супердоум», а в других местах все выглядело вполне неплохо. В пригородах были открыты рестораны McDonald's и Arby's — как будто ураган прошел в тысяче километров оттуда. Честно говоря, я тоже оказался подвержен своего рода окопной психологии. В самом начале бедствия одна

---

* В переводе с англ. «панель мониторинга Нового Орлеана».

журналистка собралась приехать в Новый Орлеан и взять у меня интервью. Она поинтересовалась, что мне привезти, и я попросил чистое нижнее белье.

Это заставляет задуматься над тем, почему невероятно богатое американское общество не сумело вывезти несчастных людей из «Супердоума» в какое-нибудь более подходящее место? Ведь буквально в двух шагах от стадиона были доступны всевозможные услуги! На этом примере хорошо видно, что входной билет в наше общество — это деньги. Если у тебя есть машина и кредитка, все будет в порядке. Без этих базовых вещей ты живешь в другой стране и по другим правилам.

Этот чудовищный раскол общества стал очевиден через считанные дни после прорыва дамб. Какие-то чернокожие граждане попытались перейти на западный берег Миссисипи и эвакуироваться, но на мосту их остановили полицейские в защитной экипировке. Несчастных людей не пустили в Гретну — пригород Нового Орлеана. Эта известная история, наверное, самый красноречивый пример распада гражданского общества и нарушения гражданских прав на классовой и расовой почве. Создавалось ощущение, что забота о людях в Америке распространялась только на тех, «кто выглядит так же, как я».

* * *

Когда я уезжал из Нового Орлеана, в команде Центров по контролю и профилактике заболеваний было уже около 70 человек. Мы работали шесть с половиной дней в неделю — я буквально заставлял людей делать перерывы, чтобы не допустить профессионального выгорания. Нескольких человек из-за стресса пришлось пораньше отправить домой. Чтобы укрепить моральный дух команды, я объявил, что по субботам больница Kindred перестает быть федеральным учреждением. В эти дни я приносил всем пиво и пиццу. А еще я каждый день на утреннем совещании вручал одну из экспроприированных туристических футболок, чтобы наградить тех, кто по-настоящему хорошо поработал.

В целом мы гордились собой. Когда мэра спросили, безопасно ли возвращаться в город, он ответил: «Мы ежедневно отслеживаем ситуацию, работаем с населением и благодаря департаменту здравоохранения знаем, что люди в безопасности».

Он говорил это про нас. Мы выполнили свою задачу. Мы «поработали как следует».

Когда я собирался домой, Бурбон-стрит уже начала подавать признаки жизни. В некоторых зданиях появилось электричество, в других по ночам включали генераторы. За день до отъезда мы зашли пообедать в кафе на соседней улице, неподалеку от нашей гостиницы. Вдруг официантки сняли свои футболки и начали танцевать на барной стойке, а клиенты принялись засовывать им в шортики банкноты.

Я повернулся к своему товарищу и сказал: «Ну вот и все. Новый Орлеан возвращается».

9

СЬЕРРА-ЛЕОНЕ

*Я только считаю, что на нашей планете
существуют бедствия и жертвы и что надо
по возможности стараться не встать
на сторону бедствия.*

АЛЬБЕР КАМЮ.
Чума*

В хижине, где мы ждали водное такси, мне вручили ярко-оранжевый спасательный жилет — без ремней и без застежек. «Добро пожаловать в Африку, — подумал я. — С возвращением». Это было в феврале 2015 года. На этот раз я здесь из-за Эболы. Я приехал в Сьерра-Леоне как консультант Всемирной организации здравоохранения.

Уже почти стемнело, когда мы отправились из аэропорта в Кокл-Бей и Абердин — район Фритауна, где для меня был забронирован номер в гостинице под названием «Сьерра Лайтхаус».

На стойке администратора я встретил доктора Кэрол Жао из Китая, мою давнюю знакомую. Она приехала в эту гостиницу на ужин по поводу отъезда коллеги — в ресторане с видом на прекрасный залив подавали гигантских тропических лобстеров по 20 долларов. Для западных людей вполне

---

* Цит. по. *Камю А.* Чума. Пер. с франц. Н. М. Жарковой. СПб. : Кристалл, 2001.

приемлемая цена, а для парня, который вел водное такси, это, наверное, месячный заработок.

Гостиница имела две звезды: водопровод и электричество были, а лифта не было и кондиционер тоже не работал. Мой номер находился на четвертом этаже — напор воды там оказался такой слабый, что сложно было принять душ. Но мне и так повезло больше, чем нескольким моим коллегам. Приехав в свою гостиницу, они услышали, что их заказ куда-то потерялся, и им пришлось остановиться в «Рэдиссон Блу» и заплатить почти в три раза дороже. Был февраль, и они собирались устроить вечер просмотра Суперкубка. Это только усилило когнитивный диссонанс, который я и так чувствовал, ужиная лобстерами в этой бедной, но прекрасной стране, перепугавшей весь мир вспышкой Эболы. Ни с чем не сравнимое ощущение: болеть за «Пэтриотс» или «Сихокс», когда тебе напоминают о том, что мефлохин (препарат для профилактики малярии) нельзя принимать с алкоголем.

По пути в Африку я проехал через Женеву. Я делал так каждый раз, когда действовал от имени ВОЗ. Я всегда останавливался в гостинице в районе Паки, где ВОЗ давала мне скидку. Это на краю «квартала красных фонарей». Утром я завтракал в одном и том же кафе на Рю-де-Лозанн, садился в автобус номер восемь, который идет мимо центрального вокзала Корнавен, и доезжал до здания ВОЗ, известного в этой части света как OMS (Organisation Mondiale de la Santé*).

Коллеги из ВОЗ три дня вводили меня в курс дела, сообщали последние данные о ситуации в Сьерра-Леоне и проводили инструктаж. Однако, как и всегда, было не вполне ясно, что я должен делать. Смысл был примерно такой: «Вы эксперт, мы вас туда отправляем. Удачи. Помогайте им во всем». Призна́юсь, такие поручения я люблю больше всего.

---

* Французское название Всемирной организации здравоохранения.

Когда вечером того же дня я прилетел во Фритаун, там было почти 38 градусов жары. Выходя из самолета, я увидел каких-то китайцев, которые надевали маски и перчатки. В аэропорту повсюду были расклеены плакаты на тему Эболы, и мне пришлось подавить в себе порыв вымыть руки. На входе в терминал медработники измеряли всем температуру. Затем надо было заполнить анкету о предыдущих поездках.

Потом была таможня, пограничники, тепловизор и зона выдачи багажа, где меня ждал сотрудник ВОЗ, который встречал прибывавших консультантов. Он забрал мой паспорт и попросил 40 американских долларов наличными на водное такси.

Мы вышли на улицу, в зной, пересекли грунтовую дорогу и сели в автобус, который довез нас до хижины у доков — той самой, где я получил «декоративный» спасательный жилет. Пусть он и не удержит тебя на плаву, если случится что-то плохое, зато мерцающая в воде оранжевая лампочка покажет, где начать собирать трупы.

Ночь в душном номере отеля прошла без происшествий, а наутро приехала машина, чтобы отвезти меня в местное представительство ВОЗ, расположенное примерно в получасе езды от моей гостиницы. В офисе меня встретила очаровательная девушка по имени Исату. Я получил длинный список совещаний, в которых должен был принять участие: брифинг по безопасности, брифинг по человеческим ресурсам и так далее, а также перечень того, что мне необходимо было сделать, чтобы врач дал мне медицинский допуск. Мы прослушали небольшой инструктаж по безопасности и гигиене и узнали, где взять телефоны, — мне выделили мобильник с местным номером. Из-за туманности и неопределенности миссии у меня по-прежнему оставалось довольно странное ощущение, но я предположил, что в какой-то момент кто-нибудь скажет: «Итак, давайте я вам расскажу, что от вас требуется».

Следующая задача — получить бейджик. В мини-фургоне, по пути в офис Программы развития ООН, где я должен был сфотографироваться, я повстречал доктора Айлиш Клири. Она руководила медицинской службой канадской провинции Нью-Брансуик. Двадцать лет назад она работала в Сьерра-Леоне и сейчас уже пару месяцев возглавляла здесь надзорную группу в Порт-Локо.

— Чем вы занимаетесь? — спросила она меня.

— Вообще-то я эпидемиолог, но точно не знаю, для чего я здесь, — сказал я. — Думаю, я должен работать с Мэттом Крейвеном.

Мэтт раньше работал консультантом в McKinsey & Company, и я слышал, что он отвечает за оперативную деятельность.

— Нет, вы эпидемиолог, — последовал ответ. — И вы должны работать со мной.

Вот так — случайно, в минивэне — я и нашел человека, с которым должен был связаться. Добро пожаловать в Африку.

Мы снова встретились на следующее утро. К тому времени доктор Клири уже успела посмотреть мое резюме.

— Все в порядке, — сказала она. — Вы, с вашим опытом, поедете в округа Коно, Койнадугу, Бомбали и Тонколили. Все четыре на северо-востоке.

Затем она объяснила, что от меня требовалось. В своей вновь созданной должности регионального эпидемиолога я должен буду ездить по округам и оказывать техническую поддержку — искать любые изменения в скорости передачи заболевания и способы остановить эпидемию, а также анализировать, как можно внедрить интегрированную систему эпиднадзора за болезнями и принятия ответных мер. Это была новая система, позволявшая перейти от экстренного реагирования к постоянному мониторингу болезни в конкретном сообществе.

На брифинге, который проводила доктор Клири, я услышал о двух кубинских врачах, умерших от малярии. Первый пренебрег мерами профилактики, а диагноз так и не поставили. У второго малярию распознали, но он умер так быстро, что просто не успел получить помощь. Это еще раз напомнило нам про мефлохин — малярия для команд реагирования опаснее самой Эболы.

Вспышка этой вирусной геморрагической лихорадки началась ранней весной 2014 года. Она возникла в соседней Гвинее, тлела там несколько месяцев и только потом охватила Сьерра-Леоне. Однако Сьерра-Леоне обогнала своих соседей по числу случаев и смертей. По состоянию на январь 2016 года эта страна оставалась единственной, где наблюдались активные случаи заболевания. Хотя ничего удивительного здесь нет: Сьерра-Леоне — бедное государство с населением около шести миллионов человек, расположенное в Западной Африке на побережье Атлантического океана. В тот момент страна еще не оправилась от многолетней жестокой гражданской войны.

Гораздо разумнее было бы направить максимум усилий на полноценную подготовку сразу после того, как Гвинея сообщила о первом случае заболевания.

Оценить состояние системы здравоохранения можно с помощью таких показателей, как средняя продолжительность жизни — в Сьерра-Леоне она составляла 46 лет (в Японии, например, 86) — и младенческая смертность. На тысячу родов в этой африканской республике приходится 107,2 смерти (для сравнения: в Исландии — 1,6). Это настоящая трагедия: 10 процентов детей умирает в первый год после рождения.

Новая, легко передающаяся болезнь — лихорадка Эбола — быстро подавила примитивную медицинскую инфраструктуру страны. Врачи сталкивались с массой сложностей: сверхраспространители, культурные практики, поощрявшие близкий контакт с больными и мертвыми, густонаселенные трущобы в городах и вокруг них, люди, сопротивлявшиеся выявлению случаев и контактов, а также исключительно контрпродуктивные решения, принимавшиеся на национальном уровне (например, масштабные карантины, наказания и неудовлетворительное раннее информирование).

Прошло несколько месяцев, прежде чем руководство страны осознало, что избранная стратегия, сосредоточенная на здравоохранении, не принесла желаемых результатов. Дело отчасти было в том, что министерство здравоохранения не имело службы медицинских расследований, которая помогла бы осознать масштаб проблемы. Поэтому президент создал новый координирующий орган — Национальный центр реагирования на лихорадку Эбола, который возглавил (догадайтесь, кто?) министр обороны.

По образцу национального центра во всех округах страны создали окружные центры реагирования на лихорадку Эбола под руководством координаторов, которых назначал президент. Таким образом, с эпидемией вплоть до низового уровня боролись люди, назначенные по политическим соображениям, — мне как человеку, который был в Новом Орлеане и видел, как «умело» политические назначенцы действовали во время «Катрины», это не внушало оптимизма. Однако через полгода, когда я снова приехал в Сьерра-Леоне уже в должности руководителя ВОЗ по надзору на национальном уровне, я довольно близко познакомился с министром обороны Паоло Конте, майором в отставке. Его практичность меня приятно удивила.

В структуре национального центра реагирования было множество вертикалей, которые отвечали за ведение больных, здравоохранение, в том числе за надзорную и лабораторную деятельность, а также за мобилизацию общества, безопасные погребения, логистику, связь, защиту выживших и решение их психосоциальных проблем.

В стране был создан общенациональный телефонный номер 117, по которому могли позвонить люди, подозревавшие болезнь у себя или знавшие о том, что заболел кто-то другой. Чтобы гарантировать занятость населения, а также из-за того, что национальная линия не всегда могла собрать нужные подробности, систему продублировали на уровне округов — там можно было позвонить на личный номер мобильного телефона. Но в какой-то момент в Сьерра-Леоне было зафиксировано 500 случаев заболевания в неделю, а в списке отслеживания контактов значилось пять тысяч человек. Если учесть, что в стране было 14 округов, 149 вождеств и шесть с лишним тысяч деревень, связь между национальной системой и местным уровнем явно была недостаточной.

Поскольку за борьбу с эпидемией отвечали силовые ведомства, возникали ситуации, когда карантин объявляли во всех соседних домохозяйствах, а нередко и во всей деревне и вводили комендантский час. Потом местные власти сузили ограничения и стали закрывать «определенные группы домов» и иногда отдельных людей. Однако столь непродуманный подход уже создал предпосылки для взаимного недоверия между обществом и борцами с эпидемией, которое привело к тому, что многие крестьяне прятали больных и умерших.

Подготовка к реагированию на вспышку считалась первой фазой. Вторая фаза — и тут на сцену выходит ваш покорный слуга — должна была свести к нулю число новых случаев.

На одном из брифингов я услышал, что медицинские работники по-прежнему продолжают заражаться. Это было неудивительно, ведь люди допускали массу ошибок: сняв очки, терли глаза, курили в биоизолированных помещениях, брали в красную зону мобильные телефоны, чтобы отвечать на звонки. Некоторые из заразившихся медиков ухаживали за людьми в деревнях, поэтому их инфицирование, возможно, не следовало учитывать в статистике медицинских учреждений. С другой стороны, если списать эти случаи на заражение в сообществе, можно скрыть недостатки инфекционного контроля в лечебных центрах.

Тем временем во Фритауне объединить данные и попытаться их осмыслить мне помогала доктор Дельфина Курвуазье, еще один консультант ВОЗ из Женевы. Она рассказала мне, что информация поступает разными путями: из 13 лабораторий, из системы отслеживания вирусных геморрагических лихорадок и из системы отчетности районов. Привести все эти источники к общему знаменателю было непросто. В итоге все сводилось к заключению лаборатории. Однако информационные системы были не только устаревшими, но еще и неточными: попадались образцы без людей, люди без образцов, были разночтения в написании фамилий.

Эти потоки информации должны были стекаться в министерство и образовывать единую систему. Однако общей картины не получалось: система не была предназначена для объединения такого большого объема записей. У всех были собственные алгоритмы проверки данных, а значит, и разные числа для подозрительных и вероятных случаев. Дублирующие записи удаляли не всегда, случались задержки в две-три недели во вводе тех данных, которые все-таки удавалось получить.

Я как эпидемиолог сразу заинтересовался происхождением и движением информации. Приехав в округ, я понял, что обо всех смертях и подозрительных случаях полагалось сообщать в окружной центр экстренного реагирования. Изо рта умершего следовало взять мазок и отправить образец на анализ на наличие нуклеиновых кислот. Затем независимая надзорная команда должна была собрать историю болезни и заполнить отчет о случае. За посещение больных людей отвечала надзорная команда, сотрудники которой заполняли другой бланк и вызывали скорую помощь, если человек подходил под определение подозрительного или вероятного случая. Скорая помощь забирала человека в отделение для больных Эболой для проведения клинической оценки и передавала образец крови в лабораторию. Если лаборатория подтверждала случай, команда расследования эпидемий проводила более подробное собеседование и заполняла еще один бланк. В течение следующих трех недель ежедневно приходила команда отслеживания контактов — они тоже заполняли различные бланки, и расхождений в написании одних и тех же имен становилось еще больше.

Сложнее всего было добиться указания единого номера случая на всех образцах. Некоторое время спустя Центры по контролю и профилактике заболеваний предоставят надзорные листы с тремя штрихкодами. Если у пациента брали три образца, их обозначали этими кодами. Но если врачи хотели проверить дополнительные образцы, то, поскольку пациент еще не был выписан, они просто брали новый бланк и ставили штрихкоды с него. Таким образом, каждый человек теоретически мог получить множество идентификационных номеров. Образцы биоматериала часто попадали в лабораторию с задержкой, особенно если был задействован человек, ответственный за сбор мазков у умерших. Один образец провалялся так целых восемь дней. Когда его все-таки доставили в лабораторию, тест показал положительный результат.

Эпидемиологические команды просматривали лабораторные таблицы, чтобы проверить, какие случаи считать подтвержденными на основе положительных результатов анализов. Но иногда представители министерства заявляли: «Результат лабораторного исследования положительный, но случай не подтвержден». Возможно, они знали, что это дубликат уже известного подтвержденного случая, но чаще они просто стремились ограничить число больных и «контролировать» рост заболеваемости.

Когда Дельфина обновила базу данных, чтобы связать эпидемиологию с положительными лабораторными результатами, у нее тут же обнаружилось 500 лишних случаев. Для эпидемиолога и специалиста по статистике вроде меня такие расхождения были очень тревожным знаком. Но о самых больших искажениях мне еще предстояло узнать. Когда я отправился в округа, где эти данные собирали, я увидел, что местные эпидемиологи вообще не пользуются системой, которую с таким трудом пытаются привести в порядок во Фритауне.

О другом не менее серьезном промахе мне рассказал доктор Йоти Забулон, сотрудник Программы медицинской безопасности и чрезвычайных ситуаций в Африканском региональном бюро ВОЗ, теперь заместитель директора ВОЗ по Сьерра-Леоне, — эту должность создали для него, чтобы координировать реакцию от имени ВОЗ в стране. Мы познакомились много лет назад во время вспышки Эболы в Уганде, и никто не умел управлять такими ситуациями лучше него.

В июне 2014 года он сказал властям: «Нам нужно 276 тысяч долларов, чтобы подавить вспышку». Около 10 процентов этой суммы пошло бы на надзор. Еще он добавил, что потребуется как минимум 16 автомобилей. Однако в то время такую поддержку взять было неоткуда.

Восемь месяцев спустя, в феврале, мы сидели у него в кабинете и он показал мне целый автопарк за окном: машин было так много, что их негде было припарковать и они просто стояли вдоль улицы. В тот момент, когда это могло иметь решающее значение, ни ВОЗ, ни международные спонсоры, ни правительственные органы не выделили необходимых средств. Только после того, как заболели первые американцы и их пришлось отправлять в США по программе Medex, Эбола в Западной Африке вызвала «международную обеспокоенность» и деньги полились рекой. На глобальном уровне ВОЗ объявила чрезвычайную ситуацию международного значения в области общественного здравоохранения с месячной задержкой, несмотря на просьбы «Врачей без границ» и других организаций.

Мне тоже выделили машину, но, прежде чем отправиться в путь, нужно было получить одобрение местного сотрудника службы безопасности. Для этого я должен был войти в систему защиты и безопасности ООН, указать свой полный маршрут и транспортное средство, а также то, в какие дни я буду заниматься полевой работой и где собираюсь жить. Я попытался сделать это через интернет, но сеть в моем гостиничном номере была такая капризная, что, промучившись несколько часов, я решил поискать способ лучше.

На следующий день я просто пошел в офис этой организации. Процесс все равно занял несколько часов, но в итоге у меня появился напарник Криспин — отличный парень из местных, который никогда еще не бывал в других регионах родной страны. Он работал водителем в фирме по прокату автомобилей. Нам предстояло вместе посмотреть страну, попутно решая такие нетривиальные задачи, как, например, поиски бензина и ночлега.

Единственным важным вопросом, с которым следовало разобраться до отъезда, оставалась покупка местной валюты: там, куда мы направлялись, кредитные карточки были не в чести. Я пошел купить открытки и что-нибудь на обед, а в это время Криспин прямо на улице устроил нечто вроде черного рынка. Когда я вернулся и сел в машину, на заднее сиденье забрался парень с курьерской сумкой. Я передавал ему доллары, а он мне — увесистые пачки леоне, местной валюты, по курсу примерно 4200 леоне за доллар.

А потом мы четыре недели колесили по разбитым дорогам — без доступа к водопроводу и электричеству, зато буквально с мешками денег. Кстати говоря, в машинах ВОЗ запрещено иметь оружие, так что нам оставалось только надеяться на лучшее.

Двадцать лет назад я как молодой специалист собирал бы и анализировал данные самостоятельно. Теперь я ехал в качестве старшего эпидемиолога округов Коно, Койнадугу, Бомбали и Тонколили и отвечал скорее за стратегию как выглядит наш подход к профилактике и как его усовершенствовать.

К счастью, передача Эболы и борьба с ее распространением не слишком изменились с момента нашего первого знакомства с этим вирусом. Больные заражали членов семей и медицинских работников, а контакты с трупами, заражение в учреждениях здравоохранения и отдельные сверхраспро-странители приводили к взрывным вспышкам. Эти законо-мерности передачи определяли стратегии профилактики: необходимо было изолировать зараженных, обеспечить безо-пасные похороны умерших, отслеживать контакты и улучшать инфекционный контроль в больницах.

Благодаря участию «Врачей без границ», Международной федерации обществ Красного Креста и Красного Полумесяца, «Партнеров по здоровью» и множества других медицинских организаций в этот раз немного больше внимания уделя-ли уходу за инфицированными пациентами и уменьшению смертности среди них. Трудности также остались прежни-ми: необходимо было максимально эффективно внедрить научно обоснованные меры, чтобы свести вспышку к нулю, и одновременно общаться с местным сообществом грамотно и с учетом культурных особенностей, чтобы убедить людей по-настоящему соблюдать меры предосторожности.

Сначала мы направились в Койнадугу — самый дальний северо-восточный округ. Основу местной экономики составля-ла добыча алмазов и золота, однако в Кабале, столице округа, не было ни водопровода, ни электричества.

В гостевом доме «Вендис», местном «Ритце», все номера были заняты сотрудниками неправительственных организа-ций. Нас перенаправили в двухэтажное кирпичное здание с дюжиной комнатушек, выходивших в крытый проход, — почти как мотель, но без электричества и водопровода. В бу-дущем хозяин собирался устроить у себя такие удобства, но пока его планы оставались несбыточной мечтой.

В городке было и место, чтобы подкрепиться. Моя первая трапеза состояла из какого-то загадочного мяса, которое плавало в растительном масле и было полито сверху огром-ным количеством майонеза. Все это мне подали с кетчупом и багетом. Сначала я подумал: «Это нельзя есть по столь-ким причинам, что я даже не знаю, с чего начать». Но потом появилась другая мысль: «Я голоден, а они утверждают, что блюдо халяльное. Страна мусульманская, поэтому, скорее всего, так оно и есть». В итоге я пренебрег правилами безопасности, с аппетитом проглотил свой ужин и помолился, чтобы он поладил с микробами, которые живут у меня в кишечнике.

В моем номере стояло ведро с водой — чтобы смывать в туалете и, если получится, помыться. Был и бензиновый генератор. Вечером его на пару часов запускали — этого как раз хватало, чтобы зарядить телефон. На потолке был даже вентилятор. Правда, когда я его включил, он разлетелся на куски, засыпав комнату фрагментами корпуса и прочими деталями, и я решил, что духота все-таки лучше, чем летающие в воздухе осколки.

Я не забывал закрываться перед сном сеткой и вытряхивать наутро ботинки. Но поскольку утром электричества не было, мыться мне приходилось в темноте. На завтрак я съедал вареное яйцо с очередной большой ложкой майонеза и кусок мяса неизвестного происхождения.

Название моей должности — «старший полевой эпидемиолог» — звучало весьма прозаически, а поскольку мне поручили объехать так много округов, я стал именовать себя «скитающимся эпидемиологом». Потом я сказал: «Нет, я буду „вольным эпидемиологом“». В конце концов мои коллеги пришли к выводу, что, раз уж мне позволено так много делать и говорить и я без колебаний пользуюсь этой свободой, то я «дикий эпидемиолог». Это прозвище так ко мне и приклеилось.

Я ездил из одной сельской области в другую и консультировал различные полевые команды эпидемиологов ВОЗ и их начальство. Я сопровождал погребальные команды, наблюдал за их действиями и говорил: «Отличная мысль, я поделюсь этой находкой с другими округами» или «Лучше сделать вот так. Это поможет нам свести эпидемию к нулю». Люди работали не один месяц, они устали, и фраза «свести к нулю» — сделать так, чтобы не было ни одного нового случая, — стала мантрой, поддерживавшей их боевой дух.

Важным отличием этой вспышки от предыдущих было то, что, куда бы я ни направлялся и каким бы удаленным ни был район, почти везде — по крайней мере, на рабочих местах — был спутниковый интернет. К сожалению, потенциал этого вида связи в Сьерра-Леоне тогда еще не научились использовать в полной мере.

Слишком часто сбор данных сводился к тому, что какой-то человек заполнял формуляр и отправлял его другому человеку, который не имел никакого представления, что эта информация означает, и задача которого заключалась в том, чтобы ввести ее в базу данных. Такие механические действия шли по цепочке вплоть до Фритауна. Там люди смотрели на полученные данные и думали: «И о чем же нам все это говорит?» Потом информацию передавали дальше, в Женеву, где ее объединяли с данными по Гвинее и Либерии — другим наиболее сильно затронутым странам, — и пытались сделать из этого какие-то выводы.

Однако на месте, в полевых условиях, было очевидно, что в этих числах нет особенного смысла. Отсутствовала двойная проверка, данные не давали представления о контактах, а поскольку за эту работу не отвечала ни команда ВОЗ, ни местные окружные медики, никто не желал гарантировать достоверность предоставленных сведений. В Женеве об этом не знали и исходили из того, что цифры твердые как камень. Более того, даже во Фритауне их воспринимали как божественное откровение.

Я обнаружил слепые зоны, откуда никаких отчетов не поступало, и, следовательно, формально никто не умирал. Вспышка Эболы явно породила и вспышку укрывательства — побочный эффект ситуации, когда люди боятся введения принудительного карантина и беспокоятся об останках близкого человека. Предполагалось, что о смертях будут сообщать медикам, а те приедут и соберут мазки. Но из некоторых районов никто никогда не звонил. Мы шутили, что, если хочешь стать бессмертным, достаточно переехать в деревню X, Y или Z.

В других районах люди умирали, зато никто не болел. Во время подобных вспышек мы исходим из того, что люди, прежде чем умереть, заболевают, однако многие крестьяне не хотели попадать под карантин либо стремились избежать госпитализации близкого человека и скрывали правду до тех пор, пока не становилось слишком поздно.

Не меньшее беспокойство вызывало и то, что местные команды, видимо, сами не до конца понимали движение потоков информации даже на своем уровне, хотя данные, которые они должны были собирать, составляли основу для принятия решений. Казалось, они видели только требование предоставить цифры — и поэтому предоставляли цифры, не заботясь об их достоверности.

Из-за неполноты и излишней сложности баз данных было крайне трудно понять, у кого, например, сегодня анализ дал положительный результат и как этот человек связан с другими зараженными. Кто для них является общим контактом? Реакция системы здравоохранения была очень поверхностной. Если бы качество данных было выше, окружные и национальные команды могли бы более грамотно оценить кривую вспышки и ее распространение.

Надо сказать, что расхождения в данных и путаница, которые я наблюдал в Сьерра-Леоне, имеют место и в США. Мы по-прежнему собираем отдельные листы Excel, а потом сопоставляем их, чтобы подсчитать случаи в конкретной вспышке. Нам еще предстоит добиться того доверия, без которого невозможно создать единую информационную базу. Актуальными остаются вопросы принадлежности данных, их достоверности, представления и визуализации Просто в стране, где валовой внутренний продукт на душу населения составляет около 500 долларов, эти проблемы особенно бросаются в глаза.

Я помогал медикам в моих округах решать и другие важнейшие вопросы, связанные с этим заболеванием. Все случаи считались лихорадкой Эбола. Однако в отделениях, где должны были лечить Эболу, больных делили на «мокрых» и «сухих»: первые страдали от рвоты, диареи или кровотечений, вторые нет. «Действительно ли это две разные клинические формы? — спрашивал я. — Говорит ли это о повышенной или пониженной вероятности смерти или заражения других пациентов?» Я призывал врачей смотреть на их же собственные данные, чтобы сделать эти определения более четкими и тем самым более полезными.

Отслеживание контактов и дальнейшее сопровождение пациентов, мягко говоря, не всегда работало хорошо. В результате в цепочке передачи появлялись «пропущенные звенья». Примерно в 78 процентах случаев нам удавалось проследить всю цепочку контактов и определить источник заражения. Однако еще в 22 процентах сделать это не получалось. Вероятно, более половины таких случаев были связаны с недостаточным сбором информации, но иногда пациенты действительно не знали, где заразились, или по разным причинам это скрывали. Я уверен, что были люди, заразившиеся от человека, у которого болезнь протекала без явных симптомов, — его не сочли зараженным, и информацию о нем как о возможном источнике передачи вируса не ввели в систему.

Поступало очень много сообщений о контактировавших лицах, заболевших и умерших в доме под карантином. Предполагалось, что команда отслеживания контактов дважды в день проверяет, все ли у них в порядке, поэтому специалисты либо ошибались в оценке, либо вообще не ходили к заболевшим. Они упускали больных людей и даже неправильно указывали, сколько человек находится дома: например, дети иногда таинственно исчезали и заболевали в другом месте.

В августе 2015 года, через шесть месяцев после моей первой командировки, я вернулся в страну и продолжил свои вольные поездки по трем оставшимся округам, где все еще наблюдались активные случаи: Порт-Локо, Камбии и Городскому западному округу. Я занимался расследованием самых загадочных случаев. Как правило, мы не видим такого количества зараженных людей, чтобы узнать об экзотических проявлениях болезни, но эта вспышка оказалась столь масштабной и продолжительной, что постепенно накопился целый спектр случаев, позволивших глубже заглянуть в природу Эболы.

Как минимум у одной пары, похоже, произошла передача заболевания половым путем: мужчина вернулся домой и через несколько недель заразил свою партнершу, хотя в общине заболевших не было. Это подтверждалось лабораторными анализами и другими сведениями, поэтому мы выпустили рекомендацию использовать презервативы в течение 90 дней после начала сожительства. Мы нашли и много других интересных пар.

Но снабдить африканских крестьян презервативами и научить их ими пользоваться — сложная задача. Ситуация была запутанная: в одной провинции мужчин начали сажать в тюрьму за подозрение в заражении партнерш, хотя не все представители медицинского сообщества были согласны, что передача половым путем вообще возможна. Я написал статью, где подробно рассмотрел случаи, в которых расследование указывало на такой путь передачи. Я попытался предупредить медицинское сообщество, что явление может быть более распространено, чем нам кажется. Журнал ВОЗ не захотел ее публиковать. Через несколько недель аналогичный случай в Гвинее был однозначно подтвержден лабораторными данными и очень хорошо описан. Дальнейшие исследования показали, что семенная жидкость может оставаться заразной целых девять месяцев. Следовательно, даже выждав два инкубационных периода — 42 дня после последнего случая Эболы, — необходимо сохранять бдительность в течение еще девяти месяцев, потому что болезнь может проявиться у полового партнера выжившего человека. Вирус демонстрировал способность сохраняться не только в семенниках, но и в других местах, защищенных от иммунной системы, например: в головном мозге, глазах и плоде. Иными словами, первое затишье еще не означает завершения вспышки.

Одно из моих расследований вызвало кое у кого сильное раздражение, поскольку впервые было установлено, что заразиться Эболой можно от человека с легкими симптомами заболевания и даже от бессимптомного носителя.

Мы наблюдали факт такой передачи в группе людей, которых отправили на карантин после выкидыша у одной из родственниц. Через три дня после окончания карантина два человека из этой группы заболели Эболой. Это поставило под вопрос продолжительность инкубационного периода заболевания и то, действительно ли люди соблюдали карантин, хотя их дважды в день посещали специалисты по отслеживанию контактов. Первой заболевшей была маленькая дочь женщины, находившейся на карантине: женщина кормила девочку грудью. Второй заразившейся стала сестра этой женщины. У матери не было симптомов, или они были настолько легкие, что их не заметили приходившие два раза в день медики. Ее анализ крови дал положительный результат на антитела к вирусу, и в молоке была выявлена активная вирусная инфекция. У девочки и ее тети вирус больше всего совпадал с вирусом кормящей матери — исходным случаем, из-за которого был введен карантин. Ребенок, безусловно, мог заразиться через грудное молоко, но тетя явно нет, а значит, зараженный человек с легкой формой болезни и даже вообще без симптомов (ничего необычного для любого инфекционного заболевания) может передавать вирус (и это серьезная проблема с точки зрения профилактики).

* * *

Каждые два-три дня мы переезжали в другой округ. Следующим стал Бомбали — в этом округе у президента страны было множество особняков, и он проводил там почти каждые выходные. Разумеется, координатор округа немного нервничал.

Мы остановились в столице округа, городе Макени. Гостиница была прекрасной даже по американским меркам и после дальней дороги показалась нам настоящим раем.

Наш следующий пункт назначения — округ Тонколили — был неподалеку, поэтому я решил задержаться там на неделю.

Я постоянно общался с людьми из ВОЗ, а также проводил целые дни с группами надзора, погребений, отслеживания контактов или со специалистом по расследованию случаев: я смотрел, чем они занимаются, и при необходимости давал им советы. Когда я возвращался вечером в гостиницу, я собирал все идеи вместе, чтобы рассказать о них командам во всех четырех округах: «Вот эти вещи вам следует учитывать».

Мне кажется, люди ценили мысли, которыми я делился с ними каждые три-четыре дня. Они чувствовали, что их слушают, что они принимают участие в серьезной работе, и это было для них важно.

Автомобиль Криспина не прошел бы по дороге, которая вела в мой следующий округ, алмазодобывающий регион Коно, поэтому мне выделили нового водителя с полноприводным автомобилем и посоветовали отложить поездку, так как в округе негде остановиться на ночлег. Я сказал, что могу поспать и в машине, и двинулся в путь. До городка Койду было четыре часа езды (около 180 километров). К счастью, когда мы туда добрались, оказалось, что одного из эпидемиологов как раз вызвали во Фритаун, и я провел несколько ночей в его номере в «Даймонд Лодж» — гостинице, принадлежавшей послу Сьерра-Леоне в Китае.

Вернувшись во Фритаун, мы с радостью отметили, что случаев заболевания и смертей стало меньше. Но потом вдруг возник кластер среди рыбаков в столичном районе Абердин, где я останавливался в первый раз. Гостиницу «Сьерра Лайтхаус» закрыли на карантин, и для его поддержания на углах улицы стояли солдаты, а через перекрестки были протянуты веревки. В Абердине было около 700 жителей и всего три туалета. Период относительного затишья с единичными всплесками продолжался до тех пор, пока не было объявлено об окончании вспышки.

Один человек из абердинского кластера на второй день карантина сбежал в Бомбали. Друзья и родственники полагали, что его прокляли — выстрелили в него из «ведьминого ружья», поэтому пригласили собирателя трав и знахаря, которые должны были отвести колдовство, якобы вызвавшее болезнь. «Ведьминым ружьем» здесь называли тяжелое заклятье, мощное, как огнестрельное оружие. Если происходило сразу много смертей, говорили о другом проклятье — «ведьминой авиакатастрофе». Самое главное, что по поводу малярии и других болезней можно было обратиться к обычному врачу, а рану из «ведьминого ружья» мог вылечить только народный целитель.

Сбежавший больной прошел курс лечения — его искупали и натерли тело травами. Через 36 часов он умер. С ним контактировали сотни людей, и он заразил от 30 до 40 человек.

Я снова отправился в свои четыре округа и снова начал с Койнадугу. Первые ночи я провел в хижине вождя, на чьей территории произошло 103 из 106 случаев в этом районе. Дом стоял на холме и был построен из шлакоблоков. ВОЗ привезла генератор и собиралась установить баки с водой (мне приходилось пользоваться ведрами). Спутниковая связь там уже была. В общем и целом вождь собирался неплохо нажиться на ВОЗ и неправительственных организациях и максимально улучшить свои жилищные условия — это в очередной раз доказывает, что даже дурной ветер кому-нибудь приносит благо.

Начальниками всех окружных центров экстренного реагирования были исключительно люди из министерства обороны, напрямую общавшиеся с самим президентом, — таким образом, местные медицинские власти оказывались либо совсем в стороне, либо не были особенно заметны.

С одной стороны, такой подход повышал эффективность наших усилий: меньше долгих дискуссий, более жесткие и конкретные переговоры. Однако, с другой стороны, было очевидно, что, не имея качественной поддержки окружных медиков и хорошей медицинской компоненты и не понимая в полной мере биологию заболевания, руководство принимает довольно скверные и безосновательные решения.

Во многих округах действовали представители новой миссии ООН по чрезвычайному реагированию на Эболу, созданной специально для борьбы с этой вспышкой после того, как традиционный подход ВОЗ оказался не слишком результативным. Медицинские функции ВОЗ были частично переданы Детскому фонду ООН (ЮНИСЕФ), отвечавшему за социальную мобилизацию, и частично Фонду ООН в области народонаселения (ЮНФПА), взявшему на себя отслеживание контактов. Правда, очень быстро стало понятно, что эти организации не обладают необходимыми компетенциями для выполнения своих задач, и ВОЗ в Сьерра-Леоне привлекла своих технических экспертов.

К сожалению, за операционную эффективность в Сьерра-Леоне приходилось платить. Страна, по сути, отреагировала на вспышку не медицинскими, а военными и полицейскими мерами, поэтому добиться от населения сотрудничества было крайне сложно. Прошло больше года, прежде чем ситуацию удалось взять под контроль.

Показательным примером произвола со стороны властей был принудительный карантин, который иногда вводили не только в отдельных домохозяйствах, но и в целых деревнях. Представьте себе глинобитную хижину с двумя комнатами и соломенной крышей, в которой живет два десятка человек. Чтобы понять, есть ли среди них заболевшие, нужно ждать 21 день. Если заразился кто-то из контактировавших с ними людей, счетчик обнуляется и начинается еще один трехнедельный период коллективного заточения.

В некоторых местах карантин длился по три месяца: люди там продолжали заражаться и все повторялось снова и снова. Поначалу жителей даже не обеспечивали вовремя пищей, поэтому карантин легко мог перерасти в голод.

Проблему питания международные неправительственные организации совместно с властями решили, но люди все равно скрывали случаи, не желая попасть на карантин, или убегали из деревни, перенося вспышку в другое место. Им просто хотелось выбраться из отчаянного положения. Можно ли их в этом винить?

Борьба с эпидемиями не должна сводиться к цифрам: необходимо учитывать, что эти цифры означают на практике. Надо стараться понять, что переживают люди каждый день, во что они верят, чего боятся. На этой основе должны вырабатываться решения, которые не заставят их прятаться или убегать. Если люди видят в нас карателей, они убегут. Если они видят в нас тех, кто решает проблему, они начинают помогать — а при вспышке такого масштаба без их помощи не обойтись. Но они никогда нас не поймут, если мы сами не попробуем понять их.

Мы активно распространяли информацию о причинах Эболы, однако случаи неправильного поведения и непонимания со стороны населения все еще встречались. Изменить давно устоявшиеся и вошедшие в культуру привычки невероятно трудно.

В одном из моих округов, Коно, была евангелическая церковь с пятью пасторами. Двое из них умерли от Эболы, еще двое находились на карантине, один был здоров. Высказывалась версия, что в церкви практиковали возложение рук, — этот обряд мало чем отличался от методов традиционных целителей и был отличной возможностью для передачи инфекции. Один из священнослужителей укрывал в отдаленной деревне женщину, контактировавшую с заболевшим Эболой, и, возможно, даже снабжал ее медикаментами. В конце концов наша команда сумела ее отыскать.

В округе Койнадугу характерные для Эболы симптомы появились у местной повитухи. Вождь деревни вызвал мототакси и отправил ее в отделение профилактики и первой помощи, хотя должен был позвонить по центральному номеру или предупредить окружной центр экстренного реагирования, который прислал бы скорую помощь. Из-за этого проступка его полномочия были приостановлены вышестоящим вождем. В то время многие беременные делали аборты и умирали, поэтому повитухи были в группе высокого риска. У повитухи подтвердилась Эбола, и всех, с кем она контактировала, отправили на карантин. Парня-мотоциклиста инфекция обошла стороной, но после таких клиентов таксисты нередко заражались и умирали.

В отделении первой помощи у повитухи началась лихорадка, боли в груди и другие характерные симптомы, однако медсестра не сумела умножить два на два и не сказала: «Похоже, это Эбола». Вместо этого она твердила нам: «Нет-нет. У нее боли в грудной клетке, потому что ее ударили в грудь». В итоге пришлось посадить на карантин и медсестру, и все отделение. Вспышка длилась уже год, а кошмарные промахи все еще случались.

При всем своем лукавстве местные жители прекрасно понимали, как происходит передача инфекции. Однажды умерла молодая девушка с положительным результатом на Эболу. Ее тело передали погребальной команде. Сначала ее мать говорила, что смерть наступила внезапно, умершая никуда не ездила и ни с кем не общалась — ее контакты были ограничены своим и соседскими домами. Однако после долгих расспросов выяснилось, что девушка проболела несколько дней. Она отправилась в клинику, где ей сказали, что она беременна (по всем критериям к близким контактам надо было отнести ее парня!). Из больницы она сбежала и спряталась в буше. Когда она вернулась домой, ей оставалось только умереть. Дальнейшее расследование выявило факт, что она ездила во Фритаун, — это объясняло, как она могла заразиться.

Мы связались с медсестрой, которая занималась этой девушкой в клинике, и сказали:

— Нам неприятно это говорить, но у одного из ваших пациентов подтвердилась Эбола. Вам придется отправиться на карантин.

— Я вообще не контактировала с больными! — возразила она. — Я работаю в городе и буду там завтра.

На следующий день она была в клинике и продолжала отрицать любые контакты с той больной, однако мать девушки прямо указала, что за ее дочерью ухаживала именно эта медсестра.

Когда отрицать очевидное стало бесполезно, медсестра сказала:

— Вы правы. Но я была в полном защитном снаряжении!

— А кто еще был в клинике?

— Никого, — ответила она. — Кроме меня, никого не было.

При этом мы видели, что в клинике ошиваются какие-то люди. В этом учреждении не предоставляли почти никаких услуг, но народ был всегда. Там даже жил какой-то мужчина.

— А как же тест на беременность?

— Я показала ей, как им пользоваться, она сама собрала мочу, сама окунула тест, сама увидела, что он положительный, а затем вылила мочу в туалет на заднем дворе, чтобы никто не контактировал. Потом она ушла, а я сняла защитный костюм.

Мы прекрасно видели, что все это ложь и она точно знает, как передается Эбола. Она понимала также, что сама контактировала с больной, что может заболеть и умереть, но при этом по-прежнему пыталась оградить других от попадания в список контактов. Своим лукавством и увиливанием от ответов она лишь ставила под угрозу многих, очень многих людей.

Настоящие трудности при такого рода вспышках связаны не с наукой, а с социальной проблематикой. Мы знаем, что Эбола распространяется не с помощью «ведьминых ружей» и колдовства, а исключительно посредством физического контакта. Мы знаем, как прервать передачу: например, нельзя омывать трупы, а больных следует изолировать в специализированных отделениях. Но как же передать наши знания людям, у которых нет четкого представления о микробной теории, зато есть устоявшиеся традиции, построенные на магии, и погребальные ритуалы, во время которых надо часто дотрагиваться до мертвецов?

Профессиональные антропологи, которые также нам помогали, сначала говорили о «социальной мобилизации», но в итоге сказали: «Знаете, дело скорее в вовлеченности людей, в том, чтобы дать сообществам полномочия самим заниматься этими вопросами». Нам посоветовали не предпринимать активных действий, которые могут подорвать доверие, — например, не вводить карательных мер, подкрепленных штрафами и тюремными сроками, за сокрытие больных, несвоевременное информирование и другие проступки.

Я редко видел истинное сотрудничество с местным сообществом — мне кажется, именно из-за этого эпидемия так долго не утихала.

Когда я работал с полевыми командами, я всякий раз напоминал, что начинать нужно с вождя деревни или того, кто является лидером местной общины. Их необходимо вовлечь в решение проблемы, а не считать ее элементом. Для этого мы должны доверять им, а они должны доверять нам. И добиться этого доверия непросто.

Когда ты пытаешься работать с общиной, мешает пропасть в образовании и научном мировоззрении. Они верят в «ведьмины ружья». Мы — в микробную теорию. Крестьяне в пораженных вспышкой деревнях не читают New York Times и понятия не имеют ни о каких глобальных последствиях. Информация там в основном передается из уст в уста.

Но в один прекрасный момент к ним нагло вторгается международное сообщество и заявляет: «Мы ученые, мы знаем, как победить эпидемию». Мы не всегда учитываем местные особенности, даже если речь идет о США или другой относительно развитой стране, и тем более мы не были в состоянии оценить культурные аспекты вспышек в городах Западной Африки. Наверное, в Африке нам следовало сразу же привлечь к сотрудничеству традиционных целителей. Мы могли бы сказать этим специалистам по заговорам: «Приветствуем вас. Теперь вы члены медицинского братства. Вот секретное рукопожатие, вот ваши суточные».

Так ли уж сильно вера в «ведьмины ружья» отличается от рассказов о невидимых глазу организмах, которые нападают на клетки? Это различие становится значимым только в тот момент, когда теорией начинают пользоваться для лечения людей и предотвращения дальнейших заражений.

Но лекари не прислушаются к нашим словам, если мы сами не будем их уважать. В своих общинах они считаются мудрыми и опытными людьми, и мы должны найти в себе скромность, чтобы сказать: «Я знаю то-то и то-то, и узнал я это вот так. Однако вы знаете общину гораздо лучше меня, поэтому давайте работать вместе, в одной команде».

Технологии и фармакология здесь — далеко не самое главное. Все дело в полной прозрачности: ты не прячешься, не воруешь больных и мертвых. Когда речь заходит о таком смертельном недуге, как Эбола, важно действовать честно и открыто.

Люди привыкли к ритуальному омовению тел. Если просто прийти и заявить: «Нет, так делать нельзя», они будут сопротивляться. Омовение для них — важный элемент траурных церемоний. Как они будут оплакивать своих умерших, если мы вмешаемся и изменим эти традиции?

Когда ты в защитном костюме появляешься в деревне, местные жители думают: «Он что, прилетел с Марса? Что происходит?»

Совсем другое дело, когда ты приходишь, беседуешь с вождем и со знахарем и объясняешь, что просто жить в деревне не опасно. Потом ты говоришь: «А теперь мои ребята наденут свои костюмы и положат труп в мешок. Мы опрыскаем мешок дезинфицирующим средством перед тем, как глубоко закопать его. Когда тело будет лежать в мешке, мы оставим его на некоторое время, чтобы вы совершили свои обряды. Но мы просим вас не прикасаться к мешку с телом умершего».

Люди видят в своих общинах закономерности болезни и смерти. При этом не имеет значения, от чего ты умираешь — от Эболы или от малярии. И здесь на первый план выходит медицинский работник, который их лечит в обычные времена — когда они умирают от знакомой малярии. Важно, чтобы он был рядом, когда появится новая напасть.

По всей Западной Африке есть места, где люди в глаза не видели представителей государства. Чем бы ни болели жители — малярией или тифом, — никому не было до них дела. Потом ни с того ни с сего появляется жуткая болезнь, а следом за ней — власти вместе с многочисленными сторонними организациями. Люди думают: «Эта болезнь не страшнее других вещей, от которых мы умираем. Почему именно сейчас вы так нами заинтересовались? И кстати говоря, где вы все были, когда умирал от малярии мой брат?»

— Зачем мне беспокоиться по поводу Эболы? — рассуждают местные. — Я просто буду делать так, как говорит знахарь, и, может быть, болезнь пройдет.

— Но почему?

— Да потому, что, когда надо было помочь моему брату, вас тут не было, а наш знахарь был.

Главной проблемой в любой среде, затронутой вспышкой болезни, будь то хантавирус в индейской резервации или легионеллёз в Нью-Йорке, является страх перед неизвестным. Этот страх иррационален и не зависит от глубины понимания научных фактов.

Кроме того, в первые дни вспышки сотрудники министерства и люди из системы здравоохранения выезжали на места и говорили: «Приезжайте в больницу, звоните нам, чтобы мы забрали умерших, и не забывайте надевать перчатки, если у вас дома кто-то заболел». Но там не было перчаток, не говоря уже о больничных койках. Это порождало недоверие между общинами и государственными органами, для преодоления которого требовалось немало времени. Кстати, если уверенно заявлять, что Эбола всегда летальна, — иными словами, «ТЫ УМРЕШЬ», — какой у человека стимул бросить своих близких и отправиться в больницу?

Недоверие усиливалось и тем, что каждый стремился заработать на этой вспышке. Неправительственные организации нанимали местных жителей поварами и шоферами, привлекали их к отслеживанию контактов и работе на машинах скорой помощи и так далее. Местные получали зарплату и деньги на мобильную связь. Вокруг болезни внезапно возникала мини-экономика — исключительно потому, что Эбола вызывала беспокойство на Западе.

В какой-то момент люди неизбежно начинали бастовать и заявлять, что им платят мало (я не видел ни одной вспышки, где такого бы не происходило). Они годами трудились вообще без регулярной оплаты или за гроши, но все равно продолжали трудиться, а сейчас, в этот особенно сложный момент (и в момент притока особенно больших денег из неправительственных организаций), они говорили: «Мне положены бонусы и поощрения. Не дадите — я работать не собираюсь». Это как минимум показывало, насколько унизительно с ними обычно обращались.

Затем возникала другая проблема: «А почему такую работу не дали моему двоюродному брату?» Ну, может быть, потому, что твой двоюродный брат живет в столице, а не там, где нам нужно отслеживать контакты? Есть множество примеров неудачного и намеренно неправильного распределения ресурсов из-за банальной коррупции в системе, причем на всех уровнях власти.

Мэтт Крейвен, парень, который отвечал за операционную деятельность, часто задавал вопрос: «Как нам поощрить людей, чтобы после контакта с больным человеком они *хотели* остаться, а не стремились убежать?» Другими словами, нельзя пользоваться только кнутом — должно быть место и для пряника.

Национальная команда реагирования придумывала различные новшества — например, поощрять и завоевывать доверие людей, обеспечивая их медицинской помощью, пока они отбывают свой трехнедельный карантин. Если лечить их от простуд, головных болей и боли в суставах, возможно, когда у них действительно начнется Эбола, они придут к тебе, а не будут пытаться ее скрыть. Кроме того, необходимо было обеспечить запертых на карантине людей едой и водой.

Данные в системе здравоохранения напрямую связаны с политикой. Из-за вспышки Эболы требовалось докладывать обо всех смертях, мазок из ротовой полости умершего следовало отправить в лабораторию для анализа, а труп — безопасно захоронить. Сведения о количестве умерших записывали на больших досках в национальных центрах экстренного реагирования. Когда число случаев пошло на убыль, стало совершенно очевидно, что умирают в основном очень маленькие дети. Это породило множество вопросов. Медицинские власти и политическое руководство страны начали обсуждать достоверность этих данных и искать возможные решения. Высокая детская смертность была вполне предсказуемым явлением, но, когда у этих детей появляются имена и возраст, когда известно, в каких деревнях они жили, они обретают голос, превращаются из невразумительной статистики в движущую силу изменений.

Иррациональные страхи и иррациональное поведение, конечно, встречаются не только в деревнях округа Койнадугу. И неизвестно, что хуже: когда так ведут себя люди с примитивными верованиями, незнакомые с микробной теорией, или когда шарлатанская информация проникает в умы жителей современных городов?

Для жителей большинства западных стран далекая вспышка Эболы и Ким Кардашьян — это равновеликие точки на экране смартфона, и, пока мы не научимся сосредоточивать внимание и реагировать более взвешенно и правильно, мы будем метаться от одного раздутого кризиса к другому. Проблема крестьян в Сьерра-Леоне — нехватка информации. Проблема жителей высокоразвитых стран — информационная перегрузка.

При этом, разумеется, на Западе есть и свои эквиваленты «ведьминых ружей». Недавно в США произошла крупная вспышка кори. Частично виновны в ней состоятельные родители, которые не хотят прививать детей из страха перед аутизмом, и эту тенденцию подогревают знаменитости, беззастенчиво распространяющие дезинформацию в многочисленных ток-шоу. Некоторые губернаторы в «красных» — республиканских — штатах пытаются отодвинуть в сторонку Конституцию США и не пускают людей, пострадавших от Эболы, на свою территорию. (В этом они очень похожи на тех полицейских, которые под дулом пистолета не пускали людей из Нового Орлеана в Гретну во время «Катрины», — не так ли?)

Не стоит забывать, что магическое мышление многолико, а иррациональность (а иногда и бесчеловечность) напуганных людей довольно равномерно распределена по нашей планете.

Это значит, что мы должны обращать внимание не только на отдельные ужасные происшествия, когда СМИ устраивают трехдневную истерику, а потом переключаются на что-то еще. Мы должны задумываться над тем, как построить надежные информационные системы, позволяющие в кризисной ситуации понять, что происходит, отличить факты от шумихи и оказать помощь. Как позаботиться о том, чтобы люди получали прививки и другие медицинские услуги? Как обеспечить людей информацией, которая поможет им защитить себя и укрепить свое здоровье? Нельзя вспоминать об этом только тогда, когда какое-нибудь гламурное заболевание наделает шума в новостях и начнет угрожать жителям развитых стран.

Богатые страны помогают африканским государствам, предоставляя ресурсы для реагирования. Кроме того, теперь в качестве средства профилактики мы применяем вакцинацию контактов, появились и новые препараты для лечения больных с Эболой. Таким образом, внимание со стороны богатых стран приносит населению Западной Африки много пользы.

Научное понимание нужно углублять и на Западе, и в развивающихся странах. Мы должны снизить накал страстей в СМИ, сократить количество лженаучной информации, льющейся в головы людей (и уменьшить число недобросовестных СМИ в целом). Надо научить людей требовать факты и формировать на их основе собственное мнение, а не повторять высказывания каких-то знаменитостей.

Если людей можно заставить поверить в истории о волнах мексиканских «насильников» и «лодырей», прибывающих через южную границу США, хотя мексиканцы гораздо чаще, наоборот, уезжают из страны, что случится, когда кризис национального масштаба *действительно* начнется и вызовет распад гражданского общества?

Если вы думаете, что деревенский пастор в Африке поступает иррационально, когда прячет больного Эболой, посмотрите, как СМИ начнут нагонять панику, заполучив захватывающее видео с богатыми белыми людьми, умирающими на улицах крупного американского города. Нельзя винить африканских крестьян в том, что они необразованные и недоверчивые. У них не было возможности стать другими. А вот мы, жители развитых стран, действительно должны взять ситуацию под контроль и требовать конкретных фактов и совершенствования системы здравоохранения.

В 2011 году, во время вспышки гриппа H1N1p, телеканал Fox News обвинил правительство США в том, что на рынок в срочном порядке была выпущена непроверенная вакцина. Когда вакцина оказалась в дефиците, последовали обвинения в том, что вакциной снабжают недостаточно быстро. Еще хуже, если, например, зайчики из Playboy заявляют: «Мысль, что вакцины приводят к аутизму, не такая безумная, как некоторым хотелось бы думать». Да, дружок, это именно *безумная*, многократно опровергнутая исследованиями мысль, а ты и другие люди твоего пошиба ее распространяют, не имея ни единого доказательства. Если некоторые новостные агентства заботятся только о привлечении аудитории, ситуация заведомо проигрышная, и шумная пропаганда антинаучных мифов сослужит нам дурную службу, когда новая инфекция решит показать, кто здесь главный.

10

#JESUISLEMONDE

*Человек не может войти в одну и ту же реку
дважды. Это будет уже не та река и не тот
человек.*

ГЕРАКЛИТ

В Южном Судане говорят, что человек (будь то мужчина, женщина или ребенок) не должен входить в реку, хотя в данном
случае причина не имеет ничего общего с древними греками
и неизбежностью перемен. Дело в жизненном цикле ришты —
паразита, известного как *Dracunculus medinensis*. Личинки
этого червя заражают людей и вызывают дракункулез, что
по-латыни означает «поражение дракончиками». Личинки
попадают в организм, когда люди пьют нефильтрованную воду
с зараженными дафниями и веслоногими рачками. Потом эти
микроскопические агрессоры проникают из желудка и кишечника в брюшную полость, вырастают до взрослого состояния
и спариваются. Мужские особи умирают, а женские пробуривают ходы и спускаются в нижние конечности хозяина. Поначалу
симптомов нет, но примерно через год на коже появляются
болезненные волдыри — чаще всего на ногах и стопах. Чтобы
унять жжение, человек погружает ноги в реку или пруд, личинки через язвы выходят в воду, и цикл начинается заново.

Черви, размеры которых составляют до двух миллиметров
в толщину и до метра в длину, покидают организм долго,
медленно и мучительно для хозяина. Суданцы извлекают

этого вредного паразита, наматывая его на палочку, но сам процесс может длиться неделями, и в это время людям бывает сложно работать и даже ходить. Боль иногда не унимается в течение нескольких месяцев после удаления червя, а в язвы может попасть еще какая-то инфекция. Дракункулез — весьма серьезная проблема для экономического развития страны.

Однако болезнь поражает только людей, а личинки живут вне организма человека максимум три недели. Это значит, что для поддержания цикла остается короткий промежуток времени, когда личинка должна быть поглощена дафниями. Периодически встречаются заражения собак, леопардов и других млекопитающих, но это большая редкость, и, если прервать цикл передачи людям, болезнь будет полностью побеждена.

В 1986 году было отмечено три с половиной миллиона случаев дракункулеза в 21 стране. Именно тогда Центр Картера — благотворительная организация, основанная бывшим президентом США Джимми Картером, — начал работу над тем, чтобы дракункулез стал вторым после оспы полностью искорененным человеческим заболеванием и первым заболеванием, побежденным без вакцин и лекарств.

В 2004 году я на шесть недель отправился в суданскую провинцию Вахда в качестве волонтера Центра Картера и обнаружил там целый клубок проблем, из-за которых люди продолжают влачить жалкое существование, а болезни поддерживаются и распространяются по всему миру. Мы наслаждаемся всеми благами постиндустриального капитализма, а микробы, преследующие беднейших представителей рода человеческого, находятся от нас лишь в нескольких часах полета на трансконтинентальном авиалайнере.

Вахда расположена в регионе Большого Верхнего Нила, который занимает 42 тысячи квадратных километров. Там живет около двух миллионов человек, которые пасут стада, а в сезон дождей занимаются сельским хозяйством. В столице, городе Бентиу, нет телефонной связи, водопровода в домах, канализации и асфальтированных дорог, а электричество дают всего на девять часов в сутки.

«Модернизация» жестоко обошлась с регионом. В 1970-х годах здесь нашли нефть, что привело к массовым выселениям людей и повлекло за собой многолетнюю гражданскую войну, которая продолжается и поныне. Вымогательства, грабежи, массовые изнасилования и убийства, похищение урожая и скота и сжигание деревень стали обычным делом. Крестьянам часто приходилось скрываться от мародерствующих армий в буше и болотах — они не могли собрать урожай и страдали от голода.

В 2004 году Центр Картера поставил задачу обеспечить регион чистой водой — люди вынуждены были идти за ней несколько километров. Можно обработать водоемы темефосом, чтобы убить личинки паразита, но достаточно даже просто фильтровать воду через ткань. Мы отправились в путь вместе с нашими местными коллегами. Они пытались обустроить колодцы, а мы тем временем раздавали кочевникам фильтры для воды и рассказывали, что опускать зараженные ноги в источники, из которых они пьют, опасно. Попутно мы старались обучить наших коллег азам управления проектами: как намечать цели и отслеживать результаты, как привлекать и мотивировать волонтеров, как общаться с центральным офисом.

Пока мы там находились, в самом разгаре был геноцид в Дарфуре*, устроенный вооруженными отрядами джанджавидов и поддержанный суданским правительством. Мы были на некотором удалении от Западного Судана, где происходили

---

* Дарфур — провинция на западе Судана. Речь идет о межэтническом конфликте в Судане, начавшемся в 2003 году и вылившемся в вооруженное противостояние между центральным правительством, неформальными проправительственными арабскими вооруженными отрядами «Джанджавид» и повстанческими группировками местного негроидного населения. По данным ООН, жертвами конфликта стали более 300 тысяч человек с обеих сторон, но в основном в число погибших входят неарабские народности Дарфура.

самые большие зверства, но все равно сталкивались со злодеяниями — шесть лет спустя этот регион отделится и войдет в состав нового государства под названием Южный Судан. Наша охрана должна была одобрять все выезды за пределы населенного пункта утром в день поездки; по ночам нам приходилось передвигаться с вооруженным конвоем. Было множество блокпостов, на которых обычно стояли малолетние солдаты, вооруженные АК-47.

Западному человеку полезно оказаться в подобных условиях: пожить некоторое время в глиняной хижине с соломенной крышей, утром видеть пауков размером с кулак на сетке над кроватью, а в сезон дождей спать на улице, чтобы со стропил во время ливня не упал скорпион. Кульминацией моего там пребывания стала ночь, когда дождь смыл нашу уборную и я чуть не нырнул в выгребную яму.

Тяготы и опасности, которые приходится выносить суданцам, — повседневность в очень многих регионах мира. В южной части Вахды стало настолько опасно находиться, что в 2015 году даже «Врачи без границ» вынуждены были оттуда уйти. Но в тот же год, спустя три десятилетия после того, как Центр Картера начал свою работу, во всей Африке было отмечено всего два десятка случаев дракункулеза, а значит, победа над болезнью не за горами.

Это говорит о том, что прогресс в здравоохранении *возможен* даже в странах, переживающих самые трудные времена. Для этого мы должны проявить коллективную волю, привлекать местных жителей, руководствоваться здравым смыслом и данными качественных научных исследований, вкладывать ресурсы последовательно и в достаточном объеме.

* * *

Микробы с давних времен преследуют человечество. Даже маленькие группы наших предков — кочевавших охотников и собирателей — всегда были уязвимы для паразитарных инфекций кишечника и возбудителей, циркулирующих в окружающей среде. Примерно 10 тысяч лет назад, с расцветом сельского хозяйства, потенциал для заражения возрос: люди начали вести оседлый образ жизни и занялись одомашниванием животных, которые быстро стали передавать нам свои болезни. Развитие сельского хозяйства способствовало возникновению городов, в которых люди селились большими коллективами, и микробы получили возможность передаваться исключительно от человека к человеку.

Прошли тысячелетия. К середине XX века появились вакцины и значительно улучшились санитарные условия. Первая международная конференция по вопросам санитарии состоялась в Париже в 1851 году. На конференции обсуждалась необходимость введения карантинных мер против холеры. Благодаря разделению систем канализации и водоснабжения и хлорированию воды мы справились с тифом и холерой, а кроме того, улучшился вкус воды! И мы решили, что почти победили инфекционные болезни.

Но по мере того, как инфекционных заболеваний в развитых регионах мира становилось меньше, начали появляться новые болезни и возвращались давно забытые инфекции, и оптимизм пришлось поубавить. Адаптация как способ выживания — неотъемлемая черта жизни на нашей планете, и мы видим, что микробы, взаимодействуя с людьми, непрерывно приспосабливаются и мутируют.

Вирусы гриппа постоянно меняются посредством генетического дрейфа и периодических генетических сдвигов. Мы также видим, что микробы — бактерии, вирусы, грибы и паразиты — все сильнее сопротивляются средствам борьбы с ними. Микробы стали более устойчивыми к антибиотикам и другим препаратам первой линии*. В результате мы чаще сталкиваемся со смертельными кишечными инфекциями

---

* Препараты первой линии, или препараты выбора, — это медицинские препараты, с которых начинают лечение любой болезни, так как именно они доказали свою эффективность.

(*Clostridium difficile*), заражением крови (его вызывают рези-
стентные к карбапенемам* энтеробактерии), резистентными
формами гонореи — распространенной инфекции, которая
передается половым путем, наблюдаем рост случаев туберкулеза с множественной лекарственной устойчивостью и еще
очень много других проблем.

Каждый год только в США резистентными к антибиотикам бактериями заражается как минимум пара миллионов
человек — и не меньше 23 тысяч человек от этого погибает.
В значительной степени это связано с массовым применением
антибиотиков для ускорения роста домашнего скота: появляются устойчивые к лекарствам микробы, которые могут
передаваться человеку. Но причиной большинства случаев
становится неправильное применение антибиотиков у человека с последующей передачей устойчивых микробов, причем
нередко это происходит в медицинских учреждениях.

Микробы продолжают мутировать и совершенствуют способы передачи: они похожи на героев компьютерной игры,
которые переходят на следующий уровень до тех пор, пока
накопленная мощь не сделает их неуязвимыми. Тем временем
мы, люди, проигрываем эту гонку вооружений, поскольку
вкладываться в разработку новых антибиотиков гораздо
рискованнее, чем выкачивать деньги из проверенных препаратов от хронических заболеваний.

Если эта тенденция сохранится, в конце концов настанет
новая, постантибиотическая эпоха, и мы откатимся в здравоохранении на столетие или даже дальше. Но мы все еще можем
сыграть свою роль в замедлении этого процесса. Для этого
мы должны прекратить лечить антибиотиками бронхит, обыч-
ную простуду, боль в горле без стрептококковой инфекции
и простой насморк, а также необходимо доводить до конца
курс антибиотиков, который назначил врач, чтобы они успели
убить возбудителей заболевания, а не только «ранить».

---

* Карбапенемы — класс антибиотиков с широким спектром действия.

Однако существует множество других факторов, которые действуют на макроуровне и приводят к росту угроз со стороны новых инфекций.

Самые мощные из них — политические факторы. Именно политика лежит в основе нищеты и социального неравенства, из-за которого одни страдают от инфекций, а другие относительно защищены от них (по крайней мере, пока). Политика — это причина войн и голода, неразвитости систем здравоохранения, биологического, химического и радиологического терроризма. Когда Африку и Ближний Восток в очередной раз охватывает политический хаос, это приводит к массовым миграциям; следовательно, возрастает угроза распространения инфекций, а отчаявшиеся, притесняемые и лишенные прав люди и сообщества могут решиться на акт биотерроризма.

Испытывая политическое и экономическое давление, люди переезжают в городские районы, и по сравнению с этими мегагородами Нью-Йорк и Лондон кажутся карликами. Вокруг таких мегагородов иногда вырастают трущобы, где люди живут в ужасающих условиях. Сейчас существует около 30 таких городских зон, крупнейшая из них —Токио — Йокогама, где живет почти 38 миллионов человек. Еще больше людей проживает в череде мегалополисов на северо-востоке США, которую американцы ласково называют Босваш (она протянулась от Бостона до Вашингтона). Очевидно, что в таких огромных скоплениях людей крайне высоки риски для здоровья.

Рост населения и связанные с ним решения о землепользовании ведут к активному наступлению на открытые пространства и разрушению экосистем. Люди начинают чаще сталкиваться с дикой природой и насекомыми, многие из которых недавно прибыли в определенные регионы в результате изменений климата и уничтожения их естественной среды обитания.

Люди стали больше путешествовать и преодолевать огромные расстояния со скоростью, которую раньше невозможно было себе представить. Это касается и движения животных и товаров, благодаря чему функционирует глобальная экономика, а также микробов, которые следуют по пятам. Не стоит удивляться, что, например, в 2011 году партия ростков фасоли с немецкой экофермы стала причиной заражения тяжелым диарейным заболеванием почти четырех тысяч человек. Погиб 51 из них, жертвами стали люди в 16 странах.

Микробы могут прийти к нам как из изолированных, так и из густонаселенных областей. Они могут начать бесконтрольно распространяться и порождать вспышки, связанные с заражением пищи и инфицированием в медицинских учреждениях. Они могут вырваться из лабораторий в результате различных ошибок — это и безответственные опыты по созданию сверхинфекций, и лабораторные происшествия (например, в 2007 году из лабораторий Института Пирбрайт в Суррее на британские просторы вышел ящур — крайне опасная болезнь животных).

Чтобы предотвратить следующую пандемию, нужен всеобъемлющий подход. Пора перестать думать исключительно о микробах и осознать нашу собственную роль в создании новых «миазмов», порождающих подобные события.

* * *

Наверное, самым серьезным фактором, который будет способствовать распространению существующих инфекционных заболеваний, станет изменение климата. NASA и Национальное управление океанических и атмосферных исследований провели анализы глобальных данных о температуре и независимо друг от друга пришли к выводу, что 2015 год стал самым жарким за всю историю наблюдений (ведутся с 1880 года). Конкретные последствия глобального изменения климата будут варьировать для разных регионов мира: от засухи и опустынивания до повышения уровня моря и масштабных затоплений. По оценкам специалистов, плохие погодные условия, болезни, вызванные жаркой погодой, легочные заболевания и аллергии, а также инфекционные заболевания, связанные с повышением глобальной температуры, и хаотичные погодные паттерны ежегодно будут уносить жизни 400 тысяч человек.

Изменения климата скажутся на увлажненности почвы, а это, в свою очередь, отразится на урожаях. Из-за повышения температуры снизится пищевая ценность продуктов, в том числе уменьшится содержание белка в пшенице и рисе. Значительно изменятся зоны расселения животных, которые являются резервуарами и переносчиками заболеваний, будь то птицы, грызуны, клещи, переносящие клещевой боррелиоз, или комары, переносящие лихорадку Зика, денге и чикунгунью. Дождливая, жаркая и влажная погода повлияет на численность комаров в сезон и на то, сколько пестицидов и паразитов будет попадать со стоками в местные реки и водоемы. Из-за проливных дождей люди будут тонуть, а из-за жары — страдать от тепловых ударов. Патогены совершенно не интересуются политическими дебатами о причинах изменений климата: они просто реагируют на новую реальность, а текущие прогнозы говорят о том, что к 2100 году средняя температура в мире вырастет на 1,7–4,0 °C.

Изменения климата потребуют скорректировать множество самых обыденных мелочей повседневной жизни. Если ты футбольный тренер и директор клуба говорит: «Мне не нужны никакие тепловые удары», ты достанешь прогноз погоды и скажешь: «Хорошо. Тогда в августе мы сдвинем тренировки перед началом сезона и будем выходить на поле в четыре утра».

А если ты руководитель службы по управлению чрезвычайными ситуациями в каком-нибудь прибрежном городке и мэр спрашивает: «Как нам защититься от угрозы затопления прибрежных районов?» — ты сверишься с данными национальной программы по исследованию глобальных изменений, посмотришь, какие у тебя риски, где находятся зоны возможного затопления, и подумаешь о стратегиях ликвидации последствий, которые предстоит внедрить.

Наша работа в сфере здравоохранения отчасти заключается в том, чтобы предоставить необходимые данные и помочь обществу оценить риски на основе этих данных.

В канадской провинции Британская Колумбия и на севере Тихоокеанского побережья США незаметное повышение температуры уже привело к неожиданному росту числа случаев неожиданных заболеваний легких и головного мозга, вызванных дрожжами *Cryptococcus gattii*, которые раньше встречались только в субтропиках и тропиках. Были отмечены внезапные вспышки водянистой диареи и колик от устриц, зараженных *Vibrio parahaemolyticus*, — моллюсков вырастили в теплеющих водах залива Принс-Уильям на Аляске. В последние десятилетия растет и заболеваемость клещевым энцефалитом в Центральной и Восточной Европе, Прибалтике и Северной Европе: клещи захватывают более северные, высокие широты. В США за последние 20 лет клещи — переносчики болезни Лайма (клещевой боррелиоз) расширили свой ареал и охватили половину округов страны: на северо-востоке число округов с высоким риском заражения выросло на 320 процентов.

Будем откровенны: не все последствия изменений климата плохи с точки зрения здравоохранения. По некоторым данным сокращается сезон активности респираторно-синцитиального вируса, который часто вызывает заболевания дыхательных путей у детей. Как ни странно, даже разрушительные засухи имеют свои плюсы: например, становится меньше стоячей воды, в которой плодятся комары — переносчики различных болезней. Однако эти климатические изменения заставят микробов переходить в районы с более умеренным климатом, в северные широты.

* * *

В начале книги я сказал, что грипп — это как раз та болезнь, которая не дает людям вроде меня покоя по ночам. Вирусы гриппа непрерывно заражают птиц и свиней, и для того, чтобы вызвать следующую пандемию у людей, им необходимо всего несколько изменений в аминокислотах. Для понимания масштаба: если вспышка гриппа приблизится по тяжести к пандемии 1918 года, только в США погибнет почти два миллиона человек.

Почти любой микроб благодаря генетическому переносу может стать резистентным к антибиотикам, а затем вызвать заражение крови, пневмонию и другие заболевания, которые из-за несоблюдения инфекционного контроля могут выйти за пределы больниц. В век медицинского туризма, когда пациенты отправляются в путь за более качественным или более дешевым лечением, такие сверхмикробы запросто могут распространиться по всему миру.

Другой большой повод для беспокойства — это SARS, MERS и связанные с ними вирусы, которые могут поразить больницы, а потом перекинуться на все население и разрастись до масштабов следующей пандемии. В тот момент, когда я пишу эти строки, высокопоставленных медицинских чиновников в странах Персидского залива увольняют за неудовлетворительную реакцию на ближневосточный респираторный синдром, и мы по-прежнему точно не знаем, как он распространяется. Вероятно, угроза исходит от верблюдов-дромадеров, и ее можно нейтрализовать с помощью эффективной вакцины.

Как мы видели, вирусные геморрагические лихорадки вроде Эболы тоже способны вызвать эпидемию — люди заражаются такими болезнями при непосредственном контакте с носителем вируса и, скорее всего, воздушно-капельным путем. Такой способ передачи повышает вероятность возникновения вспышек в больницах, причем заболевание может быстро распространиться по миру, поскольку люди много путешествуют и совершают деловые поездки. Успокаивает то, что Эбола вряд ли вызовет масштабное заражение в странах с устойчивыми системами здравоохранения.

Есть сообщения, что в больничных условиях и внутри семей от человека к человеку передаются генипавирусы, вызывающие смертельные формы воспаления головного мозга и пневмонию. В Океании и Азии естественным резервуаром для этих вирусов служат летучие мыши, но генипавирусы могут заражать и множество других животных. Например, недавно целый ряд вспышек произошел среди лошадей в Австралии.

Вирусы, переносимые комарами, также продолжают вызывать пандемии — если данный вид комара широко распространен или если вирусу удалось перепрыгнуть на комара другого вида. Среди таких заболеваний лихорадка денге, чикунгунья, а также лихорадка Зика, которая вызывает тяжелые врожденные дефекты у детей и уже удостоилась чести стать темой новостных заголовков.

Есть и болезни, передаваемые половым путем, — вспомните ВИЧ/СПИД. Они способны очень быстро распространяться и спустя десятилетия после заражения вызывать смерть больного. Благодаря длительному инкубационному периоду инфекция успеет охватить миллионы человек, прежде чем пандемию заметят. Политика в отношении секса создает сложности в лечении даже обычных заболеваний, которые передаются половым путем. Например, гонорейные инфекции приобрели резистентность к антибиотикам и распространяются теперь по всему миру.

А еще есть биотерроризм. Как мы видели, сибирская язва — незаразная болезнь, но она может вызвать разрушительную вспышку, если характеристики спор будут искусственно изменены. Чума *заразна* — по этой причине чума, наряду с оспой, является вероятным выбором террориста. К счастью, у нас есть вакцина и мы сможем быстро привить контактировавших лиц сразу же после выявления первых случаев. Хотя это и не биотерроризм в чистом виде, я не могу не упомянуть бесконтрольную разработку сверхмикробов и безалаберных ученых, которые случайно выпускают возбудителей на волю.

* * *

Микробы и человечество кружатся в бесконечном танце, поэтому следует ожидать, что будут появляться новые патогены, а уже существующие начнут осваивать новые приемы и пользоваться изменениями среды. К счастью, большинство этих инфекций можно предотвратить, если уделять внимание факторам, которые приводят к их появлению. Прежде всего, нельзя оправдывать инфекции, которые возникают из-за ошибок системы здравоохранения. Что касается больничных инфекций и резистентности к антибиотикам, то, например, нельзя позволять медицинским туристам привозить и распространять сверхмикробов с геном металло-бета-лактамазы из Нью-Дели. Можно перестать пичкать свиней в Китае антибиотиками, которые ведут к распространению генов MCR-1 (плазмид-опосредованной резистентности к колистину), способных перейти и на человеческие патогены. Можно спасти бабушку от заражения крови в больнице из-за непродезинфицированного эндоскопа. Можно вдумчиво подходить к воздействию на те области, откуда приходят к нам многие новые инфекции.

Большинство вспышек можно если не предотвратить, то подавить. Более тщательное соблюдение простых правил гигиены (например, мытье рук работниками сферы питания) позволило бы существенно сократить количество пищевых отравлений. То же самое касается и больничных инфекций: по некоторым оценкам только в США ежегодно ими заражаются более 700 тысяч человек и 75 тысяч погибают. Возможно, эти болезни не такие гламурные, как новые инфекционные заболевания, но воздействие их гораздо шире.

Эпидемии, которые попадают в новостные заголовки, такие как лихорадка Эбола, лихорадка Зика и MERS, следует считать *не* естественными происшествиями, а канарейками в угольной шахте*. Они должны заставить нас обратить внимание на слабые системы здравоохранения.

В США есть национальное агентство — Центры по контролю и профилактике заболеваний, а в глобальном масштабе

---

* Идиоматическое выражение, обозначающее нечто сигнализирующее об опасности.

действует Всемирная организация здравоохранения. Однако даже при отличном руководстве и глубоких научных знаниях забота о здоровье людей — это задача наших сообществ на уровне государств. Именно на таком уровне мы должны совершенствовать системы здравоохранения и думать, как убедить людей нам помочь.

Работая в Центрах по контролю и профилактике заболеваний, я написал в блоге пост о личной подготовке. Я проиллюстрировал свою мысль на примере зомби-апокалипсиса. Этот ироничный текст прочитали многие люди. В нем я объяснял, что готовность — это не только собранный тревожный чемоданчик, но и хорошая информированность, необходимые прививки, умение делать сердечно-легочную реанимацию, активное участие в ликвидации катастроф (например, участие в деятельности местного отделения Красного Креста) и отличная физическая форма. Во время зомби-апокалипсиса надо, по крайней мере, бегать быстрее зомби!

Во время кризиса важно то, как действуют сотрудники и руководители системы здравоохранения, но это не единственный решающий фактор. Чтобы остановить болезнь и восстановиться после эпидемии, должно мобилизоваться все общество и вся политическая структура. Крупные эпидемии и другие чрезвычайные ситуации — это политические события, их следует изначально считать таковыми и работать с ними соответствующим образом. То же самое касается деятельности по подготовке и профилактике. Защита граждан от таких ситуаций должна рассматриваться как центральная задача правительства — не менее важная, чем защита от вторжения армии противника.

Чтобы обеспечить глобальную медицинскую безопасность посредством подготовки и упреждающего реагирования на пандемии, национальные катастрофы, а также акты химического, биологического и радиационного терроризма, необходимо поддерживать системы здравоохранения в других странах. Нельзя пустить дело на самотек в надежде, что при необходимости, в период кризиса, удастся их укрепить.

В глобальном масштабе необходимо создать должность заместителя генерального секретаря Организации Объединенных Наций по медицинской безопасности. Этот человек должен отвечать за мобилизацию всех международных организаций, чтобы дискуссии о подготовке и реагировании шли на уровне глав государств, а не на уровне министра или секретаря по вопросам здравоохранения.

Уже готовятся планы поддержки ВОЗ из резервных фондов на случай чрезвычайных ситуаций, однако необходим международный фонд для укрепления медицинской безопасности и подготовки, аналогичный глобальному фонду профилактики и лечения ВИЧ/СПИД, туберкулеза и малярии. Новый фонд мог бы поддерживать на национальном уровне разработку новых вакцин и лекарств для борьбы с потенциальными пандемиями, а также создать международный резерв важнейших ресурсов, например вакцин против Эболы. В то же время новые меры противодействия не должны становиться костылем, подпирающим слабые системы здравоохранения.

Каждая страна должна сформулировать критически важные шаги по подготовке и реагированию на эпидемии. Я предлагаю сосредоточить эту деятельность в оперативном центре по чрезвычайным ситуациям, который будет получать информацию из различных источников, в том числе из СМИ и социальных сетей, проводить общенациональные учения, заниматься планированием, иметь постоянный доступ к данным по отслеживанию заболеваний, а во время катастроф будет выделять лекарства, координировать работу и управлять группами реагирования. Такие улучшения на национальном уровне потребуют крупных глобальных инвестиций.

США — в числе лидеров в области здравоохранения, но даже в такой продвинутой в этом отношении стране много больничных инфекций и смертей, а значит, существующие меры по контролю инфекций в медицинских учреждениях недостаточны. По показателю младенческой смертности США находятся на 167-м месте в мире, на одном уровне с некоторыми «банановыми республиками», — это позор для такой богатой страны. Ситуацию усугубляет явное неравенство в системе национального здравоохранения.

В отчете «Вспышки: как защитить американцев от инфекционных заболеваний» за 2015 год, который выпустили фонд «За здоровье Америки» и фонд Роберта Вуда Джонсона, говорится, что 28 штатов и Вашингтон набрали пять и менее пунктов из десяти по ключевым показателям, связанным с профилактикой, выявлением, диагностикой и реагированием на эпидемии. Национальная ассоциация окружных и городских сотрудников здравоохранения распространила отчет с результатами опроса местных руководителей санитарных служб. Из десяти опрошенных руководителей восемь признались, что им не хватает опыта для оценки возможного влияния изменений климата и для эффективного планирования. Девять из десяти сказали, что у них недостаточно ресурсов.

Мы должны стремиться к лучшему, целенаправленно бороться с глупостями наподобие тех, когда в сенат США приносят снежки, чтобы продемонстрировать, что никаких климатических изменений нет. Нужно оставить в прошлом мелочную и неразумную политику, из-за которой деньги жалеют не только на материальную инфраструктуру (дороги, мосты, аэропорты), но и на инфраструктуру здравоохранения. Необходимо уйти от стратегии «болезни дня», проявлениями которой становятся сообщения о кризисах и запросы на экстренное финансирование важнейших функций здравоохранения. Мы не можем позволить себе пренебречь полноценным развитием человеческого капитала.

Тем не менее в умах многих государственных мужей, видимо, преобладает отрицание. Некоторые лидеры пытаются подстроить реальность под себя и до последнего стараются скрывать происходящее в их странах, как это было в Китае, когда там отказывались признавать эпидемию атипичной пневмонии. Но даже международные организации не всегда способны вовремя и адекватно оценить ситуацию: например, ВОЗ не сразу осознала тяжесть вспышки Эболы 2014–2015 годов.

Во Флориде, наиболее уязвимом с точки зрения повышения уровня моря и притока тропических заболеваний штате США, чиновникам запрещено употреблять в переписке и отчетах термины «изменения климата» и «глобальное потепление».

Что это? Примитивное магическое мышление или простая корпоративная солидарность, как в странах третьего мира, где шкурные интересы власть имущих порождают зашоренность и нежелание думать о долгосрочных последствиях? Получается, чтобы сохранить власть и деньги, хороши все средства?

Я не знаю, как принято наказывать за правду. Может быть, какой-нибудь политик расстреляет меня из «ведьминого ружья».

Здравоохранение — это не топорик в ящике с надписью: «В случае чрезвычайной ситуации разбить стекло». Настало время по-новому посмотреть на систему защиты общественного здоровья и, образно говоря, начать использовать огнеупорные строительные материалы, огнетушители и спринклерные системы пожаротушения. Иными словами, необходимо встроить меры профилактики в саму инфраструктуру наших сообществ, сделать их устойчивыми. Для этого нужны точные данные, которые позволят выявить первопричины возникающих проблем, выработать эффективные меры профилактики и отслеживать их внедрение во имя улучшения здоровья нашего общества.

Эти решения на нашей совести. И нам предстоит увидеть, прав ли был Луи Пастер, когда сказал: «Господа, последнее слово за микробами».

БИБЛИОГРАФИЯ

Глава 1. Первый румянец

Barry, John M. *The Great Influenza: The Epic Story of the Deadliest Plague in History*, rev. ed. New York: Penguin, 2005.

Bert, Fabrizio, Giacomo Scaioli, Maria Rosaria Gualano, Stefano Passi, Maria Lucia Specchia, Chiara Cadeddu, Cristina Viglianchino, et al. "Norovirus Outbreaks on Commercial Cruise Ships: A Systematic Review and New Targets for the Public Health Agenda". *Food and Environmental Virology* 6, no. 2 (June 2014). P. 67–74.

Centers for Disease Control and Prevention. "Outbreak Updates for International Cruise Ships". URL: www.cdc.gov/nceh/vsp/surv/gilist.htm.

Khan, A. S., C. L. Moe, R. I. Glass, S. S. Monroe, M. K. Estes, L. E. Chapman, X. Jiang, et al. "Norwalk Associated Gastroenteritis Traced to Ice Exposure Aboard a Cruise Ship in Hawaii: Comparison and Application of Molecular Method-Based Assays". *Journal of Clinical Microbiology* 32, no. 2 (February 1994). P. 318–322.

Khan, A. S., F. Polezhaev, R. Vasiljeva, V. Drinevsky, J. Buffington, H. Gary, A. Sominina, et al. "Comparison of US Inactivated Split-Virus and Russian Live Attenuated, Cold-Adapted Trivalent Influenza Vaccines in Russian Schoolchildren". *Journal of Infectious Diseases* 173, no. 2 (February 1996). P. 453–456.

Pendergrast, Mark. *Inside the Outbreaks: The Elite Medical Detectives of the Epidemic Intelligence Service*. Boston: Houghton Mifflin Harcourt, 2010.

Глава 2. Син Номбре

Chaparro, J., J. Vega, W. Terry, B. Barra, R. Meyer, C. J. Peters, A. S. Khan, et al. "Assessment of Person-to-Person Transmission of Hantavirus Pulmonary Syndrome in a Chilean Hospital Setting". *Journal of Hospital Infection* 40, no. 4 (December 1998). P. 281–285.

Grady, Denise. "Death at the Corners". *Discover*, December 1, 1993. URL: discovermagazine.com/1993/dec/deaththecorner320.

Khan, A. S., J. Mills, B. Ellis, W. Terry, J. M. Vega, J. A. Toro, Z. Yadon, et al. "Informe final de las activides realizadas por la Comisión Conjunta — Centers for Disease Control and Prevention de Estados Unidos de América, Ministerio de Salud, Organización Panamericana de la Salud y ANLIS Argentina — en relación por hantavirus en Chile". *Revista Chilena de Infectologia* 14, no. 2 (1997). P. 123–134.

Ksiazek, T. G., C. J. Peters, P. E. Rollin, S. Zaki, S. T. Nichol, C. F. Spiropoulou, S. Morzunov, et al. "Identification of a New North American Hantavirus That Causes Acute Pulmonary Insufficiency". *American Journal of Tropical Medicine and Hygiene* 52, no. 2 (February 1995). P. 117–123.

Montoya-Ruiz, Carolina, Francisco J. Diaz, and Juan D. Rodas. "Recent Evidence of Hantavirus Circulation in the American Tropic". *Viruses* 6, no. 3 (March 2014). P. 1274–1293.

Toro, J., J. D. Vega, A. S. Khan, J. N. Mills, P. Padula, W. Terry, Z. Yadon, et al. "An Outbreak of Hantavirus Pulmonary Syndrome, Chile, 1997". *Emerging Infectious Diseases* 4, no. 4 (October–December 1998). P. 687–694.

Глава 3. Лицо дьявола

Khan, A. S., G. O. Maupin, P. E. Rollin, A. M. Noor, H. H. Shurie, A. G. Shalabi, S. Wasef, et al. (1997) "An Outbreak of Crimean-Congo Hemorrhagic Fever in the United Arab Emirates, 1994–1995". *American Journal of Tropical Medicine and Hygiene* 57, no. 5 (November 1997). P. 519–525.

Khan, A. S., F. K. Tshioko, D. L. Heymann, B. Le Guenno, P. Nabeth, B. Kerstiëns, Y. Fleerackers, et al. "The Reemergence of Ebola Hemorrhagic Fever, Democratic Republic of the Congo, 1995". *Journal of Infectious Diseases* 179, suppl. 1 (February 1999). P. 76–86.

Rodriguez, L. L., G. O. Maupin, T. G. Ksiazek, P. E. Rollin, A. S. Khan, T. F. Schwarz, R. S. Lofts, et al. "Molecular Investigation of a Multi-source Outbreak of Crimean-Congo Hemorrhagic Fever in the United Arab Emirates". *American Journal of Tropical Medicine and Hygiene* 57, no. 5 (November 1997). P. 512–518.

Глава 4. Оспа на оба ваши дома

Foege, William H. *House on Fire: The Fight to Eradicate Smallpox*. Berkeley: University of California Press and Milbank Memorial Fund, 2011.

Hutin, Y. J., R. J. Williams, P. Malfait, R. Pebody, V. N. Loparev, S. L. Ropp, M. Rodriguez, et al. "Outbreak of Human Monkeypox, Democratic Republic of Congo, 1996–1997". *Emerging Infectious Diseases* 7, no. 3 (June 2001). P. 434–438.

Kile, J. C., A. T. Fleischauer, B. Beard, M. J. Kuehnert, R. S. Kanwal, P. Pontones, H. J. Messersmith, et al. "Transmission of Monkeypox Among Persons Exposed to Infected Prairie Dogs in Indiana in 2003". *Archives of Pediatric and Adolescent Medicine* 159, no. 11 (November 2005). P. 1022–1025.

Likos, A., S. Sammons, V. Olson, M. Frace, Y. Li, M. Olsen-Rasmussen, W. Davidson, et al. "A Tale of Two Clades: Monkeypox Viruses". *Journal of General Virology* 86, pt. 10 (October 2005). P. 2661–2672.

McCollum, A. M., and I. K. Damon. "Human Monkeypox". *Clinical Infectious Diseases* 58, no. 2 (January 2014). P. 260–267.

Mukinda, V. B. K., G. Mwema, M. Kilundu, D. L. Heymann, A. S. Khan, and J. J. Esposito. "Re-emergence of Human Monkeypox in Zaire in 1996". *Lancet* 349, no. 9063 (1997). P. 1449–1450.

Глава 5. Высшая форма убийства

Centers for Disease Control and Prevention. Killer Strain: Anthrax. Animations and Videos, URL: www.cdc.gov/anthrax/news-multimedia/ animations-and-videos.html.

Dewan, P. K., A. M. Fry, K. Laserson, B. C. Tierney, C. P. Quinn, J. A. Hayslett, L. N. Broyles, et al. "Inhalational Anthrax Outbreak Among Postal Workers, Washington, D.C., 2001". *Emerging Infectious Diseases* 18, no. 10 (October 2002). P. 1066–1072.

Jernigan, J. A., D. S. Stephens, D. A. Ashford, C. Omenaca, M. S. Topiel, M. Galbraith, M. Tapper, et al. "Bioterrorism-Related Inhalational Anthrax: The First 10 Cases Reported in the United States". *Emerging Infectious Diseases* 7, no. 6 (November–December 2001). P. 933–944.

Willman, David. *The Mirage Man: Bruce Ivins, the Anthrax Attacks, and America's Rush to War.* New York: Bantam Books, 2011.

Глава 6. Миграции

Чума в Нью-Йорке

Auerbach, Jonathan. "Does New York City Really Have as Many Rats as People?" *Significance* 11, no. 4 (October 2014). P. 22–27.

Chase, Marilyn. *The Barbary Plague: The Black Death in Victorian San Francisco.* New York: Random House Trade Paperbacks, 2004.

Inglesby, T. V, D. T. Dennis, D. A. Henderson, J. G. Bartlett, M. S. Ascher, E. Eitzen, A. D. Fine, et al. "Plague as a Biological Weapon: Medical and Public Health Management (Consensus Statement)". *Journal of the American Medical Association* 283, no. 17 (May 2000). P. 2281–2290.

Sullivan, Robert. *Rats: Observations on the History and Habitat of the City's Most Unwanted Inhabitants.* New York: Bloomsbury, 2004.

Лихорадка Западного Нила

Centers for Disease Control and Prevention. "West Nile Virus". URL: www.cdc.gov/westnile.

Rossi, S. L., T. M. Ross, and J. D. Evans. "Emerging Pathogens: West Nile Virus". *Clinics in Laboratory Medicine* 30, no. 1 (March 2010). P. 47–65.

Птичий грипп, 2002 год

Centers for Disease Control and Prevention. "Highly Pathogenic Asian Avian Influenza A (H5N1) Virus". URL: www.cdc.gov/flu/avianflu/h5n1-virus.htm.

Centers for Disease Control and Prevention. "H5 Viruses in the United States". URL: https://www.cdc.gov/flu/avianflu/h5/.

Fung, T. K. F., K. Namkoong, and D. Brossard. "Media, Social Proximity, and Risk: A Comparative Analysis of Newspaper Coverage of Avian Flu in Hong Kong and in the United States". *Journal of Health Communication* 16, no. 8 (September 2011). P. 889–907.

Kawaoka, Y. "H5N1: Flu Transmission Work Is Urgent". *Nature* 482, no. 7384 (February 9, 2012). P. 155.

Глава 7. Прямо из отеля «Метрополь»

Centers for Disease Control and Prevention. "Outbreak of Severe Acute Respiratory Syndrome — Worldwide, 2003". *Morbidity and Mortality Weekly Report (MMWR)* 52, no. 12 (2003). P. 241–248.

Gopalakrishna, G., P. Choo, Y. S. Leo, B. K. Tay, Y. T. Lim, A. S. Khan, and C. C. Tan. "SARS Transmission and Hospital Containment". *Emerging Infectious Diseases* 10, no. 3 (March 2004). P. 395–400.

Normile, Dennis. "The Metropole, Superspreaders, and Other Mysteries". *Science* 339, no. 6125 (March 15, 2013). P. 1272–1273.

Schrag, S. J., J. T. Brooks, C. Van Beneden, U. D. Parashar, P. M. Griffin, L. J. Anderson, W. J. Bellini, et al. "SARS Surveillance During

Emergency Public Health Response, United States, March–July 2003". *Emerging Infectious Diseases* 10, no. 2 (February 2004). P. 185–194.

Глава 8. После потопа

Brinkley, Douglas. *The Great Deluge: Hurricane Katrina, New Orleans, and the Mississippi Gulf Coast.* New York: Morrow, 2006.

Centers for Disease Control and Prevention. "Infectious Disease and Dermatologic Conditions in Evacuees and Rescue Workers After Hurricane Katrina — Multiple States, August–September, 2005". *Morbidity Mortality Weekly Report* 54, no. 38 (September 30, 2005). P. 961–964.

Sharma, A. J., E. C. Weiss, S. L. Young, K. Stephens, R. Ratard, S. Straif-Bourgeois, T. M. Sokol, et al. "Chronic Disease and Related Conditions at Emergency Treatment Facilities in the New Orleans Area After Hurricane Katrina". *Disaster Medicine and Public Health Preparedness* 2, no. 1 (March 2008). P. 27–32.

Watson, J. T., M. Gayer, and M. A. Connolly. "Epidemics After Natural Disasters". *Emerging Infectious Diseases* 13, no. 1 (January 2007). P. 1–5.

Глава 9. Сьерра-Леоне

Henao-Restrepo, Ana Maria, Ira M. Longini, Matthias Egger, Natalie E. Dean, W. John Edmunds, Anton Camacho, et al. "Efficacy and Effectiveness of an rVSV-Vectored Vaccine Expressing Ebola Surface Glycoprotein: Interim Results from the Guinea Ring Vaccination Cluster-Randomised Trial". *Lancet* 386, no. 9996 (August 29, 2015). P. 857–866.

Moon, S., D. Sridhar, M. A. Pate, A. K. Jha, C. Clinton, S. Delaunay, V. Edwin, et al. "Will Ebola Change the Game? Ten Essential Reforms Before the Next Pandemic: The Report of the Harvard-LSHTM Independent Panel on the Global Response to Ebola". *Lancet* 386, no. 10009 (November 28, 2015). P. 2204–2221.

World Health Organization. "Report of the Ebola Interim Assessment Panel — July 2015". URL: www.who.int/csr/resources/publications/ebola/ebola-panel-report/en.

Глава 10. #JeSuisLeMonde

Johnson, Steven. *The Ghost Map: The Story of London's Most Terrifying Epidemic — and How It Changed Science, Cities, and the Modem World.* New York: Riverhead Books / Penguin Group, 2006.

Trust for America's Health. *Outbreaks: Protecting Americans from Infectious Diseases 2015* (Robert Wood Johnson Foundation, December 2015). URL: www.tfah.org/report-details/outbreaks-protecting-americans-from-infectious-diseases/.

Watts, Nick, W. Neil Adger, Paolo Agnolucci, Jason Blackstock, Peter Byass, Wenjia Cai, Sarah Chaytor, et al. "Health and Climate Change: Policy Responses to Protect Public Health". *Lancet* 386, no. 10006 (November 2015). P. 1861–1914.

The White House. *National Action Plan for Combating Antibiotic-Resistant Bacteria* (March 2015). URL: obamawhitehouse.archives.gov/sites/default/files/docs/national_action_plan_for_combating_antibotic-resistant_bacteria.pdf.

WHO Collaborating Center for Research, Training and Eradication of Dracunculiasis, CDC. "Memorandum: Guinea Worm Wrap-up #237". November 17, 2015. URL: www.cartercenter.org/resources/pdfs/news/health_publications/guinea_worm/wrap-up/237.pdf.

ОБ АВТОРАХ

Доктор Али Хан — бывший директор бюро медицинской подготовки и реагирования Центров по контролю и профилактике заболеваний США. Более 20 лет посвятил работе в Центрах по контролю и профилактике заболеваний, занимался расследованием вспышек новых инфекционных болезней, вопросами биотерроризма и глобальной медицинской безопасности. В настоящее время доктор Хан является деканом колледжа здравоохранения Университета Небраски и продолжает свою деятельность по защите сообществ людей от различных угроз на международном уровне.

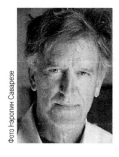

Уильям Патрик участвовал в создании многочисленных мемуаров, в том числе помогал в написании мемуаров актера, лауреата премии «Оскар» Сидни Пуатье и сотрудника лаборатории реактивного движения Адама Штельцнера. Автор двух популярных романов о биологических угрозах, написанных в жанре саспенс.

Научно-популярное издание

Серия «Сердце медицины»

Хан Али

Патрик Уильям

Следующая пандемия
Инсайдерский рассказ о борьбе с самой страшной угрозой человечеству

Шеф-редактор *Ольга Киселева*
Ответственный редактор *Татьяна Медведева*
Литературный редактор *Виктория Присеко*
Арт-директор *Мария Красовская*
Дизайн обложки *Мария Долгова*
Верстка *Вячеслав Лукьяненко*
Корректоры *Наталья Мартыненко, Надежда Петрив*

Подписано в печать 07.09.2020.
Формат 60×90 ¹/₁₆. Гарнитура Warnock Pro.
Бумага офсетная. Печать офсетная.
Усл. печ. л. 20. Тираж 3500 экз.
Заказ 7534.

Изготовитель: ООО «Манн, Иванов и Фербер»
123104, Россия, г. Москва, Б. Козихинский пер., д. 7, стр. 2

mann-ivanov-ferber.ru
facebook.com/miftvorchestvo
vk.com/miftvorchestvo
instagram.com/miftvorchestvo

Отпечатано в АО «Первая Образцовая типография»,
филиал «УЛЬЯНОВСКИЙ ДОМ ПЕЧАТИ»,
432980, Россия, г. Ульяновск, ул. Гончарова, д. 14
uldp.ru